D1039471

LES BRUMES D'AVALON

MARION ZIMMER BRADLEY

LES BRUMES D'AVALON

roman

Pygmalion
Gérard Watelet
Paris

Titre original : THE MISTS OF AVALON
traduit de l'américain par Brigitte Chabrol

Adaptation française réalisée avec le concours de Claude Bobin et Gérard Villers.

ISBN 2-85704-224-8

« ... Morgane la Fée
ne fut pas mariée, mais envoyée,
pour y être instruite, dans un couvent
où elle devint grande maîtresse de magie ».

THOMAS MALORY
La Mort d'Arthur

REMERCIEMENTS

Il est difficile, tant elles sont nombreuses, de dresser la liste exhaustive des sources ayant servi à l'élaboration de cet ouvrage. Je tiens néanmoins à évoquer le souvenir de mon grand-père, John Roscoe Conklin, qui m'avait fait connaître, dès l'âge de dix ans, des Histoires du Roi Arthur, grâce au vieil exemplaire de l'édition Sidney Lanier dont il m'avait fait cadeau. Ainsi en fut-il aussi des Tales of prince Valiant qui enflammèrent mon imagination et, lorsque j'eus quinze ans, des dix volumes du Golden Bough de James Frazer que je dévorais en cachette à Albany, dans la bibliothèque du ministère de l'Éducation, au lieu d'assister aux cours, ou des quinze tomes d'une histoire comparée des religions qui me révéla l'univers immense des Druides et des croyances celtiques.

Plus proche a été, sur cet ouvrage, l'influence de Geoffrey Ashe dont les travaux m'ont aidée à orienter et à poursuivre mes recherches ; je l'en remercie, ainsi que Jamie George, de Glastonbury : il a bien voulu m'initier à la géographie du Somerset et au site de Camelot — que j'ai accepté de situer, dans la perspective de mon livre et selon l'opinion communément admise, à l'emplacement de Cadbury Castle dans le Somerset ; il m'a aussi guidée dans les méandres du pèlerinage de Glastonbury en attirant mon attention sur les traditions, encore bien vivantes, relatives à son Puits du Calice, et sur l'ancienne croyance selon laquelle Joseph d'Arimathie y aurait planté la Sainte Épine. C'est à Glastonbury aussi que j'ai eu accès à la documentation concernant la tradition celtique d'un Christ enfant instruit dans la religion de la sagesse dans le cadre du temple qui s'élevait autrefois au sommet de l'île.

Pour la période du Christianisme pré-augustinien, j'ai été autorisée à utiliser un manuscrit non accessible au public : The Pre-Constantine Mass : a conjecture, *par le père Randall Garrett, une autre partie de ma documentation provenant des liturgies syro-chaldéennes — dont saint Serapion —, comme des liturgies propres aux communautés locales de Chrétiens de saint Thomas et des Catholiques prénicéens. Walter Breen a traduit pour moi, des testaments grecs, les passages des Écritures qui m'étaient nécessaires ; je dois enfin mentionner* The Western Mystery Tradition *de Christine Hartley et* Avalon of the Heart *de Dion Fortune.*

Une description des religions préchrétiennes dans les îles britanniques ne peut que relever du domaine de l'hypothèse, en raison des efforts acharnés de leurs successeurs pour en effacer les moindres traces ; les érudits divergent tant à leur sujet que je n'ai éprouvé aucune honte à choisir, dans un domaine aussi riche, les sources qui convenaient le mieux aux exigences de la fiction. J'ai lu de même, sans les suivre dans les détails, les œuvres de Margaret Murray. J'exprime ma gratitude aux groupes néo-païens locaux qui m'ont aidée pour les épisodes relatant des cérémonies ; à Alison Harlow et aux « Covenant of the Goddess », à Otter et Morning-Glory Zell, à Isaac Bonewits et aux Nouveaux Druides Réformés, à Robin Goodfellow et Gaia Wildwoode, à Philip Wayne et au Crystal Well, *à Starhawk dont l'ouvrage,* The Spiral Dance, *m'a été d'une aide inestimable dans le domaine de l'initiation des prêtresses. Je dis aussi toute ma reconnaissance, pour l'amitié et le soutien qu'elles n'ont cessé de m'apporter au cours de la rédaction de cet ouvrage, à Diana Paxson, Tracy Blackstone, Elisabeth Waters et Anodea Judith, du « Darkmoon Circle ».*

J'exprime enfin mon affectueuse gratitude à mon mari, Walter Breen, sans lequel, pour bien des raisons, ce livre n'aurait pu voir le jour ; au professeur Wollheim qui ne m'a jamais retiré sa confiance, et à sa femme Elsie ; à Lester et Judy-Lynn del Rey, encore et par-dessus tout, qui n'ont cessé de me soutenir dans ma démarche. A tous ceux-ci je joins le nom de mon fils aîné, David, pour le soin qu'il a apporté à la rédaction du manuscrit définitif.

INTRODUCTION

Grâce à la sagesse du Haut Roi Arthur et à son épée magique Excalibur, grâce aussi à la bravoure des Chevaliers de la Table Ronde, la paix règne enfin au royaume de Grande Bretagne.

Mais c'est une paix encore précaire. D'abord, parce que les Saxons, et les envahisseurs venus du Nord, en dépit de la défaite qu'ils ont subie lors de la grande bataille de Mont-Badon, n'ont pas vraiment renoncé à conquérir le pays. Ensuite, parce qu'il suffirait que l'autorité d'Arthur soit ébranlée pour voir les petits rois renouer aussitôt avec leurs vieilles querelles et rallumer la guerre à travers les différentes provinces.

La reine Guenièvre n'ayant toujours pas donné d'héritier à Arthur, le trône de Grande Bretagne reste très fragile : il est devenu l'enjeu d'ambitions plus ou moins avouables et l'objet de multiples intrigues.

En fait, derrière les rivalités que suscite la succession d'Arthur, se profile la lutte sans merci que se livrent les adeptes des deux religions pratiquées alors en Grande Bretagne : l'antique culte celtique de la Déesse-Mère, que défendent les druides et Viviane, la Dame du Lac, grande prêtresse de l'Ile Sacrée d'Avalon, et la nouvelle religion chrétienne, prônée par les Romains, qui ne cesse de gagner du terrain.

Or, si Arthur est monté sur le trône, avant son mariage, grâce à la protection et au soutien d'Avalon — c'est Viviane qui lui a confié Excalibur —, il est tombé depuis sous l'influence des prêtres par le truchement de son épouse bien-aimée Guenièvre, chrétienne convaincue, élevée dans un couvent.

Afin de lui complaire, il a même accepté d'abandonner l'emblème du Dragon, symbole de la très ancienne lignée royale d'Avalon, pour une bannière portant la croix du Christ. Pour Avalon, il passe donc pour un traître, tandis que l'Église, soucieuse d'étendre sa domination, voit en lui un allié précieux.

En réalité, le Haut Roi ménage les représentants des deux religions dans le but de sauvegarder l'unité de la Grande Bretagne, car, divisée, celle-ci deviendrait une proie facile pour les envahisseurs.

Face à une telle situation, la venue au monde d'un héritier royal, en mettant un terme aux querelles pour la succession, représenterait le meilleur atout d'Arthur. Mais la reine ne manifeste toujours pas le moindre signe de grossesse.

Or, la très chrétienne Guenièvre, dans son désir obsessionnel de donner un enfant à son roi, a osé braver les interdits des prêtres en demandant à Morgane la Fée de lui procurer un charme susceptible de la rendre mère. De son côté, Arthur, se croyant responsable de la stérilité de la reine, a été jusqu'à attirer dans la couche royale, un soir de fête, son ami Lancelot et à le pousser dans les bras de son épouse, sans autre résultat que de renforcer les sentiments de Guenièvre et de Lancelot qui s'aiment secrètement depuis longtemps *.

* Voir *Les Dames du Lac* chez le même éditeur.

INTRODUCTION

En vérite, Arthur est tout à fait capable d'engendrer puisqu'il est déjà le père d'un garçon, mais il l'ignore. Cet enfant, nommé Gwydion, est né de ses rapports incestueux avec sa sœur Morgane lors des fêtes rituelles de Beltane qui précédèrent son couronnement. Morgane, qui a gardé jusque-là le secret sur cette naissance, fait élever Gwydion loin du château d'Arthur, dans le Lothian, à la cour de la reine Morgause.

Si la reine ne donne pas bientôt un héritier à Arthur, c'est lui, Gwydion, qui devrait, selon les lois d'Avalon, devenir roi. Mais les prêtres refuseront sans aucun doute de reconnaître cet enfant du péché...

LES PRINCIPAUX PERSONNAGES

Arthur	Haut Roi de Grande Bretagne Fils d'Ygerne, duchesse de Cornouailles et du roi Uther Pendragon, son second époux.
Guenièvre	Épouse du roi Arthur. Fille du roi Leodegranz.
Viviane	La Dame du Lac. Grande prêtresse d'Avalon. Fille de Merlin l'Enchanteur, mère de Lancelot.
Morgane	Morgane la Fée. Prêtresse d'Avalon. Fille d'Ygerne et du duc de Cornouailles, Gorlois, son premier époux. Demi-sœur d'Arthur.
Merlin	dit Merlin l'Enchanteur. Druide et barde. Messager des Dieux.
Niniane	Fille de Merlin.
Lancelot	Lancelot du Lac, de son vrai nom : Galaad. Fils de Viviane et du roi Ban de Benoïc. Grand Écuyer d'Arthur et champion de la reine Guenièvre.

LES BRUMES D'AVALON

Balan	Fils aîné de Viviane.
Morgause	Veuve du roi Loth des Orcades. Sœur d'Ygerne et de Viviane.
Gauvain	Fils aîné de Morgause.
Gareth	Le plus jeune fils de Morgause.
Gwydion	Fils de Morgane et d'Arthur. Portera plus tard le nom de Mordred.
Kevin	Kevin le barde, druide. Successeur de Merlin l'Enchanteur.
Caï	Diminutif de Caïus. Frère d'adoption et chambellan d'Arthur.
Meleagrant	Se prétend fils du roi Leodegranz et donc frère de la reine Guenièvre.
Élaine	Épouse de Lancelot.
Galaad	Fils de Lancelot et d'Élaine.
Nimue	Fille de Lancelot et d'Élaine.
Uriens	Roi des Galles du Nord, époux de Morgane.
Accolon	Fils d'Uriens

PREMIÈRE PARTIE

Le Roi Cerf

I

« Le soleil semble avoir complètement oublié le Lothian... » pensa la reine Morgause en s'éveillant aux premières lueurs d'une pâle et froide lumière hivernale. Il était certainement encore très tôt, car on n'entendait pas encore les cris des dindons dans la basse-cour du château. Elle se retourna donc en soupirant et vint se blottir contre le corps musclé du jeune homme endormi près d'elle.

Lochlann, c'était son nom, jouissait de ce privilège depuis plusieurs mois. Soldat du roi Loth, il n'avait pas attendu la mort de son souverain pour jeter des yeux de convoitise sur la reine, et celle-ci, redoutant les longues nuits glaciales et solitaires, avait vite cédé à son désir. Non que Loth n'eût été un bon époux, mais, dès la naissance de leur quatrième fils, il avait lui-même déserté de plus en plus fréquemment la couche royale pour aller retrouver l'une ou l'autre des jeunes suivantes de sa femme, prenant toujours la précaution de les choisir en fonction des bonnes dispositions qu'elles laissaient deviner à son égard. Morgause d'ailleurs n'avait jamais fait grief à son mari de son penchant pour les jolies filles à cervelle d'oiseau, pas plus que celui-ci n'avait songé une seule fois à lui reprocher son goût prononcé pour les beaux garçons.

Si le roi et la reine avaient donc souvent vécu leurs nuits séparément, ils s'étaient, en revanche, toujours retrouvés parfaitement unis pour gouverner ensemble le royaume. En effet, contrairement à la plupart des souverains de Grande Bretagne, qui méprisaient l'opinion des femmes, Loth n'avait cessé de tenir son épouse au courant des affaires et écouté ses conseils en toutes occasions. Aussi n'eut-elle aucune difficulté à exercer le pouvoir au lendemain de la mort du roi, toutes les tribus se félicitant d'avoir à leur tête une souveraine aussi avisée.

Comme le jour se levait péniblement, le silence, soudain, fut rompu par le disgracieux et bruyant glouglou des dindons, suivi bientôt d'un remue-ménage en provenance des cuisines d'où s'échappaient par cascades des éclats de rire juvéniles et d'appétissantes odeurs de galettes grillées.

« Je suis la reine d'un pays heureux, qui a la chance de connaître la paix depuis de longues années, se dit Morgause en s'étirant langoureusement, et si par malheur une guerre se déclarait, mon fils aîné Gauvain serait sûrement à même de repousser les envahisseurs. Mais voilà bien longtemps que je ne l'ai vu. Depuis qu'il a été fait chevalier, il ne semble plus guère quitter la cour du Haut Roi Arthur... »

Lochlann, qui s'éveillait à son tour, la rappela à la réalité immédiate en l'attirant à moitié endormie dans ses bras. Mais, refusant de se laisser entraîner au-delà d'un rapide baiser, Morgause s'assit sur le lit en repoussant vivement les lourdes couvertures de fourrure.

— Allons, sauve-toi vite maintenant ! dit-elle. Que penserait Gwydion s'il venait à entrer dans la chambre ? Rien n'échappe à cet enfant, tu le sais.

— Tu as raison, convint Lochlann en bâillant bruyamment, le petit est très observateur. Mais crois-tu qu'il se préoccupe déjà de ce que peut faire un homme dans la chambre d'une dame ?

— Avec lui, je ne suis sûre de rien, soupira Morgause. Il faut donc être prudents.

Gwydion, il est vrai, faisait preuve d'une étonnante maturité pour un enfant de son âge. A dix ans, il ne supportait aucune allusion ayant trait à ses jeunes années. N'était-il pas, un jour, alors qu'il avait à peine quatre ans, entré dans une rage folle sous prétexte qu'on lui avait interdit d'aller dénicher des oiseaux sur les falaises en compagnie de camarades beaucoup plus âgés que lui ? « J'irai, personne ne m'en empêchera ! » avait-il hurlé trépignant, le visage tendu vers Morgause avec un air de défi. Combien de fois, ensuite, avait-il répété les mêmes paroles, indifférent aux menaces de sa mère adoptive, les fessées n'ayant sur lui d'autres effets que de décupler son agressivité.

Elle avait bien essayé, à mesure qu'il grandissait, d'employer des méthodes plus coercitives pour fléchir son caractère, le menaçant par exemple de le faire déculotter et frapper avec une lanière de cuir par sa nourrice devant tous les habitants du château. Mais elle n'avait obtenu qu'une amélioration passagère, l'enfant ayant une trop haute idée de sa dignité pour supporter une telle humiliation. Toujours est-il qu'à nouveau il n'en faisait qu'à sa tête et que rien ni personne ne semblaient pouvoir l'arrêter. Sans doute une correction magistrale administrée en temps et en lieu voulus serait peut-être venue à bout de lui, mais qui, sérieusement, désirait employer la manière forte avec le jeune Gwydion ?

« Probablement, pensa Morgause, deviendra-t-il plus vulnérable lorsqu'il commencera à tenir compte de l'opinion des filles à son égard. Il est aussi beau que Lancelot, avec la peau sombre et les traits de Morgane et du peuple des Fées. » Lancelot... Gwydion se montrerait-il comme lui indifférent envers les femmes ? Elle ressentait encore l'offense cuisante que lui avait fait subir l'homme le plus attirant, le plus séduisant, qu'elle ait rencontré depuis des années. Mais en dépit de ses avances à peine voilées, le beau Lancelot avait feint de ne rien remarquer, et n'avait cessé de l'appeler ostensiblement « tante », comme pour bien lui rappeler leur différence d'âge et le fait qu'elle ne serait jamais à ses yeux que la sœur de Viviane.

Chassant de ses pensées ce désagréable souvenir, Morgause accueillit avec plaisir le bol de lait chaud, les galettes et le beurre que lui apportaient ses servantes. Comme elle s'entretenait avec elles des travaux de la journée, Gwydion pénétra dans sa chambre.

— Bonjour, mère ! Je viens de cueillir ces baies uniquement pour vous : prenez-les, elles sont bien mûres. Voulez-vous que j'aille chercher un peu de crème à la laiterie ? demanda-t-il en lui tendant tout heureux la coupe de bois débordante de fruits rouges.

Morgause sourit. Tout attendrie, l'heureuse époque où, petit garçon, il sautait sur son lit, se glissant en riant sous ses couvertures, lui revint en mémoire. En plein hiver, comme il aimait s'enrouler dans les fourrures et en émerger, échevelé, pour croquer à pleines dents les galettes d'avoine ! Sentir alors contre le sien le petit corps souple et agile était si doux ! Le temps de l'innocence était malheureusement définitivement révolu.

— Tu es bien matinal, murmura-t-elle en l'embrassant. Tes baies sont magnifiques ! Merci, je ne veux pas de crème... Aimerais-tu me voir aussi grosse que la vieille truie ?

Gwydion pencha la tête, cligna des yeux comme un oiseau ébloui par le soleil.

— Mais vous pouvez manger autant de crème que vous le désirez, car, même grosse, vous serez toujours aussi belle ! s'exclama-t-il, l'air le plus grave du monde.

Décidément ce n'était plus un enfant qu'elle avait devant elle, mais presque un adolescent. Certes, à l'image d'Agravain, il ne serait jamais très grand et paraîtrait toujours menu à côté d'un géant comme Gareth.

— Comme tu es élégant aujourd'hui ! ajouta-t-elle, remarquant ses cheveux soigneusement coiffés, ses ongles courts et propres, sa tunique des jours de fête. As-tu coupé tes cheveux tout seul ?

— Non, on m'a aidé. J'ai dit que j'en avais assez de ressembler à un chien errant ! Je veux être comme Lancelot, toujours rasé, et les cheveux courts... Lui, ressemble à un seigneur !

A la vue de la petite main brune griffée par les ronces, et des genoux écorchés que dissimulait mal la belle tunique, Morgause eut du mal à garder son sérieux :

— Pourquoi as-tu mis cette tunique neuve ?

— J'ai déchiré l'autre dans les taillis en cueillant vos baies...

Gwydion observa alors un moment de silence, son petit visage reflétant soudain une préoccupation apparemment très éloignée de sa tenue.

— Savez-vous qu'ici toutes les femmes disent que je ressemble à Lancelot ? Elles me posent parfois des questions et je ne sais pas quoi répondre... Mère, dites-moi...

Gwydion baissa la tête et balbutia à voix très basse :

— Dites-moi... la vérité : Lancelot est-il mon père ?...

Le voyant si vulnérable et anxieux tout à coup, Morgause, très doucement, prit ses mains dans les siennes et l'attira à elle :

— Non, Gwydion. Je peux t'affirmer que Lancelot n'est pas ton père : il combattait en Armorique, aux côtés de son père le roi Ban, lorsque tu as été engendré... Peut-être lui ressembles-tu tout simplement parce qu'il est le fils de Viviane, et qu'il est ton cousin. Allez, file maintenant, dit-elle, le congédiant en lui donnant un baiser. Je dois m'habiller et je suis en retard !

— Pourquoi m'en aller ? Je vous vois au saut du lit tous les jours depuis que je suis tout petit !

— C'est vrai, mais tu es trop grand maintenant, pour me regarder ainsi. Ce n'est pas convenable !

— Mère, vous souciez-vous vraiment de ce qui est convenable ou non ? demanda contre toute attente Gwydion en dirigeant ostensiblement ses regards vers le creux laissé dans le lit par le corps de Lochlann.

« Gwydion est-il un homme, un Druide, ou un enfant ? » se demanda Morgause prise au dépourvu sentant malgré elle ses joues rougir d'irritation.

— Je n'ai aucun compte à te rendre Gwydion, et fais ce qui me plaît. Ma conduite ne te concerne en rien.

— Bien sûr, mère... Mais je deviens grand, vous l'avez dit

vous-même, et il est naturel que j'en sache maintenant davantage sur les femmes. Je préfère donc rester avec vous et bavarder.

— Soit ! Reste si tu le désires, concéda Morgause quelque peu décontenancée par la ténacité de l'enfant, mais tu tourneras le dos pendant que je m'habillerai !

Gwydion s'exécuta sans protester, avec un sérieux et un naturel parfaits, ce qui ne l'empêcha nullement d'intervenir à nouveau quand une suivante apporta la robe de sa maîtresse.

— Oh non, pas celle-ci ! Plutôt la bleue, la nouvelle avec la tunique safran...

— Tu as décidé de te mêler aussi du choix de ma toilette, l'interrompit Morgause perdant patience.

— Oui, j'aime tant vous voir belle, insista le gamin d'un ton enjôleur. N'oubliez pas de relever aussi vos cheveux et de mettre votre bandeau d'or !

— Gwydion, tu es insupportable ! Me vois-tu assise au milieu des femmes à carder la laine parée comme pour les fêtes du Solstice d'Été ? Elles vont toutes se moquer de moi !

— Je suis sûr que non, acheva l'enfant la voix changée... Aujourd'hui... vous allez recevoir une visite... une visite inattendue...

— Dans ces conditions, reprit gaiement Morgause faisant mine d'entrer dans le jeu, il faut aussi commander aux cuisines des gâteaux au miel...

— Et des poissons cuits sous la cendre !

— Si tu veux, mais alors tu iras les pêcher toi-même, Gwydion : tout le monde est trop occupé aujourd'hui pour aller à la pêche.

— Je pourrai emmener Lochlann avec moi. Il viendra si vous lui demandez...

Morgause ne releva pas le défi. Cette fois, elle renvoya son fils adoptif avec fermeté et s'employa à donner ses ordres pour la journée. Mais, tout en vaquant à ses occupations domestiques, il lui fut impossible de ne pas continuer à s'interroger sur le comportement insolite de Gwydion : pourquoi avait-il donc tant insisté pour la voir passer sa robe de fête et mettre son bandeau d'or ? Pourquoi, de son côté, avait-il enfilé sa plus belle tunique, alors qu'aucun événement particulier ne devait marquer la journée ?

Aussi se demanda-t-elle plusieurs fois au fil des heures si l'enfant n'avait pas le don de seconde vue. Rien, pourtant, ne le laissait présager car lorsqu'elle lui avait posé la question, il avait prétendu ne pas comprendre ce qu'elle voulait dire. S'il avait d'ailleurs possédé cette faculté rare, elle s'en serait sûrement aperçue, ou bien, il s'en serait déjà vanté... Gwydion, il est vrai, était si différent des autres enfants et n'avait rien de commun avec les fils de Loth. Il n'aimait ni les armes, ni les exploits de chevalerie, ni les jeux des garçons de son âge.

En revanche, il éprouvait beaucoup d'attirance pour la musique, et il lui arrivait parfois de rester assis des heures entières à chantonner d'étranges complaintes, ou à jouer rêveusement du pipeau que fabriquaient les bergers de la montagne.

Trois ans de suite, un prêtre, que Loth avait fait venir de Iona, avait vécu à la cour pour apprendre à lire à Gwydion et à Gareth. Mais autant ce dernier montrait peu d'inclination pour le travail intellectuel, autant Gwydion, doué d'un esprit rapide et d'une excellente mémoire, aimait s'absorber dans les écrits des anciens Romains, s'intéressait à l'histoire des Césars et aux spéculations philosophiques. Quel père pouvait-il rester insensible à tant d'application et de maturité précoce ? Or le roi Arthur semblait continuer à ignorer son existence, et n'avait toujours pas de fils de sa reine... Pourquoi Morgane n'avait-elle jamais avoué au souverain qu'il était le père de Gwydion ? Pourquoi n'avait-elle pas utilisé ce secret comme arme contre le Haut Roi, l'obligeant, par exemple, à lui faire épouser l'un de ses plus riches vassaux, ou bien à lui faire don de bijoux et de terres ? Morgane, il est vrai, se moquait des richesses matérielles... Seuls comptaient pour elle sa harpe et l'enseignement des Druides. Quelle folie de ne vouloir tirer parti de la connaissance d'un tel secret, celui de la naissance du fils du roi Arthur ! Ah, si elle, Morgause, avait été à sa place...

Toute droite assise dans la grande salle du château, vêtue de ses plus beaux atours, Morgause cardait pensivement la laine fournie par la tonte du printemps dernier. Les vêtements de Gwydion devenaient trop petits, il lui en fallait d'autres... Devait-elle lui en tisser des neufs, ou lui donner ceux d'Agravain qu'il faudrait alors remplacer ? Elle cherchait à résoudre au mieux ce petit problème domestique lorsque Gwydion fit irruption dans la pièce, un gros gourdin à la main, sa tunique retenue au-dessus des genoux par une large ceinture de peau :

— Je prends du pain et du fromage, et je cours aux clôtures voir si tout va bien ! prit-il juste le temps de dire avant de tourner les talons sans demander son reste.

A peine était-il sorti que Lochlann apparut à son tour brandissant en riant un énorme poisson, suivi d'Agravain hilare lui aussi.

— La prise suffira à nourrir toute la maisonnée, gloussaient-ils de concert. Nous allons le farcir d'herbes sauvages et le cuire sous la cendre. Ce sera un régal ! Les deux compères, demandant l'arbitrage de Morgause, entreprirent alors d'énumérer à tour de rôle les recettes les plus alléchantes qui leur revenaient en mémoire, l'un et l'autre s'ingéniant à qui mieux mieux à imaginer les plus savoureuses variantes.

Le retour de Gwydion mit un terme à leur joute oratoire. L'enfant — Morgause le remarqua avec amusement — avait pris soin de se laver les mains, de se coiffer et de se parfumer, et expliquait maintenant, l'air très important, aux deux hommes, le résultat de son inspection :

— J'ai vérifié toutes les clôtures autour des prairies : elles sont en bon état, sauf, à l'extrémité des landes au nord, là où se trouvaient les brebis l'an dernier. Il y a un grand trou qu'il faudra réparer si l'on veut y faire paître les troupeaux. Du côté des chèvres, un pan de mur s'est écroulé et les bêtes pourraient en profiter pour s'enfuir...

— Gwydion, as-tu été là-bas tout seul ? le gourmanda Morgause. Tu sais pourtant que l'endroit est dangereux... Tu aurais pu glisser dans le ravin et on ne t'aurait jamais retrouvé ! Je t'ai dit cent fois de te faire accompagner par un berger lorsque tu vas par là !

— Je voulais y aller seul ! répliqua Gwydion l'air buté. Et

j'ai vu ce que je voulais voir. Du haut des collines qui surplombent les landes, j'ai aperçu...

Gwydion s'interrompit car un homme grossièrement vêtu entrait tout essoufflé dans la salle. C'était Donil le chasseur. Il s'inclina respectueusement devant la reine :

— Ma Dame... Il y a des cavaliers, au loin, sur la route... Je crois qu'ils viennent d'Avalon, car ils ne sont pas habillés comme nous... Ils seront là dans peu de temps.

Remerciant l'homme d'un signe de tête, Morgause dut se rendre à l'évidence. Ainsi, pensa-t-elle, Gwydion avait prévu leur arrivée. Oui, il avait le Don, mais se gardait bien d'en faire état. Quel étrange enfant... Quel indéchiffrable sourire flottait à l'instant même sur ses lèvres !

— Eh bien, lança le gamin gaiement, nous sommes prêts à les recevoir. Nous sommes en habits de fête, et avons préparé à leur intention des gâteaux au miel et un gros poisson aux herbes sauvages !

— C'est une chance en effet, approuva Morgause, se levant comme dans un rêve, pour aller accueillir les voyageurs.

Debout au milieu de la cour, elle revoyait maintenant avec une étonnante précision ce jour lointain où Viviane et Merlin étaient arrivés au château de Tintagel. Aujourd'hui, le vieux magicien, s'il vivait encore, n'était sans doute plus en mesure d'accomplir de tels déplacements... Et Viviane ? Elle non plus ne devait plus prendre la route comme jadis, vêtue comme un homme, à l'allure qui lui convenait, sans se soucier de son escorte.

Percevant à ses côtés l'impatience contenue de Gwydion, elle observa l'enfant à la dérobée : haussé sur la pointe des pieds pour mieux distinguer les silhouettes qui s'approchaient lentement, il était, en cette minute, l'image exacte de Lancelot.

— Mère ? qui sont ces visiteurs, demanda-t-il soudain en levant les yeux sur elle comme pour répondre à son regard.

— La Dame du Lac, je suppose, et peut-être Merlin... Gwydion, écoute-moi, je te demande instamment, lorsqu'ils seront là, d'écouter mais de n'ouvrir la bouche que si on te le demande.

Mais Gwydion — avait-il seulement entendu ses paroles ? — n'avait apparemment cure de ces recommandations. Courant à toutes jambes vers la porte, il battit des mains et claironna fièrement :

— Mère, voici vos invités !

Viviane, en effet, s'approchait, une Viviane presque irréelle tant elle semblait amaigrie et tassée sur elle-même. Les joues creuses, le teint blafard, le visage ridé, les yeux profondément enfoncés dans leurs orbites, elle était en tous points pareille à l'image que l'on pouvait se faire de la Vieille-Femme-la-Mort.

C'est pourtant avec une joie sans mélange que Morgause serra sa sœur dans ses bras après s'être respectueusement inclinée devant elle.

— Comme il est doux de vous revoir après tant d'années ! murmura Viviane en retour. Vous semblez toujours aussi jeune, Morgause, et aussi belle ! Vos dents sont plus blanches et votre chevelure plus éclatante que jamais ! Pour moi, je n'ose même plus compter les jours ! Voici Kevin le Harpiste. Vous avez dû le voir lors du mariage d'Arthur. Il remplace notre vieux Merlin dans les hautes fonctions de Messager des Dieux.

Difforme et courbé comme il l'était, le barde ressemblait à un chêne plusieurs fois centenaire.

— Bienvenue à vous, seigneur Kevin, s'exclama courtoisement Morgause. Mais, que devient notre cher Merlin ? Est-il toujours des nôtres sur cette terre ?

— Oui, grâce aux Dieux ! mais il se fait très vieux et n'a pu hélas entreprendre une aussi longue route que celle qui nous a menés jusqu'à vous, répondit Viviane en se tournant vers la jeune fille qui venait de se joindre à eux. Morgause, je vous présente Niniane. C'est une fille de Merlin, une enfant des bosquets et des chênes... Elle est donc aussi votre demi-sœur !

Morgause qui ne s'attendait pas à cette brusque révélation, accusa un bref instant de désarroi. La jeune fille avait des yeux pervenche qu'ombrageaient de longs cils de soie, et d'admirables cheveux or et cuivre que séparait, au milieu du front, le petit croissant bleu des prêtresses d'Avalon.

— Maintenant que je suis si vieille, expliqua Viviane, Niniane m'accompagne dans tous mes voyages. Elle est aujourd'hui la seule avec moi, sur l'Ile d'Avalon, à avoir dans ses veines le vieux sang royal...

— Soyez tous les bienvenus sous mon toit, répondit Morgause, de nouveau parfaitement maîtresse d'elle-même. Voici mon fils Agravain, qui règne en l'absence de son frère Gauvain, actuellement à la cour du roi Arthur, et mon fils adoptif, Gwydion.

Le jeune garçon courba respectueusement la tête devant les deux prêtresses, puis devant Kevin, mais sans prononcer la moindre parole.

— Quel bel enfant ! déclara amicalement le barde, avant d'ajouter d'une voix pensive : Ainsi... voici le fils de Morgane !...

— Oui, coupa Morgause vivement, visiblement désireuse de ne pas laisser le barde s'attarder trop longtemps dans ses réflexions. Mais à propos de Morgane, se trouve-t-elle de nouveau à Avalon ?

— Non... elle séjourne à la cour d'Arthur, intervint la vieille prêtresse d'un ton navré. Morgane a une œuvre à accomplir dans le monde extérieur. Elle reviendra plus tard sur l'Ile Sacrée. En temps utile : une place l'y attend.

— Est-ce bien de ma mère dont vous parlez ? demanda Gwydion d'un ton faussement indifférent.

— Pourquoi, mon enfant, me posez-vous une question dont vous connaissez parfaitement la réponse ? répliqua sèchement la Dame du Lac. Prenez garde, Gwydion, de ne pas braver les forces inestimables qui vous ont été confiées ! Ne cherchez pas davantage à me tromper car je vous connais mieux que vous ne le pensez...

— Venez tous, faites-nous l'honneur d'entrer sous notre toit, proposa Morgause pour faire diversion. Tout est prêt pour vous recevoir.

Conduisant avec prévenance Viviane vers le siège qui était habituellement le sien, Morgause plaça le barde à côté d'elle. Mais lorsqu'elle se retourna pour prier la jeune Niniane de s'asseoir à son tour, elle constata non sans amusement que Gwydion l'avait déjà prise par la main et la guidait courtoisement vers sa place : contrairement à ses récentes déductions, le jeune garçon se montrait-il déjà sensible au charme des blondes jeunes filles ?

L'assemblée attaqua joyeusement le repas. Le poisson était cuit à point et sa chair succulente, se détachant à merveille des arêtes, répandait au-dessus de la table des effluves de landes sauvages. On passa ensuite aux gâteaux au miel croustillants à souhait, généreusement arrosés d'une cervoise pétillante, puis on fit également un sort au pain tout frais, au lait, au beurre et aux fromages de brebis apportés à profusion sur la table. Viviane, à son habitude, touchait, elle, à peine aux plats, mais ne cessait de féliciter Morgause sur la parfaite ordonnance de sa réception :

— Vous avez là une table vraiment royale, et je n'aurais pas été mieux accueillie à Camelot ! Vous avez d'autant plus de mérite que vous n'étiez pas même prévenue de mon arrivée !

— Avez-vous été à Camelot dernièrement ? interrogea Morgause sans prendre garde à l'allusion contenue dans les paroles de sa sœur.

— Non, répondit Viviane dont le visage s'était rembruni. Mais je m'y rendrai sous peu, à l'occasion de ce qu'Arthur appelle désormais sa « cour plénière de Pentecôte » comme s'il était, lui-même, le supérieur d'un couvent !

— J'ai été moi-même à Camelot, intervint le barde, et j'ai vu vos fils, ma Dame. Gauvain portait au visage une légère blessure reçue à la bataille de Mont Badon, mais elle se guérissait parfaitement. Il la dissimulait d'ailleurs sous une barbe semblable à celle des Saxons. Peut-être va-t-il lancer une nouvelle mode à la cour d'Arthur ! En revanche, je n'ai pas vu Gaheris. Il était parti sur les terres du Sud pour inspecter les fortifications installées le long de la côte. Quant à Gareth, il sera fait chevalier et compagnon d'Arthur lors des grandes fêtes de la Pentecôte. Il s'affirme chaque jour l'un des plus sûrs et des plus fidèles amis du Haut Roi.

— Il y a longtemps déjà qu'il devrait être Compagnon du Roi ! lança Gwydion avec fougue.

— Ne vous souciez pas de votre frère, lui répondit Kevin avec bienveillance, souriant de l'impétuosité juvénile de l'enfant de Morgane. Le Haut Roi l'estime à sa juste valeur et le traite déjà en vrai chevalier.

— Vous connaissez aussi ma mère ? demanda encore Gwydion d'une voix hésitante.

— Bien sûr, je la connais. Elle est à Camelot l'une des plus belles dames de la cour et...

— Morgane... belle ? l'interrompit ironiquement Morgause. Voilà une grande nouvelle. Vous voulez dire qu'elle est plus noire qu'un corbeau !

— Un vieux proverbe druidique nous rappelle que la véritable beauté est celle de l'âme, rétorqua Kevin imperturbable. Ainsi peut-on affirmer sans mentir que Morgane est très belle, Dame Morgause ! Elle est en tout cas la seule personne à la cour à laquelle j'oserais confier ma harpe, acheva-t-il en caressant amoureusement du bout des doigts l'instrument qu'il avait sorti de sa housse.

Ne voulant pas se départir de son rôle d'hôtesse affable, Morgause le pria alors de jouer un instant. Acquiesçant aussitôt, le barde cala sa harpe contre son genou et une douce musique s'éleva dans la salle, attirant comme par enchantement tous les habitants du château. Tant et si bien qu'une heure durant, l'assistance entière écouta figée dans un silence religieux les accords poignants de très anciennes mélodies qui arrachèrent aux plus sensibles des larmes qu'ils ne cherchèrent nullement à contenir.

Les dernières notes envolées, chacun étant retourné à ses occupations, Morgause se tourna vers le harpiste :

— J'aime votre musique, maître Kevin. Vous nous avez apporté à tous une grande joie. Je suppose néanmoins que vous n'avez pas accompli un si long voyage, des rives d'Avalon jusqu'aux terres du Nord, uniquement pour nous ensorceler au son de votre harpe ? Dites-moi donc, je vous en prie, le but réel de votre visite inattendue. J'aimerais...

— Vraiment inattendue ? coupa d'une voix calme la prêtresse. Vos atours et ce festin contredisent vos paroles. Gageons plutôt qu'on vous avait prévenue de notre arrivée, poursuivit-elle lançant un regard plein de sous-entendus en direction du jeune Gwydion.

— Gwydion, il est vrai, m'a incité à nous préparer à quelque fête, sans pour autant avancer la moindre raison. J'ai cru à un simple caprice d'enfant et ai fait mine de me prêter à son jeu pour ne pas le décevoir, expliqua Morgause.

Préférant sans doute échapper à toute question embarrassante concernant ses dons de voyance, Gwydion s'était réfugié auprès du barde, et caressait avec application les cordes qui semblaient lui répondre dans un léger murmure.

— Je n'ai jamais vu une harpe aussi belle, ne cessait-il de répéter.

— Et tu n'en verras jamais de semblable dans toute la Grande Bretagne. Elle m'a été jadis offerte par un roi et ne me quitte plus. Contrairement aux femmes, vois-tu, plus elle vieillit, plus elle est belle... Ainsi, toi aussi, tu aimes la musique ? Sais-tu au moins jouer quelque chose ?

— Hélas ! je n'ai pas de harpe, répondit l'enfant avec dépit. Mais Aran m'a appris à jouer du pipeau en corne d'élan...

L'enfant, sur sa demande, ayant été chercher l'instrument, Kevin l'examina soigneusement, le nettoya avec un pan de son vêtement, souffla à l'intérieur pour en chasser la poussière, puis l'ayant porté à ses lèvres en plaçant avec difficulté ses doigts déformés sur la rangée de trous alignés sur la corne, joua un petit air de danse avant de le rendre à son jeune propriétaire.

— Je ne suis guère doué pour cet instrument, dit-il avec regret, mes doigts ne sont plus assez agiles... A ton tour maintenant de nous montrer ton talent !

Gwydion mouilla ses lèvres du bout de la langue, porta le pipeau à sa bouche, et entama une mélodie aux notes allègres. L'ayant écouté quelques instants, Kevin l'interrompit :

— Tu es bien le fils de Morgane ; comme elle tu es très

doué. A t'entendre, on sait tout de suite que tu possèdes les qualités d'un barde...

— D'un... barde ! bredouilla Gwydion, retirant vivement le pipeau de ses lèvres. Que voulez-vous dire, maître Kevin ?

— L'heure venue, tu comprendras, Gwydion ! répondit pour le barde Viviane de sa voix la plus solennelle. Tu es un druide-né, et tu appartiens à deux lignées royales. Les anciens te légueront leur enseignement et tu seras initié à la sagesse secrète d'Avalon. Ainsi pourras-tu, un jour, porter toi-même la bannière du Dragon...

Médusé par les mystérieuses paroles qui venaient de lui être adressées, Gwydion resta quelques secondes sans voix. Enfin, il balbutia dans un souffle :

— ... Deux lignées... royales ?... Je ne comprends pas...

— Patience ! L'heure viendra où tout s'éclairera pour toi, répondit la vieille prêtresse. Si tu es destiné à devenir druide, il te faut désormais, avant tout, apprendre à garder le silence et à ne poser des questions qu'à bon escient. Il y a une chose que je vais néanmoins te dire dès maintenant, poursuivit-elle d'une voix caverneuse semblant sortir des profondeurs de la terre : la mère d'Ygerne, la mère de ta mère, était la Dame du Lac et appartenait à une longue lignée de prêtresses. Dans tes veines, dans celles d'Ygerne, dans celles de Morgause, coule le sang du grand Merlin, et plusieurs lignées royales préservées par les Druides se trouvent réunies en toi. Mais tu devras t'en montrer digne, car porter en soi un sang royal ne suffit pas à faire un roi : il faut aussi du courage, beaucoup de sagesse, beaucoup de clairvoyance. N'oublie jamais que si un trône peut se gagner par la force des armes ou par la ruse, le Grand Dragon, lui, ne peut se mériter que par la valeur personnelle, dans cette vie et dans celles qui l'ont précédée. Mais c'est là un mystère qui échappe à l'entendement des hommes...

— Je... je ne comprends pas !... chuchota Gwydion complètement interloqué.

— Comment pourrait-il en être autrement ? continua Viviane d'un ton sans réplique. Les Druides, eux-mêmes, qui détiennent la sagesse suprême, ont parfois cherché leur vie entière à percer ce mystère. Je ne te demande donc pas de comprendre, mais de m'écouter et d'obéir !

A ces mots, Gwydion jeta à Niniane un regard désemparé comme s'il attendait de sa part quelque secours ou réconfort. Mais ce fut Morgause qui prit la parole :

— Ainsi, ma sœur, vous êtes venue me dire que cet enfant, que j'ai entouré de tant de soins depuis le jour de sa naissance, doit maintenant me quitter et vous suivre à Avalon pour y recevoir l'enseignement des Druides ? Ainsi, avez-vous fait ce long et pénible voyage uniquement pour me faire part de vive voix de votre décision ? Un messager aurait suffi pour me l'apprendre et emmener l'enfant... Je sais depuis toujours que son destin l'appellerait un jour loin des bergers et des pêcheurs du Lothian, et que seule l'Ile Sacrée d'Avalon serait digne de l'accueillir... Mais je sais aussi et je sens qu'il y a autre chose, aujourd'hui : par les liens sacrés du sang qui nous unit, dites-moi tout, je vous en conjure !

— Comment le pourrais-je, Morgause ? répliqua la vieille prêtresse, un étrange sourire aux lèvres, vous vous arrangez toujours pour que le moindre événement tourne à votre avantage ou à celui de vos fils. Gauvain n'est-il pas à l'heure actuelle le plus proche du trône royal par le sang, mais aussi grâce à l'affection que lui porte Arthur ? Or, le roi n'a toujours pas de fils de Guenièvre, situation, avouez-le, favorisant au plus haut point vos ambitieux projets !

— Qui peut savoir si Guenièvre sera éternellement stérile ? rétorqua Morgause, sans se décontenancer.

— La stérilité de Guenièvre n'est pas seule en cause, trancha Viviane. Il y a beaucoup plus grave. Elle est devenue la proie, la créature des prêtres, et Arthur, à travers elle, subit leur influence funeste !

— Qui peut dire avec certitude si le roi a vraiment mis sa foi dans le dieu des Chrétiens, s'il n'agit pas uniquement pour complaire à Guenièvre par amour pour elle... ou par pitié, intervint Kevin avec pondération.

— Selon vous, un homme qui accepte d'être parjure par complaisance envers une femme mérite-t-il de régner ? contre-attaqua Morgause, voulant pousser le barde dans ses derniers retranchements. Répondez-moi ! Arthur est-il parjure, oui ou non ?

— J'ai entendu dire, il est vrai, que depuis que le Christ et la Vierge Marie lui avaient apporté la victoire à Mont Badon, il ne les renierait plus. Il a dit aussi que la bannière du Pendragon était celle de son père Uther, et non la sienne...

Un long silence suivit ces aveux arrachés non sans répugnance, puis Niniane prit la parole pour reconnaître elle aussi qu'Arthur n'avait pas le droit d'abandonner le Pendragon.

— C'est nous, et le peuple d'Avalon, qui l'avons placé sur son trône, il nous doit tout...

— Peut-être, après tout, ne faut-il pas attacher trop d'importance aux couleurs et aux symboles d'une bannière, lança sournoisement Morgause. Les soldats ont seulement besoin d'un emblème qui stimule leur ardeur au combat, rien d'autre !...

— Ne parlez pas ainsi toujours à la légère ! l'interrompit âprement Viviane. Ce sont leurs rêves, leur âme, leur enthousiasme, qu'il nous faut préserver, sinon, irrémédiablement nous perdrons le grand combat engagé contre le Christ, et leurs esprits seront à jamais la proie d'une foi fausse et impie. Il faut donc au contraire que le symbole du Dragon soit toujours présent à leurs yeux, et que tous, d'une manière inébranlable, soient convaincus que le genre humain, loin de ne s'adonner qu'au péché et à la pénitence, cherche avant tout à se réaliser lui-même.

Après avoir volontairement marqué un temps d'arrêt pour que son auditoire puisse se pénétrer de ses paroles, Viviane, reprenant son souffle, poursuivit d'une voix lente et grave :

— Quoi qu'il en soit, je vous le dis et je vous le répète, Guenièvre ne donnera pas d'enfant au roi Arthur. Mais il ne se séparera pas d'elle car la religion chrétienne interdit à un homme de répudier sa femme pour ce seul motif.

— Dans les Saintes Écritures, on peut lire pourtant qu'un chrétien peut très bien répudier sa femme en cas d'adultère, persifla Morgause. La reine d'ailleurs, — ce n'est un secret pour personne — n'a pas fait vœu de chasteté. Arthur, on le sait, est souvent au combat et nul n'ignore que votre fils Lancelot, Viviane, ne la laisse pas indifférente...

— Guenièvre se montre plus pieuse que la plupart des femmes, intervint Kevin. Pour prouver son infidélité envers Arthur, faudrait-il encore qu'on les surprenne ensemble dans la même couche !

— Voilà qui ne doit pas être si difficile à arranger, siffla Morgause, feignant le plus grand calme. Trouver quelqu'un, dans l'entourage d'Arthur, qui accepterait de faire éclater le scandale, est sûrement un jeu d'enfant.

— Un scandale, s'il doit survenir, ne peut reposer que sur un fond de vérité, se contenta de répondre Viviane d'un ton soudain très las. C'est à cette unique condition que Guenièvre perdrait sa réputation de compagne vertueuse du Haut Roi. Ne nous lançons pas à la légère dans de fausses accusations. Avalon d'ailleurs a juré de toujours respecter la vérité. Une seule chose demeure certaine : Guenièvre est et restera stérile. Quant à l'héritier d'Arthur...

Ayant observé à nouveau un très bref silence, la vieille prêtresse tourna les yeux vers Gwydion, resté coi devant cet affrontement des adultes, et prononça d'une voix altérée par l'émotion ces quelques mots :

— Il est là devant vous... le voici... c'est lui le descendant de la lignée royale d'Avalon... le fils du Grand Dragon !

Morgause retenait sa respiration. Dans un éclair, elle venait bursquement de saisir toute l'étendue, la complexité, l'incroyable audace du dessein de la grande prêtresse : placer sur le trône, à la suite de son père, le Haut Roi, Gwydion, l'enfant né d'Arthur et de Morgane la Fée, Morgane d'Avalon...

Kevin cependant s'était péniblement agenouillé devant Gwydion, et murmurait d'une voix aux résonances d'un autre monde :

— Mon prince et mon seigneur, noble enfant de la lignée royale d'Avalon, fils vénéré du fils du Grand Dragon, nous sommes venus à toi pour te prendre et t'emmener avec nous sur l'Ile lointaine et Sacrée d'Avalon. Là-bas, une très haute destinée t'appelle. Demain matin, dès l'aube, tiens-toi prêt à nous suivre...

II

II

— Morgane, venez voir ! s'écria Élaine ne pouvant s'arracher au spectacle qui se déroulait sous ses yeux. Levez-vous ! Les cavaliers se rassemblent à présent dans le pré ! Dans trois jours, ce sera la grande fête d'Arthur...

D'un bond, Morgane quitta son lit et vint rejoindre la jeune fille visiblement captivée par la fresque vivante et colorée qui commençait à s'animer au pied du château de Camelot : pavillons et oriflammes, palefrois richement caparaçonnés, miroitement des armures... tout contribuait à donner un air de fête à la foule en mouvement s'affairant à la préparation des cérémonies de la Pentecôte, ordonnées spécialement cette année-là par le Haut Roi pour commémorer avec éclat la grande victoire remportée à Mont Badon.

— J'aperçois la bannière de mon père ! s'exclama encore Élaine. Et voilà mon frère, Lamorak ! Il est en âge maintenant de devenir chevalier. Pourvu que le roi le remarque !...

— A-t-il combattu à Mont Badon ? interrogea Morgane.

— Non, il était trop jeune alors, mais il était tout de même présent sur le champ de bataille !

— Arthur, alors, l'acceptera sûrement parmi ses compagnons, ne serait-ce qu'en hommage vis-à-vis du roi Pellinore.

— Élaine ! appela l'une des suivantes qui s'activaient dans la chambre, il est temps de vous rendre chez la reine pour l'aider à s'habiller !

— Elle a raison, Élaine. Moi aussi, j'ai beaucoup à faire aujourd'hui, approuva Morgane. Je fais un brin de toilette et cours rejoindre Caï qui, lui, a en charge la nourriture et l'hébergement de tous les invités. Décorer le château, veiller au nettoyage des plats de bronze et d'argent, à la préparation des buffets, à l'ordonnance de toutes les festivités imaginées par Guenièvre ne nous laisseront guère le loisir de contempler aujourd'hui le ciel et les nuages. Qu'importe ! nous rattraperons le temps perdu les jours qui viennent !

Kevin se présenta aux portes de Camelot le matin suivant, après s'être difficilement frayé un chemin à travers la cohue qui envahissait toutes les prairies des alentours. Morgane fut la première à l'accueillir. Elle avait fait en sorte de trouver pour lui une chambre à l'écart où le barde pourrait reposer seul, contrairement aux autres invités du Haut Roi qui devraient, tous logés à la même enseigne pendant ces quelques jours, s'entasser souvent à deux ou trois dans un même réduit, ou mieux encore, partager parfois à plusieurs un seul lit.

— Le vieux Merlin lui-même fera chambre commune avec l'évêque ! lui expliqua-t-elle en riant, ne pouvant s'empêcher d'évoquer la scène. Puis poussant la porte de l'une d'entre elles située tout au bout d'un sombre corridor, elle poursuivit d'un ton complice : ici, vous serez tranquille. La place est limitée mais suffisante, je crois, pour vous, votre harpe bien-aimée et... moi-même... si vous voulez bien m'accepter !

Kevin ayant posé à terre son instrument avec une délicatesse extrême, attira Morgane à lui, la serra dans ses bras, prolongeant longuement le bonheur de leurs retrouvailles.

— J'ai de bonnes nouvelles de votre fils, dit-il soudain,

dénouant son étreinte. J'ai chevauché côte à côte avec lui jusqu'à Avalon... C'est un très bel enfant, vif, intelligent et, comme vous, fort doué pour la musique. En outre, c'est une certitude, il a le Don. Il va donc recevoir l'enseignement qu'Avalon réserve à ses futurs druides. Peut-être sera-t-il barde à son tour. Il a vos yeux, Morgane... acheva-t-il tendrement en enlaçant de nouveau le corps souple et tiède de la jeune femme.

Mais Morgane, craignant d'être surprise par quelque serviteur, se dégagea résolument des bras du barde et changea brusquement de conversation :

— Les fêtes ne commenceront que demain, enchaîna-t-elle. Ce soir cependant, les hôtes de marque sont conviés à la table du roi Arthur. Bien entendu, vous en faites partie.

Malgré son caractère intime, le repas annoncé par Morgane rassembla au crépuscule beaucoup de monde. Outre de nombreux chevaliers et seigneurs, on remarquait évidemment la reine Guenièvre et Élaine, le père et le frère de cette dernière, le vieux Merlin, Lancelot du Lac et trois de ses demi-frères : Balan, fils de Viviane, Bors et Lionel, tous deux fils de Ban d'Armorique. Il y avait aussi le jeune Gareth qui devait être sacré chevalier le lendemain, ainsi que Gauvain qui, même en cette occasion solennelle, refusait obstinément de quitter la place de confiance qui lui était habituellement dévolue, juste derrière le siège du Haut Roi.

« Oui, Arthur est un grand roi, songea Morgane en contemplant la noble assemblée de preux grâce auxquels le royaume vivait dans l'ordre et la paix. Peut-être a-t-il des torts, mais il ne connaît ni l'orgueil, ni l'arrogance, et son œuvre est immense, aussi grande et forte que l'amitié qu'il témoigne ce soir à tous ceux qui se trouvent réunis sous son toit. »

— Gareth ! déclara soudain le roi d'une voix ferme et chaleureuse, tu vas passer cette nuit dans l'église auprès de tes armes. Demain, après la messe, celui que tu auras choisi parmi mes compagnons ici présents te fera chevalier, en reconnaissance de la fidélité et de l'amitié que tu n'as cessé de me porter depuis que tu me sers... Désires-tu que cet honneur échoie à ton frère Gauvain ?

Le jeune homme hésita. Debout au milieu du cercle des anciens, dans sa tunique blanche, avec son auréole pâle de cheveux blonds, il ressemblait davantage à un archange qu'à un futur guerrier.

— Si je n'offense ni mon roi, ni mon frère Gauvain, répondit enfin Gareth, ne pouvant dissimuler son embarras, j'aimerais, j'aimerais beaucoup... être fait chevalier par... par... Lancelot !

Se refusant à laisser languir le jeune homme, le champion du roi Arthur fit un pas dans sa direction et acquiesça gravement :

— Cousin, ce sera pour moi honneur et grande joie !

Puis il ajouta, à l'intention de Gauvain :

— C'est à toi cependant d'en donner l'autorisation ! Ne tiens-tu pas ici la place de votre père ? Je m'en voudrais donc grandement d'usurper un droit qui est tien.

Le visage de Gauvain s'était soudain assombri et Morgane, reportant son attention sur le jeune garçon, vit que Gareth se mordait la lèvre jusqu'au sang : sans doute venait-il de réaliser, un peu tard, que le Haut Roi avait voulu honorer Gauvain en le désignant implicitement comme parrain du futur chevalier.

— Suis-je vraiment tenu d'imposer ma présence au cours de la cérémonie, grommela Gauvain en guise de réponse, puisque Lancelot a déjà donné son consentement ?

— Mes amis, vous me faites l'un et l'autre trop d'honneur ! s'exclama ce dernier prenant gaiement par les épaules les deux frères. Gareth, il est temps, tout est prêt pour ta veillée d'armes. Va maintenant ! je te rejoindrai à minuit.

Muet, le visage fermé, Gauvain regarda s'éloigner son frère sans esquisser un geste. Mais ne pouvant se contenir plus longtemps, il se retourna vers Lancelot et explosa :

— Tu me fais penser à l'un de ces vieux Grecs dont ma mère me racontait l'histoire lorsque j'étais petit... Il s'appelait Achille, je crois, et n'aimait que le jeune chevalier Patrocle. Les plus belles dames de la cour le laissaient indifférent, et il était l'idole de tous les jeunes Troyens, comme toi ici... Grâce au ciel, tu n'as pas, je pense, les mêmes mœurs que les Grecs...

— Gauvain, prends garde ! Il est certaines choses que je n'apprécie guère, même s'il s'agit de plaisanteries ! coupa sèchement Lancelot.

— Mais je ne plaisante pas ! enchaîna Gauvain, un sourire narquois aux lèvres. Ton indéfectible attachement pour notre souveraine est bien connu...

Gauvain n'eut pas le temps d'achever sa phrase. Lancelot l'avait agrippé par le col et blême lui tordait le bras en criant :

— Comment oses-tu ? Je t'interdis...

Manifestement l'algarade prenait mauvaise tournure et Caï tentait déjà de s'interposer entre les deux hommes quand le roi intervint d'un ton sans réplique :

— Il suffit ! Vous êtes pires que des enfants ! gronda-t-il. Que chacun désormais regagne ses appartements ! Il se fait tard et les jours qui viennent seront éprouvants pour nous tous.

Puis, donnant l'exemple, il se retira le premier.

Tous l'ayant imité sans broncher, Morgane et Lancelot, tout deux en quête d'un peu de calme et d'air frais, se retrouvèrent fortuitement dans la cour de Camelot.

— Comme j'aimerais être loin, très loin d'ici... soupira Lancelot.

— La reine ne vous laisserait pas partir !

— Je vous en prie, Morgane, pas vous. Qu'on laisse la reine en paix !

— Lancelot, vos problèmes de conscience ne me regardent pas ! D'ailleurs, Arthur, lui-même, ne vous a fait aucun grief. Ce n'est donc pas à moi à vous jeter la pierre...

— Morgane, je vous en prie ! Ah, si vous saviez...

Un tel désespoir perçait sous sa voix que Morgane en fut toute remuée : « Faire en sorte qu'il ait envie de moi à nouveau en cet instant, ne serait pas très difficile », pensa-t-elle non sans un pincement au cœur. Une fois déjà... comme ils avaient été prêts tous les deux de se rejoindre. Oui, il l'avait désirée, puis crainte et enfin détestée sans doute. Que restait-il de tout cela sinon un goût amer de cendres et de poussière ?

— Guenièvre a été livrée à Arthur comme un cadeau acheté à la foire, continua Lancelot d'une voix sourde. Un simple objet... venant s'ajouter à quelque destrier de prix grâce auquel son père espérait faire alliance avec le Haut Roi... Pauvre reine, douce reine, elle est bien trop honnête et noble pour se plaindre !

— Loin de moi toute pensée mauvaise, Lancelot. Ces accusations tombent de votre bouche, non de la mienne.

— Un jour, il y a longtemps, vous m'avez maudit, reprit-il en haussant un peu la voix. Eh bien, oui, je le crois, je suis maudit... Tout à l'heure, j'ai cru que j'allais tuer Gauvain. Caï est intervenu juste à temps... Quand j'étais tout jeune, c'est vrai, j'étais très beau, plus encore peut-être que Gareth, et à la cour de Ban de Bénoïc les garçons trop aimables couraient de grands dangers. Très tôt j'ai dû me défendre tout seul. Tout le monde se moquait de moi, je n'osais plus lever les yeux sur personne. Dès lors, peut-être, quelque chose s'est-il brisé en moi... J'ai eu beau tenter de nombreuses expériences avec des femmes, avec vous aussi qui étiez consacrée à la Déesse... mais en vain ! Jusqu'au jour où je l'ai vue... elle pour la première fois ! Depuis, aucune femme au monde n'existe plus pour moi : avec elle, je me sens, je suis enfin un homme, totalement !

— Lancelot... cette femme est la femme d'Arthur ! murmura Morgane remarquant que tous deux évitaient soigneusement de prononcer le nom de Guenièvre.

— Imaginez-vous, seulement un instant, les tourments que j'endure ? chuchota à son tour Lancelot en se tordant les mains. Oui, Arthur est mon ami... Ah ! si elle était la femme d'un autre, de n'importe quel autre, il y a longtemps que nous serions loin, sous d'autres cieux, de l'autre côté de la mer, dans mon pays... Mais jamais je ne trahirai mon roi. Oh, mon Dieu ! Je les aime tant, je les révère tant, tous les deux... Morgane, c'est affreux... Le malheur m'a frappé au cœur...

Une telle souffrance, un tel déchirement se lisaient dans ses yeux, que Morgane, d'un élan, voulut l'apaiser. Elle posa doucement sa main sur son épaule.

— Non, ne me touchez pas, laissez-moi ! gémit-il en reculant d'un pas. Et pourtant il faut que je parle ou je vais en mourir. Savez-vous seulement dans quelles circonstances j'ai, pour la première fois, partagé sa couche ? C'était à l'époque des feux de Beltane... Arthur lui a dit : « Il faut absolument donner un héritier au royaume »... Oui, c'est lui, je vous le jure, lui-même qui l'a poussée dans mes bras... avoua-t-il dans un cri.

Morgane n'écoutait plus : une sueur froide glaçait son dos au souvenir du charme qu'elle avait donné à Guenièvre. Ainsi son charme avait opéré...

— Et vous ne savez pas tout, poursuivit Lancelot d'une voix à peine audible. Nous sommes restés allongés ensemble... allongés côte à côte, tous les trois dans le même lit... mon corps alors a frôlé celui d'Arthur...

Lancelot ne put terminer sa phrase. Terrassé par l'émotion, la tête dans les mains, il s'était effondré et pleurait dans la nuit comme un enfant.

— Lancelot... Lancelot... ce n'est pas à moi qu'il faut raconter tout cela, reprit doucement Morgane. Il y a Merlin, ou si vous préférez l'évêque Patricius...

— Que voulez-vous qu'un prêtre comprenne à ces choses ? balbutia Lancelot, d'une voix étranglée, les yeux levés vers les étoiles comme s'il voulait prendre l'univers à témoin de son infortune. Les prêtres connaissent et absolvent les désirs, les obsessions banales et pitoyables des hommes. Mais jamais, jamais, ils n'ont imaginé ni entendu une confession plus indigne, plus abjecte que celle qui me hante. Je suis damné ! Je suis maudit !

Une nouvelle fois sa voix se brisa.

Morgane, impuissante devant un tel désespoir, sentit, malgré elle, monter à ses lèvres des paroles apprises longtemps auparavant à Avalon :

— Seule la Déesse connaît le fond des cœurs, Lancelot. Seule elle pourra vous apporter le réconfort.

— La Déesse elle-même ne saurait accepter une telle infamie ! C'est pourquoi il m'arrive parfois d'avoir envie de me jeter aux pieds du Christ. Les prêtres prétendent qu'Il pardonne tout péché et qu'Il a même pardonné à ceux qui l'ont crucifié... Morgane, je suis perdu ! Mon seul espoir maintenant est de trouver la mort au combat, ou d'aller me précipiter dans la gueule du dragon... Pour moi, le bien, le mal, le péché, n'ont plus aucune signification. La vérité, la seule et unique grande vérité ici-bas, est celle-ci : nous naissons et nous mourons comme ce misérable brin d'herbe qui pousse là, pour rien, entre ces pavés !

Il y eut un long silence que rompit seulement le hululement nostalgique d'une chouette. Puis, d'une voix redevenue plus ferme, Lancelot dit en secouant les épaules comme s'il voulait se débarrasser d'un trop pesant fardeau :

— Allons... je vais maintenant rejoindre Gareth dans l'église pour sa veillée d'armes. Il m'attend, je le lui ai promis. Lui, au moins, m'aime en toute innocence !

— Oui, Lancelot, allez... je prierai pour vous !

— Vous prierez ? Quel Dieu prierez-vous, Morgane ? ricana-t-il avec un sourire qui lui fit mal.

Mais Morgane ne put répondre. Lui tournant brusquement le dos, Lancelot se perdit dans la pénombre.

Morgane resta seule, plus atteinte par les aveux désespérés de Lancelot qu'elle ne l'aurait imaginé. Non loin d'elle, les flammes tremblotantes des cierges de la chapelle où Gareth veillait et se souvenait, piquetaient la nuit de minuscules langues de feu. Une nuit semblable à celle où elle aussi était restée éveillée avant d'être conduite sur les voies mystérieuses de l'initiation...

C'est alors qu'un brusque et léger tourbillon sembla faire vibrer l'air et l'envelopper, puis, presque aussitôt, Viviane fut devant elle, à quelques pas dans le clair de lune. Elle semblait plus âgée, plus menue, plus émaciée que jamais, et son visage amaigri paraissait rétréci. Seuls ses yeux brillaient d'une lueur intense comme des charbons ardents. Ses cheveux étaient presque tout blancs, mais la même tendresse, la même indicible tristesse se lisaient dans son regard épuisé. Morgane voulut parler :

— Mère..., dit-elle plaintivement.

Mais elle ne poursuivit pas, car Viviane avait déjà disparu. Ainsi, ce qu'elle avait pris pour une présence n'avait été qu'un signe, qu'un message muet, qu'un avertissement, rien de plus.

Pourquoi est-elle venue... que veut-elle ? s'interrogea douloureusement Morgane, percevant encore le froissement furtif de la longue robe de la prêtresse dans le vent de la nuit. Puis, soudain, elle ressentit une brûlure sur son front à l'endroit exact où se dessinait la forme familière du petit croissant bleu, signe indélébile de sa consécration à la grande Déesse... Elle allait se laisser tomber à genoux lorsqu'un soldat qui faisait une ronde, une torche à la main, brisa son élan. S'esquivant sans tarder, elle regagna tout droit la chambre qu'elle partageait avec les suivantes de Guenièvre.

Ce soir, elle n'irait pas rejoindre Kevin. Généreux et compréhensif, il ne lui en tiendrait pas rigueur. Elle avait besoin d'être seule, de se reprendre, de réfléchir au sens de la vision qu'elle venait d'avoir. Quel message Viviane avait-elle voulu lui transmettre ? Avait-elle besoin d'elle en Avalon ? Et Lancelot, qu'allait-il lui advenir ? Comme lui, n'allait-elle pas aussi, presque insensiblement, sombrer dans la folie ?...

Le lendemain, à la lueur du jour naissant, tous les environs de Camelot disparaissaient sous une véritable marée humaine au-dessus de laquelle ondulaient, telles de grandes ailes d'oiseaux multicolores, les bannières des seigneurs et des rois conviés aux fêtes de la Pentecôte.

Guenièvre, levée très tôt, s'était déjà confiée aux mains expertes de Morgane qui, en cette occasion, lui avait promis de réaliser la savante coiffure qu'elle-même se réservait les jours d'apparat. Debout derrière sa belle-sœur, elle s'appliquait donc à répartir en quatre tresses égales les longs cheveux soyeux, tout en jetant autour d'elle de rapides coups d'œil. Cette chambre... ce lit autour duquel s'affairaient au même instant des servantes, Guenièvre l'avait-elle vraiment partagé avec Arthur et Lancelot ? De troublantes images lui revinrent en pensée, des souvenirs du Pays des Fées qu'elle avait crus à jamais enfouis en elle, des images d'une aube très lointaine, sur l'Ile du Dragon, où un homme jeune et beau, Arthur, son frère, l'avait prise dans ses bras comme une femme et non comme une sœur... Elle pensa aussi à Lancelot, auquel elle s'était offerte une nuit tiède et étoilée et qui l'avait laissée, pantelante de désir, les nerfs à vif et le cœur en déroute, allongée toute seule dans l'herbe humide...

— Aïe !... vous me faites mal ! se plaignit soudain Guenièvre.

— Oh, je suis désolée ! s'excusa Morgane qui, tout à son trouble intérieur, avait un peu distraitement tiré sur le peigne.

Adoucissant son geste, elle reprit donc lentement une mèche, et malgré elle, retourna à son voyage dans le passé là où elle l'avait quitté. Elle n'était qu'une enfant alors, Lancelot et Arthur aussi... Mais maintenant le temps avait passé et ils étaient des hommes, leurs caresses étaient des caresses d'hommes... Quel pouvait être le sentiment de Guenièvre à cet égard ? Non, bien sûr... elle ne pouvait le lui demander... Aussi, est-ce d'une voix neutre qu'elle s'adressa calmement à la reine :

— Pouvez-vous me passer cette dernière épingle d'argent ? Merci ! Voilà, c'est terminé. Vous êtes ravissante.

Guenièvre vérifia le patient travail de Morgane dans un miroir de bronze finement ouvragé et complimenta sa belle-sœur avec un lumineux sourire :

— C'est merveilleux ! Je vous suis infiniment reconnaissante de vous être donné tant de mal pour moi !

Guenièvre, il est vrai, était resplendissante et Morgane eut presque envie de s'approcher d'elle plus près encore, pour demander à ce corps si jeune, lui semblait-il, de lui communiquer une parcelle de sa beauté, de sa vigueur, mouvement instinctif et pervers, dû peut-être à la surprenante et troublante confession de Lancelot...

Enfin prête, sûre d'elle-même, rayonnante, Guenièvre gagna à pas comptés la grande salle de Camelot où la foule des vassaux et des barons d'Arthur n'avait cessé d'aller et de venir depuis le lever du soleil.

— Voilà le roi Uriens des Galles du Nord, souffla-t-elle à l'oreille de Morgane qui marchait à ses côtés. N'aimeriez-vous pas être reine de ce pays, Morgane ? Je me suis laissé dire qu'Uriens envisageait de prendre femme et d'en parler à Arthur...

— S'il s'intéressait à moi, rétorqua en souriant Morgane, son fils Avalloch n'aurait rien à craindre pour sa succession au trône !

— Il est vrai. Peut-être est-il un peu tard pour vous d'avoir un premier enfant... commenta Guenièvre qui ignorait tout de l'existence de Gwydion.

Obsédée par son propre cas, la reine poursuivit :

— Pour ma part, en revanche, j'ai encore quelque espoir de donner un héritier à mon seigneur et roi...

Il faudrait révéler à Arthur l'existence de son fils, pensa Morgane. Il se croit responsable de la stérilité de Guenièvre. Pour lui rendre la paix, il faudrait qu'il sache qu'il a déjà engendré. Mais comment faire pour rendre la nouvelle publique sans que personne ne vienne à soupçonner qu'il s'agit du fils de sa propre sœur...

— Écoutez les trompes dans la cour ! cria Élaine tout excitée. Vite ! Dépêchons-nous, la messe va bientôt commencer.

Dans l'église une foule recueillie se pressait en effet autour de Gareth, tout de blanc vêtu, derrière lequel, grave et majestueux, se tenait agenouillé Lancelot, une longue cape cramoisie drapée sur les épaules. Le maître et l'élève, songea Morgane : le clair et le ténébreux, le joyeux et le torturé... Puis elle prêta l'oreille à l'évangile de Pentecôte que le prêtre commençait à lire.

Soudain, elle sursauta : ces « langues de feu » dont il parlait, qui s'étaient posées une à une sur les chrétiens assemblés, n'était-ce pas là la manifestation évidente du Don qu'ils n'avaient pas reconnu ? Ou plutôt, qu'ils ne s'étaient pas souciés de reconnaître, persuadés qu'ils étaient que leur dieu était plus grand que tous les autres ? Or ces facultés de vision et de prophétie n'avaient été en réalité rien que de très ordinaire et il était bien inutile d'avoir eu recours à des miracles dans le seul but d'intimider les foules ! Les Druides, eux, faisaient le bien autour d'eux, mais en toute discrétion, et lorsqu'ils utilisaient leurs pouvoirs magiques, ce n'était jamais de façon ostentatoire...

Mais l'office prenait fin et chacun se dirigea vers la sortie pour assister à la courte cérémonie au cours de laquelle Lancelot allait faire Gareth chevalier. Morgane les rejoignit à l'instant précis où le champion d'Arthur frappait d'un léger coup de son épée l'épaule du jeune homme agenouillé devant lui :

— Lève-toi maintenant, Gareth, lui dit-il d'une voix forte, désormais tu es compagnon d'Arthur. Tu es aussi notre frère, à nous tous, chevaliers rassemblés ici. Prends dorénavant la part qui te revient dans la mission qui est la nôtre. Défends notre roi et la Grande Bretagne, combats le mal et porte assistance à ceux qui auront besoin d'aide et de protection...

La voix puissante, musicale, de Lancelot résonnait haut sur les têtes inclinées et les visages recueillis, conscients de la solennité de l'instant. Morgane alors ne put s'empêcher de se remémorer le jour lointain où Arthur avait lui-même reçu Excalibur des mains de la Dame du Lac. N'avait-il pas, en définitive, institué cette cérémonie pour que ses compagnons gardent, eux aussi, à jamais, au fond de leur cœur, le souvenir de leur serment ?

C'est à ce moment que se produisit le premier incident de la journée. Alors que Morgane remettait à Gareth le cadeau qui lui était destiné, une ceinture d'un cuir très fin permettant d'accrocher une épée et un poignard, elle se pencha vers lui en le félicitant avec aménité :

— Comme tu as changé, Gareth, te voilà un homme maintenant ! Ta mère ne te reconnaîtrait pas !

— Mais, nous grandissons tous, répondit le jeune homme et je suis sûr quant à moi que vous-même ne reconnaîtriez pas votre propre fils, ajouta-t-il avec un sourire ambigu.

A ces mots, Guenièvre manifesta sa stupéfaction :

— Votre fils ?... Comment, Morgane, je ne comprends pas...

— Oui, Guenièvre, je ne vous en ai jamais parlé car vous êtes chrétienne, et je suis respectueuse de vos convictions religieuses. Mais c'est vrai j'ai donné un fils à la Déesse. Il a été engendré au cours d'une cérémonie rituelle pendant les feux de Beltane. Il a été élevé à la cour de Loth et je ne l'ai jamais revu depuis son sevrage. Voilà, vous connaissez maintenant mon secret ! Comptez-vous en ébruiter la nouvelle autour de vous ?

— Non, murmura Guenièvre devenue affreusement pâle. Ne craignez rien, je n'en soufflerai mot à Arthur : il en aurait peut-être trop grande peine...

Ses derniers mots se perdirent dans les sonneries de trompes annonçant l'entrée en lice des deux principaux adversaires qui devaient s'affronter au cours du premier tournoi, Lancelot, champion du roi, et Uriens des Galles du Nord, dont le nom venait d'être tiré au hasard. Uriens n'était plus très jeune mais paraissait encore solide et bien musclé. Il était accompagné de son second fils Accolon, qui laissa deviner en retirant son gant un poignet vigoureux autour duquel s'enroulaient de longs serpents bleus, détail qui n'échappa pas à Morgane et lui révéla que le jeune homme était un initié de l'Ile du Dragon.

Hormis Lancelot peut-être, Accolon était en tout cas le plus bel homme de ce champ clos où virevoltaient avec impatience montures et cavaliers. Élancé, vif, évoluant avec rapidité et décision, habile au maniement des armes, le moindre de ses mouvements traduisait l'aisance naturelle d'un soldat aguerri depuis longtemps à tous les exercices du corps. Pourquoi donc Guenièvre avait-elle évoqué une possible union avec le père ? Si Arthur voulait vraiment la marier un jour, ne serait-il pas préférable, et de loin, d'épouser le fils ?

Les langues allaient bon train autour de Morgane. Certains rappelaient avec excitation le souvenir de hauts faits d'armes ou de prouesses équestres dont ils avaient été jadis témoins ; d'autres, ne jetant qu'un œil distrait au spectacle qui se préparait à l'intérieur des lices, jouaient avec ardeur aux dés. Seules les dames, qui elles avaient parié, qui un ruban de sa manche, qui une épingle à cheveux, qui une pièce de monnaie, ne quittaient pas des yeux le mari, le frère, ou l'amant prêts à se distinguer.

— A quoi bon tous ces paris ! s'exclama l'une d'entre elles. Comme d'habitude, Lancelot va gagner tous les jeux... Tout est réglé d'avance !

— Mettriez-vous en doute son honnêteté ? questionna Élaine sur la défensive.

— Aucunement, ma mie, mais ne pensez-vous pas qu'il pourrait bien, une fois au moins, laisser un autre remporter le prix en s'abstenant de participer aux joutes ?

— Rassurez-vous, s'exclama gaiement Morgane, je l'ai vu déjà mordre la poussière où l'avait jeté Gareth, et je gage pour ma part un ruban de soie qu'aujourd'hui ce sera Accolon qui gagnera le prix ! Vous m'annoncerez tout à l'heure la nouvelle car je vais, pour l'instant, vérifier que tout est en ordre pour le banquet.

Laissant là son auditoire se livrer avec animation aux spéculations les plus folles, Morgane se dirigea vers les grandes portes de Camelot, ouvertes ce jour-là à tout-venant, et à peine gardées par quelques hommes d'armes et sergents. Elle s'apprêtait à en franchir le seuil lorsque, mue par quelque mystérieux pressentiment, elle se retourna brusquement et fixa sur la route une zone d'ombre sous les arbres que deux cavaliers franchissaient en direction de la forteresse. Oui, c'était bien elle... c'était Viviane qui approchait ! Viviane qu'elle avait à la fois une folle envie de fuir et d'embrasser, la Dame du Lac qu'elle n'avait pas vue depuis tant d'années...

Quelques minutes plus tard, en effet Viviane était là, emmitoufflée de voiles sombres, les mains amaigries tendues vers Morgane dans un geste d'indicible tendresse :

— Morgane... mon enfant chérie... vous enfin ! Non... ne vous agenouillez pas devant moi ! Comme vous m'avez manqué, ma douce enfant ! Si vous saviez les tourments que j'ai endurés pour vous... comme j'avais soif de revoir votre visage... Je suis si vieille maintenant et le Don me quitte...

Jamais la voix de Viviane n'avait été plus enveloppante, et

à voir l'effusion de leurs retrouvailles on aurait dit deux amies inséparables dont l'affection n'avait été altérée par aucune querelle. Un flot de tendresse submergea alors Morgane qui étreignit la main ridée de sa tante dans un élan de tout son être.

— Toute la cour assiste au tournoi, expliqua-t-elle rapidement. Gareth, le plus jeune fils de Morgause, a été fait chevalier et compagnon d'Arthur ce matin... Personne ne s'attend à votre visite, mais moi je savais, je savais que vous viendriez, ajouta-t-elle avec ferveur, se remémorant l'avertissement de la nuit précédente. Dites-moi pourquoi êtes-vous venue à Camelot justement aujourd'hui ?

— Vous connaissez la trahison d'Arthur à l'égard d'Avalon, répondit Viviane d'une voix grave. Kevin a tenté de le raisonner de ma part, mais sans succès. Je viens donc en personne demander réparation au Haut Roi : tous les souverains du royaume ont, à cause de lui, abandonné l'ancien culte, les bosquets sacrés ont été saccagés jusque sur les terres où règne Guenièvre par droit d'héritage... et Arthur ne fait rien, ne dit rien... Mais quittons ces lieux où l'on peut nous entendre, et menez-moi dans quelque endroit où nous pourrons parler seule à seule. Je suis très lasse et aimerais aussi me reposer un peu avant d'intervenir en public.

Morgane entraîna donc Viviane dans sa propre chambre, désertée par les suivantes de Guenièvre, et là, tandis que la vieille prêtresse troquait ses habits de voyage maculés de boue et de poussière contre une robe digne de sa démarche et des festivités en cours, elle apprit le destin réservé à son fils par les sages de l'Ile Sacrée.

— Oui, Morgane, j'ai vu votre fils en Lothian...

— Je sais, Kevin me l'avait dit... Ferez-vous de lui un Druide ?

— Il est encore trop tôt pour sonder vraiment sa force d'âme. Je crains qu'il ne soit resté trop longtemps aux côtés de Morgause. Quoi qu'il en soit, il sera élevé à Avalon dans la foi et la fidélité envers les anciens dieux. Ainsi, dans le cas où Arthur continuerait de faillir à son serment, nous pourrons lui faire savoir qu'il a un fils prêt à monter sur le trône de Grande Bretagne à sa place. Nous ne voulons pas d'un roi apostat. Nous ne voulons pas non plus d'un tyran qui impose à notre peuple un dieu tout juste bon pour des esclaves, un dieu obsédé par la honte et le péché. Nous avons placé Arthur sur le trône d'Uther, nous pourrons aussi bien l'en faire descendre. Mais c'est un crève-cœur. Arthur est un bon roi, et je ne me résoudrai à cette solution qu'en toute extrémité. S'il le faut, cependant, je mettrai mes menaces à exécution : la Déesse me l'a ordonné !

Morgane frissonna : ainsi son propre fils deviendrait-il l'instrument de la chute de son père, peut-être même de sa mort ?...

— Je ne peux croire que mon frère ait vraiment l'intention de trahir Avalon, hasarda-t-elle timidement.

— Puisse la Déesse l'en préserver ! murmura Viviane sans grande conviction. Quoi qu'il en soit, ajouta-t-elle en élevant la voix, nous devons ménager une place proche du trône pour Gwydion, afin qu'il puisse un jour se présenter comme l'héritier de son père, et qu'alors règne à nouveau pour nous un souverain, authentique descendant de la lignée royale d'Avalon. Pour les chrétiens, Morgane, votre fils est celui du péché et ils se refuseront toujours à l'accepter. Mais pour la Déesse, il appartient à la race divine puisque le sang sacré coule dans les veines de son père et de sa mère. Gwydion, quoi qu'il arrive, ne doit en aucun cas se laisser ébranler par les prêtres qui tenteront de lui démontrer la honte de sa naissance... Tout cela est d'ailleurs un peu de ma faute ! Jamais, je n'aurais dû vous laisser sept années à la cour d'Uther. Vous étiez née prêtresse, et vous l'êtes encore. Morgane, dites-moi, maintenant pourquoi n'êtes-vous jamais revenue à Avalon ?

Viviane, qui s'apprêtait à arranger sa coiffure, suspendit son geste pour regarder Morgane avec une telle expression de douleur que celle-ci en eut les larmes aux yeux :

— J'ai essayé... j'ai vraiment tout essayé, balbutia-t-elle, la voix étranglée, mais j'ai été incapable d'en retrouver le chemin...

Prête à défaillir à ce cruel souvenir, elle s'effondra en sanglotant dans les bras que Viviane venait de lui ouvrir. Puis, sentant la paix doucement l'envahir après tant d'années de remords, elle resta blottie au creux de l'épaule de la vieille prêtresse qui s'était mise à la bercer comme un enfant.

— Ne pleurez plus, dit enfin la Dame du Lac. Il faut oublier le passé. Je vais vous ramener là-bas... Nous partirons toutes les deux, dès que j'aurai accompli ma mission auprès d'Arthur, avant qu'il ne mette à exécution quelque projet insensé de mariage entre vous et l'un de ces rois chrétiens qu'il affectionne tant ! Oui, nous regagnerons Avalon ensemble, et cette fois nous y resterons pour toujours... Mais... Morgane, que faites-vous là ?

— Je vous aide à natter vos cheveux, ma tante, comme je me suis occupée de la coiffure de la reine ce matin !

— Comment ? Une prêtresse d'Avalon comme vous, princesse de sang royal, a-t-elle donc accepté de jouer les servantes auprès de Guenièvre ?

La voix vibrante d'une colère mal contenue, Viviane poursuivit l'air farouche :

— Je veux qu'on vous honore, Morgane. Je veux qu'Arthur, et la fille de Leodegranz, elle aussi, vous respectent en tant que mère du fils du Haut Roi !

— Non ! supplia cette dernière. Non, je vous en prie, surtout pas ! Arthur ne doit pas savoir... Tout le pays est maintenant chrétien, la cour entière me montrerait du doigt. Non, personne ne doit savoir !

— Ainsi nieriez-vous votre rôle sacré ? explosa la prêtresse.

— Non, mais vous ne pourrez rétablir aussi facilement les anciennes lois d'Avalon et vous n'entraverez pas l'action des prêtres. Si vous tentiez de le faire, ils vous traiteraient de folle, de diablesse insensée, et vous chasseraient comme telle.

— Peut-être avez-vous raison, répliqua Viviane ébranlée. Je me contenterai donc, pour l'instant, de rappeler à Arthur sa promesse formelle de protéger Avalon. Plus tard, je lui parlerai en secret de l'enfant. Morgane, ajouta-t-elle, promettez-moi seulement de revenir avec moi à Avalon !

Il y avait soudain une telle détresse dans la voix de la vieille femme que Morgane, émue, répondit un peu trop vite.

— Oui, je vous le jure ! Si Arthur m'en donne l'autorisation...

— Mais vous êtes prêtresse, Morgane, et vous n'avez aucun compte à rendre au Roi. Quant à lui, s'il a su se montrer un grand chef de guerre, il n'est pas pour autant maître des vies et des âmes de ses sujets. Je lui dirai moi-même que j'ai besoin de vous là-bas, et nous verrons bien quelle sera sa réponse...

La haute salle de Camelot, en ce jour de Pentecôte, étincelait de tous ses feux et de toutes ses richesses : bannières, étoffes de soie, ornements de bronze doré suspendus aux murs, armes, vaisselle d'apparat, robes chatoyantes et bijoux, scintillaient à la lueur des flambeaux, éclairant d'une lumière presque irréelle l'immense Table Ronde, qui enfin avait trouvé là un cadre digne d'elle.

Sur un siège à haut dossier en bois sculpté était assis Arthur. Il avait tenu à placer Gareth à sa gauche, et la reine à sa droite, tandis que ses compagnons s'étaient répartis tout autour selon leurs affinités, tous conscients de l'importance exceptionnelle de leur réunion.

Le visage sévère, solennel même, Arthur regardait défiler et s'agenouiller devant lui les divers souverains du royaume qui venaient lui renouveler leur allégeance, lui offrir un présent, ou lui demander de trancher un litige. « Comme il est grave et attentif, songea Morgane. Quel grand roi ! Pourquoi Viviane le juge-t-elle si durement ? »

Cherchant du regard la vieille prêtresse, elle sentit soudain sa gorge se serrer, comme si une main invisible tentait de l'étrangler. Un frisson lui parcourut le dos. Était-ce là encore un funeste présage ?

Troublée, elle secoua la tête, comme pour échapper à un rêve et regarda à nouveau les compagnons d'Arthur : Gauvain, le fort, le blond Gauvain souriant à son jeune frère Gareth tout à sa joie dans sa tunique blanche, Lancelot, le ténébreux, les yeux perdus dans le lointain, Pellinore, l'aimable monarque grisonnant devisant à voix basse avec sa fille, la douce Élaine, le couvant tendrement des yeux...

C'est alors qu'un inconnu, fendant sans ménagements la foule des courtisans, vint s'incliner devant Arthur. Il ne faisait pas partie des compagnons, mais n'était sans doute pas totalement étranger à la cour car Guenièvre, comme si elle voulait fuir sa présence, venait de détourner la tête brusquement.

— Je suis le seul fils vivant du roi Leodegranz, clama l'homme sans autre préambule. Je suis donc le frère de votre reine, roi Arthur. Je vous demande en conséquence de reconnaître mes droits sur le Pays d'Été !

— Le moment est mal venu, Méléagrant, répondit Arthur à mi-voix. Cependant, c'est entendu, j'examinerai plus tard votre requête et prendrai conseil de la reine. Peut-être pourriez-vous devenir son régent ? La question demande réflexion.

— Dans ce cas, il se pourrait que je n'attende pas votre jugement ! s'emporta le grossier personnage.

D'une taille au-dessus de la moyenne, lourd et massif, il portait au côté non seulement l'épée et le poignard, mais encore une énorme hache de combat. Revêtu de peaux et de fourrures en lambeaux, il paraissait aussi féroce et primitif qu'un bandit saxon, et les deux comparses qui l'accompagnaient semblaient encore plus rustres et menaçants que lui.

Guenièvre se pencha alors à l'oreille de son époux, et lui glissa quelques mots, visiblement très alarmée.

— La reine m'apprend que son père a toujours nié vous avoir engendré, Méléagrant... Soyez cependant assuré que nous allons de manière équitable étudier votre requête. Si elle est justifiée, je plaiderai en votre faveur. En attendant, faites-moi, je vous prie, l'honneur de vous joindre à la fête.

— Au diable la fête ! hurla l'énergumène. Je ne suis pas venu ici pour qu'on me donne des sucreries ! Je vous le dis, roi Arthur, je suis, et je resterai roi du Pays d'Été ! Si par malheur vous remettiez mon droit en cause, il pourrait vous en cuire à vous et votre reine !

Joignant le geste à la parole, Méléagrant fit alors claquer de manière menaçante sa main sur le manche de sa hache

Craignant le pire, Caï et Gareth s'interposèrent immédiatement et rabattirent fermement les bras du prétendu souverain derrière son dos.

— Arrière ! lui ordonna Caï jetant l'arme aux pieds d'Arthur. Personne ne troublera impunément cette noble assemblée.

— Au diable la Table Ronde et tous vos compagnons ! hurla derechef Méléagrant hors de lui, se débattant comme un démon, tant et si bien qu'il parvint à se dégager d'un formidable coup de rein de la poigne qui le retenait, et à gagner la sortie en courant, bousculant tout sur son passage, proférant mille jurons à l'adresse du roi et de ses chevaliers.

Mais Arthur, impavide, tout à sa tâche de haut justicier, comme s'il voulait ignorer l'incident, accordait déjà son attention à un vieillard qui venait de profiter du désordre pour se glisser à ses pieds, en exposant ses démêlés avec son voisin au sujet d'un moulin à vent situé, selon lui, sur la partie mitoyenne d'un terrain...

Ce brusque changement d'interlocuteur, presque comique et incongru en la circonstance, eut l'heureuse conséquence de détendre l'atmosphère. A nouveau l'entourage d'Arthur retrouvait sa sérénité et des clins d'œil amusés s'échangeaient autour de la table à la vue de l'embarras du bonhomme.

Le roi, le visage encore légèrement altéré, ayant hâte maintenant d'en finir, rendit néanmoins un jugement, sage, comme à son habitude, susceptible de concilier les deux partis.

— Caï, dit-il, comme le vieillard se retirait, veille à ce que cet homme soit copieusement restauré avant de quitter Camelot. Il a une longue route à faire pour rentrer chez lui. Maintenant y-a-t-il encore quelqu'un qui en appelle à moi ? Sera-t-il donc toujours question de vaches ou bien de champs ?

— C'est là pourtant la preuve de la confiance qu'on vous témoigne, commenta Merlin. Mais peut-être, en effet, devriez-vous déléguer certains de vos pouvoirs à vos barons. Dans des affaires de cette nature, ils pourraient fort bien rendre justice en votre nom...

Mais Merlin s'interrompit. Une femme demandait encore

qu'on l'entende. Elle semblait hautaine, et était accompagnée d'un nain grimaçant. S'étant inclinée devant le Haut Roi, elle débita son affaire : elle servait, depuis de nombreuses années, chez une noble dame que les hasards de la guerre avaient, comme beaucoup d'autres, laissée veuve. Ses biens se trouvaient dans le Nord, près de la vieille muraille romaine qui s'étendait sur des lieues et des lieues. Autrefois ses forteresses avaient servi de défense contre les envahisseurs, mais la plupart d'entre elles n'étaient plus maintenant que ruines. Or, cinq frères, tous plus rapaces les uns que les autres, avaient reconstruit cinq de ces places fortes et mettaient à sac systématiquement toute la région.

Pire, l'un d'eux, qui se faisait appeler le Chevalier Rouge, venait de mettre le siège devant le château de sa maîtresse...

— Le Chevalier Rouge ! s'exclama Gauvain, je le connais : j'ai eu à me battre contre lui. J'ai eu beaucoup de mal à m'en tirer, et je te conseille vivement, Arthur, d'envoyer au secours de cette dame des hommes solidement entraînés.

Arthur sembla approuver les paroles de Gauvain, mais Gareth intervint à son tour :

— Mon seigneur... ces terres se trouvent à la limite du royaume de mon père... Vous m'avez promis de me confier une mission : envoyez-moi, je vous en prie, secourir cette femme et défendre ses biens.

A ces mots, la messagère se retourna vers l'adolescent. Considérant avec un mépris non dissimulé son visage imberbe, son allure encore presque enfantine, sa tunique de soie blanche, elle éclata d'un rire dédaigneux et lança :

— Grand merci, mon jeunot, mais nous avons besoin d'un chevalier et non d'un nourrisson ! Et se retournant vers Arthur, elle ajouta : je suis venue, mon seigneur, demander aide et protection de vos preux. Un gamin ne nous serait d'aucune utilité sinon à servir le vin à notre table !

— Gareth, mon nouveau compagnon, ne sert pas le vin à table, ma Dame, la rabroua vertement Arthur. Ou, du moins, s'il avait à le faire, ce serait, à l'image des jeunes gens bien nés de mon royaume, pour remplir ma coupe, les jours de fête... Mais, pour en revenir à vos inquiétudes, Gareth se trouve être le frère de Gauvain, et un jeune chevalier plein d'avenir. Je lui ai, il est vrai, promis une mission. C'est donc lui, je le veux, qui volera à votre secours. Gareth... poursuivit-il, se tournant avec bienveillance vers le jeune homme rouge d'émotion, tu vas raccompagner cette dame en la protégeant des dangers de la route, et une fois arrivés dans le Nord, tu aideras sa maîtresse à organiser sa défense contre ces gredins. Si tu as besoin d'assistance, envoie-moi un messager. Mais j'ai cru comprendre qu'elle avait suffisamment de soldats fidèles à sa cause et qu'en fait il lui manquait surtout un chef et une stratégie. Tu peux donc fort bien l'assister en ce sens, Caï et Gauvain t'ayant légué leur enseignement.

— Je remercie mon roi de sa confiance, claironna fièrement Gareth. Vous n'aurez jamais lieu de la regretter. Avec l'aide de Dieu, je mettrai en fuite ces coquins !

S'inclinant profondément devant Arthur, il tourna alors vivement les talons, tout à l'enthousiasme de la tâche qui l'attendait ! Flanquée de son nain agrippé à ses jupes, la messagère s'empressa de le suivre, parfaitement consciente qu'il était inutile d'insister.

— Mon seigneur, ne pensez-vous pas réellement qu'il soit bien jeune pour une telle mission ? s'inquiéta Lancelot plein de sollicitude. Ne serait-il pas prudent d'envoyer à sa place Balan, ou bien Balin, qui ont tous deux davantage d'expérience ?

— Non, je ne le pense pas. Gareth a toutes les aptitudes voulues. Je m'en voudrais d'ailleurs de favoriser en la circonstance l'un ou l'autre de mes compagnons. Mais, mes amis, rendre justice donne faim ! Je pense que le cortège des plaignants est maintenant fini !

— Non, seigneur Arthur, il y a moi encore, qui viens de loin vous demander justice.

La voix de Viviane venait de s'élever parmi les suivantes de la reine. S'étant redressée de toute sa taille, ses cheveux blancs, nattés et remontés haut sur sa tête, elle semblait infiniment plus grande qu'elle ne l'était en réalité ! Pendu à sa ceinture, on remarquait le petit couteau en forme de faucille des prêtresses d'Avalon et, sur son front, d'un bleu provocant, le croissant, emblème de la Déesse toute-puissante.

Incrédule, Arthur la regarda quelques secondes, comme s'il ne la reconnaissait pas. Puis, il tendit un bras dans sa direction pour l'inviter à s'approcher.

— Il y a si longtemps, ma Dame d'Avalon, que vous n'avez honoré ma cour de votre présence ! Approchez, je vous en prie, dites-moi sans détour la raison de votre venue.

— Vous pouvez manifester à Avalon les égards qui lui sont dus, comme vous l'avez un jour promis, commença Viviane d'une voix lente, si clairement que tous les assistants purent l'entendre. Oui, mon roi, je viens aujourd'hui vous enjoindre de reconsidérer l'insigne valeur de l'épée que vous portez, et vous rappeler que ceux qui l'ont remis entre vos mains...

Mais la Dame du Lac ne put en dire davantage et elle s'écroula sans terminer sa phrase.

Quand, plus tard, on commenta aux quatre coins du royaume les événements survenus ce jour-là, il n'y eut pas deux personnes, sur les centaines de témoins qui assistaient aux fêtes de la Pentecôte, pour se mettre d'accord sur une même version des faits. Morgane, elle, vit Balin se lever, bondir, saisir la lourde hache abandonnée par Méléagrant non loin de la Table Ronde et la brandir. Puis il y eut au même instant une brève mêlée, et un grand cri. Ce qui est en tout cas certain, c'est que Viviane ne vit pas le coup venir. Ses cheveux se teintèrent simplement d'un flot de sang, et elle s'affaissa lentement sur elle-même.

Dans les secondes suivantes, retentit alors dans la grande salle une immense clameur. Au milieu d'un indescriptible tumulte, on vit Lancelot et Gauvain se ruer sur Balin, suivis par Morgane, son poignard à la main. Mais Kevin s'agrippa à elle de toutes ses forces en suppliant :

— Non, Morgane, il est trop tard... Ô Ceridwen, Déesse-Mère, pourquoi avez-vous permis cette désolation ?... Non, Morgane, je vous en conjure, ne bougez pas, ne la regardez pas !

A ces mots Morgane s'arrêta, figée sur place, pétrifiée telle une statue de pierre. Seule, l'horreur qu'exprimait son visage permettait de comprendre que la vie l'habitait encore. Elle entendait cependant, sans vraiment entendre, les mots orduriers que criait Balin, maintenant aux mains de Gauvain et de Lancelot. Elle voyait, sans vraiment le voir, le vieux Merlin étendu à terre, sans connaissance, et Caï, penché sur lui, une coupe de vin à la main, tandis que Kevin à genoux soulevait doucement la tête du vieillard pour le faire boire.

Moi aussi, je dois les aider, se dit-elle dans un état second. Mais ses jambes paralysées refusaient de faire le moindre mouvement. Sur le sol, une tache rouge s'élargissait, gluante, horrible. Le flot pourpre semblant vouloir ne jamais s'arrêter jaillissait à gros bouillons du crâne fendu en deux de la vieille prêtresse. « Du sang... du sang sur le trône... répétait Morgane, éperdue, du sang... là, au pied du trône du roi Arthur... »

Celui-ci, cependant, venait de reprendre ses esprits, et s'était approché de Balin :

— Assassin... Qu'as-tu fait..., dit-il d'une voix rauque, là, au pied même du trône de ton roi ?

— Assassin, moi ? s'esclaffa Balin avec un rire de dément. C'est elle la meurtrière ! Deux fois déjà, elle avait mérité la mort... Je viens de vous débarrasser de la pire sorcière que la terre ait jamais connue !

— La Dame du Lac était mon amie, et ma bienfaitrice, tonna le roi avec douleur. Comment oses-tu parler d'elle en ces termes ? C'est à elle que je devais mon trône !

— Elle est seule responsable de la mort de ma mère Priscilla, bonne et pieuse chrétienne, qui était aussi la mère adoptive de Balan ! C'est elle qui l'a tuée avec ses potions de mort... Oui, je le proclame, cette sorcière a tué ma mère ! Je l'ai vengée, comme tout chevalier digne de ce nom l'aurait fait à ma place !

Le visage décomposé par la rage et la haine, Balin alors éclata en sanglots. Lancelot, qui avait fermé les yeux pour ne plus voir l'insoutenable spectacle de sa mère gisant à ses pieds dans une flaque de sang, se détourna en serrant les poings.

— Arthur, mon roi, la vie de cet homme m'appartient,

bredouilla-t-il ravalant ses larmes... Laissez-moi à mon tour venger ma mère bien-aimée, je vous en supplie !

— Elle était aussi la sœur de ma mère, insista Gauvain d'une voix blanche.

— Non ! hurla soudain Morgane. Cet honneur me revient ! Ce monstre a tué la Dame du Lac. C'est à une femme d'Avalon qu'incombe le droit sacré de venger son sang !

— Non, ma sœur, non ! s'interposa Arthur en essayant de la retenir. Je vous en prie, donnez-moi votre poignard !

Morgane hésita. Elle allait refuser, tâcher de se soustraire à la volonté royale et se précipiter sur Balin, quand la voix, très faible, du vieux Merlin arrêta son élan :

— Arthur a raison, Morgane : le sang n'a que trop coulé aujourd'hui ! Puisse le sang de Viviane prendre en ce jour valeur de sacrifice aux yeux de la Mère Suprême !

— Oui, un sacrifice... éructa de nouveau Balin, l'air hagard. Elle a été sacrifiée à Dieu qui, un jour, anéantira toutes les sorcières qui hantent ce royaume. Mais en attendant ce jour béni, Arthur, laissez-moi accomplir mon œuvre, et purger cette cour de tous les esprits démoniaques qui grouillent autour de nous... celui-ci, par exemple !

Et, échappant à l'étreinte de Lancelot, Balin se rua sur Merlin dans l'espoir de l'étrangler. Il fallut toute la force conjuguée de Caï et de Gauvain pour l'immobiliser et le traîner devant le siège du Haut Roi. Mais là, il continua à se débattre :

— Ô roi, au nom du Christ ! laissez-moi purger votre palais, votre royaume de tous ces magiciens... Dieu les hait, je le sais, il me l'a dit !

Un formidable coup de poing, asséné par Lancelot, interrompit les divagations du forcené. Puis un long silence suivit, un interminable et pesant silence qui ne fut troublé que par le glissement léger sur le sol de la cape cramoisie dont Lancelot venait de libérer ses épaules pour draper avec une douloureuse déférence le corps inerte de sa mère.

— Quelles que soient tes raisons, Balin, trancha alors Arthur, tu es un meurtrier et tu seras châtié pour avoir osé commettre un tel forfait le jour saint de la Pentecôte, en présence de ton roi. Tu viens d'assassiner la sœur de ma mère : un tel acte mériterait que je te transperce sans attendre le cœur de mon épée ! Mais je n'en ferai rien.

Arthur marqua une longue pause et reprit d'un ton étrangement calme :

— As-tu seulement l'esprit encore suffisamment lucide pour m'entendre, Balin ?... Je te chasse définitivement de ma cour, entends-tu ? Dès que le corps de Viviane aura été enveloppé d'un linceul et placé sur une haquenée funèbre, je t'ordonne d'accompagner sa dépouille jusqu'à Glastonbury, et arrivé là-bas de confesser ton crime à l'archevêque. Tu te conformeras ensuite aux directives qu'il te donnera et accepteras sans broncher la pénitence que tu mérites. M'as-tu bien entendu, Balin, mon ancien compagnon et chevalier ?

La tête baissée, hébété, Balin tenta d'essuyer, du revers de sa main, le sang qui coulait de sa lèvre ouverte par le poing de Lancelot. Puis, dans un chuintement presque inaudible, on l'entendit répondre :

— Oui, mon seigneur et mon roi, je vous ai entendu.

Alors, dans le silence, s'éleva la voix brisée du vieux Merlin. Agenouillé à côté de Lancelot et de Morgane, il récitait tout bas une très ancienne prière à l'intention de l'âme qui venait de quitter pour un autre monde le corps de la grande prêtresse. Arthur attendit, dans le recueillement, la fin de la prière et annonça :

— Je déclare les fêtes closes pour aujourd'hui !

Tandis que la foule des invités se retirait lentement des lieux du drame, il vint vers Morgane et lui posa la main sur l'épaule. Tous deux demeurèrent ainsi un long moment, les yeux rivés sur la forme immobile allongée sur les dalles... Et soudain, inattendu, le son très doux d'une harpe s'éleva, semblant tout à la fois chanter, consoler et promettre. Seules deux mains dans tout le royaume de Grande Bretagne avaient le pouvoir d'arracher à une harpe des accents aussi déchirants. C'étaient celles de Kevin, bien sûr. Absorbé corps et âme par le chant funèbre qu'il dédiait à la mémoire de la Dame du Lac, il ne s'aperçut même pas que deux serviteurs, à pas feutrés, emportaient avec des précautions infinies son corps hors des murailles du château, escorté par Lancelot et Morgane en pleurs.

Une fois arrivée à la porte, Morgane se retourna pour regarder une fois encore la pièce immense et l'impressionnante Table Ronde. Dans un dernier regard, elle entrevit Arthur, roide et solitaire, le visage défait penché sur la tache sinistre et rouge qui souillait le sol. Subjugué par la musique du barde, les mains croisées, il semblait en prière. Apercevant sous ses manches relevées les serpents familiers qui s'enroulaient autour de ses poignets, Morgane revit soudain avec une acuité qui lui fit mal le Jeune Cerf jadis venu à elle les mains et le visage couverts du sang du vénérable Roi de la forêt.

Un instant même, elle crut entendre à son oreille le ricanement de la reine des Fées, mais les accents plaintifs de la harpe de Kevin et les sanglots de Lancelot, à côté d'elle, la ramenèrent bien vite à la réalité. Sa dernière pensée fut alors pour Viviane qui n'avait pu délivrer à Arthur le message d'Avalon. Dans la haute et majestueuse salle de ce roi très chrétien, il n'y aurait désormais plus personne pour faire entendre aux hommes la grande voix de l'Ile Sacrée. Ainsi Guenièvre triomphait.

Avec l'aide des suivantes de la reine, Morgane procéda seule à la toilette des morts. Guenièvre avait envoyé ses femmes, du linge fin, des parfums et des poudres mais elle ne s'était pas dérangée personnellement. C'était d'ailleurs préférable : le corps d'une prêtresse défunte ne pouvait être livré pour son dernier sommeil qu'aux mains d'une autre prêtresse. Avant de l'envelopper dans son linceul, Morgane détacha doucement de la ceinture de Viviane le coutelas en forme de faucille qui ne l'avait jamais quittée. Elle le conserverait à son tour, accroché à sa taille, jusqu'à sa mort.

Lorsque tout fut terminé, Kevin la rejoignit pour la veillée mortuaire.

— J'ai envoyé Merlin se reposer, lui dit-il. Il est très faible, et c'est miracle que son cœur ait résisté à cette tragédie. J'ai bien peur cependant qu'il ne suive bientôt Viviane dans l'autre monde. Quant à Balin, il a, semble-t-il, recouvré un peu sa raison. Il s'apprête calmement à suivre jusqu'à Glastonbury la dépouille de notre bien-aimée prêtresse et semble vouloir se conformer à la pénitence que lui infligera l'évêque.

— Peu importe ce qu'il arrivera à cet assassin, répliqua Morgane avec emportement. Quant à Viviane, ce n'est pas dans l'île des prêtres qu'il faut la conduire, mais à Avalon. Elle était la Dame du Lac, c'est dans la terre de l'Ile Sacrée qu'elle doit reposer, là où reposent, depuis la nuit des temps, toutes les prêtresses de la Mère Éternelle.

— Le roi a décidé qu'elle serait inhumée devant l'église de Glastonbury, répliqua tranquillement le barde. Il désire que sa tombe devienne un lieu de pèlerinage.

Mais voyant que Morgane allait de nouveau l'interrompre, Kevin étendit la main pour lui imposer silence et poursuivit :

— Non, Morgane, écoutez-moi. Arthur est dans le vrai. Jamais un crime aussi abominable n'a été commis depuis le début de son règne. Il ne peut donc escamoter le souvenir de son trépas. Tout le monde doit pouvoir venir se recueillir sur sa tombe. Ainsi rappellera-t-elle à tous les sujets du royaume la justice de leur monarque et celle de l'église.

— Comment pouvez-vous consentir à un pareil sacrilège ?

— Morgane, expliqua le barde affectueusement, ce n'est pas à moi d'accepter ou de refuser. Arthur est le Haut Roi, et c'est sa volonté. Elle a force de loi dans ce royaume.

— Mais Viviane était venue à Camelot pour rappeler justement à Arthur sa trahison envers Avalon ! L'avez-vous oublié ? cria Morgane au bord du désespoir. Elle est morte avant d'avoir achevé sa mission, et vous voudriez la voir reposer en terre chrétienne, au son des cloches, pour que les prêtres triomphent d'elle maintenant qu'elle est morte alors qu'ils n'avaient jamais réussi de son vivant ?

— Morgane, ma pauvre Morgane... murmura Kevin en tendant vers elle ses mains déformées, moi aussi je l'aimais, je l'aimais tellement, mais elle nous a quittés ! Maintenant, écoutez-moi : il est trop tard pour exiger d'Arthur qu'il reste fidèle à Avalon selon les termes dépassés de son ancien serment. Le monde change, le son des cloches des églises s'amplifie chaque jour et les hommes semblent l'accepter. Qui sommes-nous donc pour affirmer que telle n'est pas la volonté des dieux ? Que nous le voulions ou non, nous sommes ici en terre chrétienne et je vous le dis, Morgane, je me refuse à voir ce pays déchiré à nouveau par des dissensions religieuses. Si Viviane n'avait pas été tuée par Balin, je me serais élevé, oui, je l'avoue, contre ce qu'elle s'apprêtait à dire, et Merlin voulait faire de même.

— Comment osez-vous mêler le nom sacré de Merlin à tout cela ?

— Merlin, en personne, m'a désigné comme son successeur, pour agir en son nom lorsqu'il n'en aurait plus la force.

— Ah, je comprends tout ! Vous aussi n'allez-vous pas bientôt vous déclarer chrétien ? Pourquoi ne portez-vous pas déjà un chapelet et un crucifix ?

— Morgane, même s'il en était ainsi, pensez-vous vraiment que cela changerait la marche du destin ?

— Kevin, je vous en conjure, restez fidèle à Avalon ! Ne trahissez pas, vous aussi, la mémoire de Viviane ! Partez avec moi, ce soir, ne vous pliez pas à cette comédie honteuse ! Reprenez avec moi le chemin d'Avalon où la Dame du Lac reposera en paix au côté de celles qui l'ont précédée dans sa haute mission.

— Ce que vous me demandez là est impossible, Morgane ! Reprenez-vous. Écoutez avant qu'il ne soit trop tard la voix de la raison !

A ces mots, Morgane recula de quelques pas, en regardant Kevin droit dans les yeux. Puis elle éleva ses deux bras au-dessus de sa tête et appela sur elle de toute la puissance de sa force vitale l'aide et la protection de la Grande Déesse. Soudain sa voix changea :

— Kevin, commença-t-elle, au nom de Viviane, vivante maintenant dans l'autre monde, je vous ordonne de m'obéir. Ce n'est pas à Arthur, ni à la Grande Bretagne que doit aller votre allégeance, mais à la Déesse Éternelle à qui vous avez juré fidélité. Venez ! Fuyons maintenant ces lieux impies et regagnons pour toujours la seule terre de vérité, celle de l'Ile Sacrée à Avalon !

Autour de Morgane l'air et le sol parurent vibrer, et Kevin, aimanté par une force surnaturelle, tomba à genoux en tremblant. C'est alors que Morgane ressentit tout à coup une immense fatigue : comme si toute son énergie l'abandonnait brusquement. De fait, en un instant, elle avait perdu tout pouvoir. Kevin en profita pour se relever d'un geste rapide et la toisa d'un air presque hostile :

— Femme ! Vous qui vous êtes si longtemps détournée d'Avalon, ne pouvez me dicter mon devoir ! Vous devriez plutôt vous agenouiller devant moi, car je suis désormais l'envoyé de Merlin. Ne me tentez donc plus, ma route est clairement, définitivement tracée. A jamais nos chemins se séparent.

La quittant sur ces dernières paroles en boitillant, il projeta sur la muraille un jeu d'ombres insolites et grotesques qui s'estompèrent avec lui dans la nuit. Morgane ne l'avait pas retenu. N'ayant plus même la force de réagir, indifférente à tout, elle laissait couler ses larmes sur ses joues, sans bien savoir si elles traduisaient dans son cœur la douleur ou la haine...

Quatre jours plus tard, Viviane fut enterrée, selon les rites chrétiens, sur l'île de Glastonbury. Mais Morgane, qui s'était juré de ne jamais poser le pied sur l'île des prêtres, ne s'y rendit pas. Arthur, de son côté, pleura longtemps la mort de la Dame du Lac et fit édifier sur un tertre à son intention un monument funéraire grandiose surmonté d'un cairn taillé dans les plus belles pierres de son royaume.

Quant à Balin, il reçut l'ordre de l'archevêque Patricius de partir en pèlerinage à Rome et en Terre sainte. Mais, juste après son départ, Balan ayant appris la nouvelle de la bouche de Lancelot décida de se lancer à sa poursuite. Les deux frères s'affrontèrent en un combat sans merci où Balin trouva la mort. Trois jours après, Balan succombait à son tour des suites de ses blessures... Ainsi Viviane était-elle vengée.

Le vieux Merlin ne survécut pas davantage à cette tragédie. Il s'éteignit paisiblement à la fin de l'été, sans avoir, semble-t-il, vraiment réalisé la disparition définitive de la prêtresse, car jusqu'à son dernier souffle il parla d'elle comme si elle était toujours vivante. Il fut enterré à Camelot, en grande pompe, et glorifié, par l'évêque lui-même, qui rendit un vibrant hommage à sa grande bonté et à sa sagesse.

III

A la première brise printanière, l'année suivante, des rumeurs de guerre parvinrent aux portes de Camelot. Arthur s'était rendu dans le Sud pour inspecter des fortifications côtières et Lancelot, de son côté, séjournait dans l'antique forteresse de Caerleon où le Haut Roi l'avait chargé d'installer une garnison.

C'est alors, estimant le moment propice à ses desseins, que Méléagrant se manifesta pour la seconde fois à Camelot par l'intermédiaire d'un messager brandissant le drapeau de la trêve. Dans un libelle qu'il avait sans doute dicté à quelque prud'homme, car lui-même ne savait pas écrire, il invitait « sa sœur » Guenièvre à venir s'entretenir avec lui en toute sérénité des problèmes de gouvernement concernant le Pays d'Été dont il affirmait toujours détenir la suzeraineté avec elle.

Guenièvre, inquiète de l'avenir du royaume que lui avait légué son père, le roi Leodegranz, décida, en souvenir de lui mais non sans grande hésitation, de répondre à l'invitation afin de tenter de résoudre définitivement le litige.

— Lui faites-vous suffisamment confiance pour le rencontrer seule à seul ? s'enquit Caï en lui recommandant la prudence.

N'oubliez pas que cet individu est violent et grossier, qu'il a osé brandir sa hache devant la cour et le Haut Roi aux dernières fêtes de la Pentecôte ?

— Non, je ne l'oublie pas, mais n'ayez crainte, je n'ai aucune confiance en lui. Je suis même convaincue qu'il est un imposteur, répondit Guenièvre. Mais, ne pensez-vous pas que s'il veut vraiment se faire passer pour mon frère, il a tout intérêt à se conduire comme tel, et donc à m'honorer comme sa sœur et sa reine ?

— Quoi qu'il en soit, intervint Morgane, ne vous rendez surtout pas sous son toit sans une solide escorte ! Cette brute est capable de tout. De plus, il est sûrement borné.

— Vous ressemblez trop à ce pauvre Merlin, Morgane. Lui aussi voulait toujours donner des conseils. Me croyez-vous tellement naïve ?

— Il n'est pas nécessaire d'être grand clerc pour savoir qu'un vilain est un vilain, et qu'il est dangereux de confier sa besace à un vaurien ! rétorqua Morgane se gardant de répondre directement à la reine. Maintenant, libre à vous de décider s'il faut aller se jeter dans la gueule du loup...

— Il suffit, je pense, de prendre certaines précautions. Je ne serai pas seule. J'emmènerai avec moi mon chambellan, le seigneur Lucan, et aussi ma servante Bracca qui dormira à mes côtés si, par hasard, je devais rester là-bas plus d'une journée. Je n'ai besoin de personne d'autre !

— Il vous faut une escorte nombreuse et digne d'une reine, insista Caï. Emmenez au moins avec vous l'un des chevaliers qu'Arthur a laissés à la cour.

— Soit, je prendrai Ectorius, le père adoptif d'Arthur, accepta Guenièvre. C'est un homme sage et expérimenté.

— Mais c'est folie ! s'écria Morgane sentant l'exaspération la gagner. Le vieil homme Ectorius et Lucan qui a perdu un bras à Mont Badon : un vieillard et un manchot ! Valeureuse escorte, en vérité ! Non, Guenièvre, entourez-vous d'hommes vigoureux, de guerriers ayant fait leurs preuves, prêts à faire face à toutes éventualités. Imaginez seulement que cet homme décide de vous garder en otage, ou pire...

— Si Méléagrant, au lieu de me traiter en sœur, en venait aux menaces, ou plus grave encore, osait s'en prendre directement à moi, les raisons mêmes de sa démarche perdraient toute signification et il se déconsidérerait à jamais aux yeux de tous. Ce n'est certainement pas ce qu'il recherche, s'entêta la reine. Je veux le raisonner, et s'il me semble capable de faire régner la paix au royaume de mon père, s'il accepte aussi de jurer fidélité au Haut Roi, je l'autoriserai à gouverner en mon nom. Sans doute s'est-il conduit jusqu'ici comme un rustre, mais on peut être un bon souverain sans savoir pour autant tourner des compliments aux dames et perdre accidentellement son sang-froid se croyant victime d'une intolérable injustice. Mon intention justement est d'aller par moi-même vérifier tout cela.

Son entourage ayant renoncé à ébranler sa détermination, Guenièvre partit donc, le matin suivant, accompagnée d'Ectorius, du vieux Lucan, de sa suivante, d'un page âgé de neuf ans et d'une escorte de six cavaliers que Caï avait finalement réussi à lui imposer. Ne s'étant pas rendue dans le pays de son enfance depuis ce jour lointain où elle l'avait quitté en compagnie d'Ygerne pour aller rejoindre son futur époux, à Caerleon, elle ne pouvait cacher son émotion et sa hâte d'arriver, ce qui se produisit plus vite qu'elle ne pensait, le royaume de son père n'étant finalement pas très éloigné de Camelot. En effet, ayant franchi les derniers contreforts boisés qui surplombaient le Pays d'Été, la petite troupe dévala au trot la pente douce d'une colline qui prenait fin au bord d'une vaste pièce d'eau envahie de roseaux et d'une végétation aquatique luxuriante. Au loin, sur la rive opposée, se détachaient sur un ciel d'une rare pureté les tours crénelées du château tombé aux mains de Méléagrant.

Deux embarcations à fond plat arborant les bannières du roi Leodegranz attendaient les arrivants, et Guenièvre ne put s'empêcher de ressentir une impression pénible à la vue des couleurs de son père que s'était appropriées indûment l'homme qui l'attendait. Qui en effet l'avait autorisé à faire siennes ces enseignes avec une pareille arrogance ? Se croyait-il vraiment le fils et l'héritier de l'ancien roi du Pays d'Été, ou bien son père lui avait-il intentionnellement caché une part de vérité sur ce garçon que lui avait donné l'une de ses plus anciennes maîtresses ?

Toujours est-il que Méléagrant s'avançait déjà vers elle, affable, l'accueillant avec toutes les marques de respect et d'affection dues à une reine et sœur très chère.

— Je vous attendais avec impatience, clama-t-il, plastronnant de manière grotesque tout en la conduisant insensiblement vers son propre bateau, le plus petit des deux. Vos serviteurs, ma Dame, prendront la seconde embarcation. Je tiens à vous faire moi-même les honneurs de ma barge personnelle, poursuivit-il onctueusement, posant familièrement un bras protecteur sur l'une des épaules de la reine, geste qui, malgré elle, aggrava son malaise.

— Je... je préfère ne me séparer ni de mon page, ni de mon chambellan, bredouilla-t-elle, de plus en plus troublée.

— Vos désirs sont des ordres, ma belle souveraine ! acquiesça-t-il sournoisement. Qu'ils viennent ! Il y a place pour eux.

Ectorius et Lucan les ayant rejoints il l'invita alors à prendre place sur un petit tapis qui avait été déroulé au fond de la barque, et donna l'ordre aux rameurs de gagner le large. Comme il s'asseyait à côté d'elle, Guenièvre, ne pouvant réprimer son dégoût, s'agrippa des deux mains au rebord de l'embarcation, tentant de s'écarter imperceptiblement de son indésirable voisin.

— Eh bien, ma sœur, qu'avez-vous ? Êtes-vous souffrante ? interrogea Méléagrant nullement dupe de son manège.

La gorge serrée, elle ne put proférer une parole, et esquissa à son adresse un mouvement négatif de la tête. Elle était seule, avec un enfant et deux hommes âgés, au milieu d'une étendue glauque et marécageuse, à la merci d'un individu sans doute dénué de tout scrupule !

— Nous arrivons, enchaîna Méléagrant faussement courtois et, si vous le désirez, vous allez pouvoir prendre quelque repos avant que nous parlions ensemble des affaires du royaume. J'ai fait préparer à votre intention les appartements de la reine.

Le bateau s'étant immobilisé le nez contre la berge, Guenièvre reconnut avec un pincement au cœur l'étroit sentier tortueux qui montait au château, et l'enceinte rocailleuse sur laquelle elle s'était tant de fois assise, les jambes pendant dans le vide. C'était là qu'elle avait aperçu, pour la première fois, Lancelot, montant un palefroi de son père. Elle n'était alors qu'une adolescente timide. C'était hier et pourtant, comme c'était loin déjà...

La grande salle où la conduisit Méléagrant, avait gardé les zones d'ombre et de mystère de son enfance, mais elle lui parut tout de suite plus impressionnante et sinistre qu'autrefois. Il régnait sous ses voûtes une âcre odeur de renfermé, qui la prit à la gorge. « Mon Dieu, se dit-elle en parcourant la pièce du regard, je ne pourrais maintenant y rester seule sans effroi ! »

Le trône de son père disparaissait sous des peaux mal tannées semblables à celles que Méléagrant portait sur lui. Par terre, avait été jetée une immense peau d'ours, elle aussi pratiquement en loques, couverte de taches et de graisse. Ainsi tout ce qu'Aliénor avait entretenu avec tant de soin et d'amour partait à l'abandon. Tout n'était que désolation, crasse et poussière. Guenièvre sentit les larmes lui monter aux yeux, et détourna son visage pour masquer son désarroi à l'intrus qui se tenait à ses côtés.

— Venez vous reposer, ma sœur, et vous rafraîchir, insista Méléagrant d'un ton doucereux. Je vais vous conduire à vos appartements.

— Il n'est pas nécessaire, je pense. Je ne compte pas rester longtemps ici, répliqua-t-elle, ne pouvant réprimer un air de bravade. En revanche, j'accepterais volontiers de me rafraîchir un instant. Voulez-vous faire appeler ma suivante, je vous prie ? Puis, pour faire diversion, elle ajouta : il ne serait que temps pour vous de confier cette demeure à une femme, Méléagrant, si vous tenez toujours à y faire figure de régent du royaume !

— Ma Dame, j'aviserai ! Il y a un temps pour tout, n'est-ce pas ? Pour l'instant, veuillez me suivre, je vous prie.

Ne voulant pas le contrarier inutilement, elle gravit donc derrière lui le vieil escalier où régnaient les mêmes relents acides que dans les pièces du bas. Proche de l'écœurement, s'appuyant à la muraille pour ne pas glisser sur les marches graisseuses, Guenièvre sut alors qu'elle ne nommerait jamais pour la représenter un maître des lieux si indigne et répugnant.

— Je souhaite la présence de mon chambellan, ainsi que celle de ma suivante ! insista-t-elle, effrayée par le silence et la solitude qui les entouraient.

Méléagrant dégageait une odeur de bête sauvage à peine supportable, et maintenant il se retournait de temps à autre pour la regarder, un mauvais rictus aux lèvres, découvrant de longues dents jaunes de carnassier. Se sentant défaillir, la reine, soudainement révoltée, haussa le ton :

— Appelez immédiatement Ectorius, je vous le demande. Sinon je redescends le chercher moi-même !

Au même instant, le pas lent du vieillard dans l'escalier la rassura momentanément, et elle s'engagea donc derrière Méléagrant dans la chambre qui avait été celle d'Aliénor. Sombre et humide, elle était aussi sale et malodorante que tout le reste du château. De là, on passait dans la petite pièce qui avait été sa chambre de jeune fille. Comme elle s'arrêtait sur son seuil, Méléagrant, s'étant effacé devant elle, la poussa brutalement à l'intérieur tandis que, de l'autre main, il projetait le vieil Ectorius dans l'escalier en l'injuriant. Puis la porte claqua et Guenièvre se retrouva seule, à genoux sur le sol, dans un silence de mort.

Ainsi Morgane ne s'était pas trompée. Ce prétendu frère n'était rien d'autre qu'un ignoble imposteur ! L'odeur de paille pourrie, qui crissait sous ses jambes, la fit relever d'un bond. Éperdue, tâtant du bout des doigts les murs suintants d'humidité, elle réalisa pleinement qu'elle était prisonnière d'un monstre sans scrupules. Dans l'âtre, un reste de cendres mêlées de poussière et de détritus montrait que la pièce avait été abandonnée depuis longtemps. Pauvre pièce, pauvre chambre, sa chambre qu'elle avait tant aimée. Sur le lit gisaient quelques loques grisâtres, et on avait repoussé dans un coin le beau coffre sculpté d'Aliénor dont le bois était désormais rongé par les vers.

Prise de panique, Guenièvre se mit à crier en frappant à coups de poing redoublés contre la lourde porte. Mais, seul l'écho lui répondit. Elle se dirigea alors vers l'étroite ouverture d'où venait le jour, mais elle dut aussitôt abandonner l'idée de fuir par là : s'y glisser était impossible. D'ailleurs, le donjon était trop haut, et donnait sur les douves.

Interminables les heures passèrent peu à peu et avec elles grandit l'angoisse de Guenièvre. Elle avait froid, maintenant, elle avait faim. Personne n'allait-il donc venir à son secours ? Qu'était devenue son escorte ? Avaient-ils tous été massacrés ? Méléagrant allait-il la tuer, elle aussi, ou l'utiliserait-il comme otage pour exiger d'Arthur tout ce qu'il désirait ?... Convaincu qu'il était le dernier et seul descendant mâle de Leodegranz, allait-il par la force la contraindre à le reconnaître comme unique souverain du Pays d'Été... ou, peut-être même abuser d'elle...

Le jour baissait rapidement, et une pénombre sinistre envahissait maintenant sa prison. Anéantie, Guenièvre s'avança jusqu'au lit, s'y allongea avec dégoût, s'enroula en pleurant dans sa longue cape et ferma les yeux., Non, il ne la tuerait pas. Certes, la brute lui faisait peur, une peur horrible, mais il était impossible qu'il en veuille à ses jours... Sinon, Arthur ne manquerait pas de le tuer à son tour...

Un léger bruit, à l'étage, l'ayant fait tressaillir, elle bondit hors de sa couche pour coller son oreille à la porte. Hélas ! ce n'était rien, rien qu'une souris sans doute, ou le bois pourri d'une poutre qui craquait... Elle frissonna à nouveau, puis décida de tirer non sans difficulté le lourd coffre sculpté contre la porte. Épuisée par l'effort, elle regagna péniblement son lit et se recroquevilla dans sa cape, terrassée par une inquiétude grandissante.

Arthur châtierait-il vraiment Méléagrant ? Se souciait-il seulement d'elle en cet instant ? « Arthur, mon roi, gémit-elle à mi-voix. Sauveras-tu une épouse qui s'est révélée incapable de te donner un héritier ? Une épouse qui aime un autre homme que toi et s'en cache à peine ? Ne vas-tu pas l'abandonner, trop heureux de t'en débarrasser ? Dieu ! Tout est clair... Méléagrant va pouvoir en toute quiétude m'assassiner, ou me laisser mourir de faim. Ainsi se retrouvera-t-il unique héritier des anciens domaines de Leodegranz... »

Ivre d'angoisse et de fatigue, Guenièvre sombra finalement dans un sommeil entrecoupé de cauchemars. Elle se vit, suppliant Morgane d'utiliser un sortilège pour l'aider à sortir de sa geôle. Il fallait prévenir Arthur, l'appeler au secours avant qu'il ne soit trop tard, user de n'importe quelle sorcellerie pour l'arracher aux griffes de son bourreau... Se réveillant en sueur à plusieurs reprises, elle scruta les ténèbres, chercha à déceler le moindre bruissement, autour d'elle. Mais il n'y avait rien, rien que le silence oppressant à hurler.

Affolée, le cœur battant à tout rompre, les yeux fixés sur l'étroite ouverture dispensant un pâle rayon de lune, elle sombra à nouveau dans une demi-inconscience, entrecoupée d'horribles visions.

Dieu peut-être voulait-il la châtier de son amour coupable, la punir aussi d'avoir demandé à Morgane une aide surnaturelle, ou de ne l'avoir simplement pas assez imploré ? Réveillée en sursaut, elle tenta de retrouver son calme, se leva comme une somnambule, fit quelques pas hésitants à travers la pièce. Mais en vain. Rien ne semblait pouvoir l'arracher à son tourment. Tout était inutile et elle était perdue. Se laissant alors retomber sur la paille humide, le dos appuyé contre le coffre d'Aliénor, elle laissa couler ses pleurs, renonçant définitivement à se battre.

Un bruit de pas dans l'escalier l'arracha à sa torpeur. Elle eut à peine le temps de se lever et de serrer sa cape autour d'elle. Méléagrant, poussant la porte d'un formidable coup de pied, renversa le coffre avec fracas. Courageusement, comme un animal sauvage pris au piège, Guenièvre fit face avec véhémence :

— De quel droit me séquestrez-vous ainsi ?... cria-t-elle. Où sont mes gens, mon page, mon chambellan ? Pensez-vous qu'Arthur, roi de Grande Bretagne, vous confiera le gouvernement de ce royaume après que vous m'ayez traitée de la sorte ?

— Autant vous le dire tout de suite, ma belle, je n'ai aucunement l'intention de vous rendre à lui, s'esclaffa le géant d'une voix de stentor. Autrefois, l'époux consort de la reine était roi. Si je vous garde donc et si vous me donnez un fils, nul ne pourra contester mes droits sur ce royaume !

— Vous n'aurez jamais un enfant de moi, haleta la malheureuse reine, je suis stérile !

— Mais non, je n'en crois rien ! ricana Méléagrant d'un ton injurieux. Vous êtes simplement mariée à un homme un peu faible qui manque de virilité...

— Comment osez-vous ? Arthur vous écrasera comme une vermine.

— Je l'attends ! Il est plus difficile que vous ne le croyez d'attaquer ce château entouré d'eau de toutes parts.

— D'ailleurs, tout mariage est impossible puisque j'ai déjà un époux, contre-attaqua Guenièvre en s'efforçant au calme.

— Personne, ici, ne se soucie de lui, ma caille, et j'ai chassé de mon royaume tous les prêtres imposteurs ! Moi, je gouverne selon les anciennes lois, et les anciennes lois me confèrent le droit de me nommer moi-même souverain du Pays d'Été et de faire avec vous tout ce que bon me semble !

Joignant le geste à la parole, il s'avança alors vers elle et l'attira brusquement contre lui. Guenièvre lui échappa en se débattant avec une force dont elle ne se serait jamais crue capable et alla se plaquer le dos à la muraille. Décontenancé un court instant, Méléagrant la regarda puis se rapprocha d'elle en disant :

— Ma chatte, vous n'êtes pas tellement à mon goût... un peu pâlotte, trop nerveuse et pas assez potelée ; je préfère les donzelles bien en chair ! Mais qu'à cela ne tienne, vous êtes la fille du vieux Leodegranz, alors...

Comme il tentait de la serrer plus étroitement contre lui, Guenièvre, dégageant un bras, lui asséna un coup si violent en travers du visage qu'il chancela. Mais il en aurait fallu davantage pour décourager un colosse tel que lui. Revenant aussitôt à la charge, l'écume aux lèvres, l'œil furibond, il resserra son étreinte, l'immobilisant complètement de sa poigne de fer. Puis il la secoua avec violence, la gifla plusieurs fois à toute volée, jubilant de la voir vaciller avec une frénésie grandissante, n'écoutant ni ses larmes, ni ses supplications.

— Non... Je vous en supplie, hoqueta-t-elle, arrêtez ! Arthur vous tuera !

Mais, loin de l'apaiser, ses cris, au contraire, redoublèrent sa furie. Proférant un chapelet d'obscénités, il lui tordit un peu plus les poignets et, voyant qu'elle s'affaissait doucement, il la jeta sur le lit et la battit jusqu'au sang. Elle, recroquevillée, brisée par l'épouvante et la douleur, les deux bras en avant pour tenter d'esquiver ses poings, à demi étouffée, aveuglée par les larmes, s'attendait maintenant à tout subir, peut-être même la mort.

Un ordre, lancé à son oreille, d'une voix essoufflée et sifflante, mit fin subitement à l'avalanche meurtrière de ses coups :

— Maintenant, ça suffit et enlève ta robe !

Elle n'eut pas le temps de répondre que, déjà, il était sur elle, arrachant l'un après l'autre tous ses vêtements, dénudant sauvagement sa gorge et son ventre d'albâtre. Terrifiée, Guenièvre se laissa faire car elle savait de toute son intuition de femme que rien, ni personne, ne pourrait arrêter l'ouragan qui venait de s'abattre sur elle. Lorsqu'elle fut entièrement nue, elle tenta bien encore, une dernière fois, de lui échapper et se blottit dans un angle du lit en sanglotant, avec le fol espoir qu'il épargnerait finalement celle qu'il avait appelée sa sœur et sa reine.

Mais elle n'eut pas même le temps de reprendre sa respiration.

Il se rua sur elle, la rejeta à la renverse, la força à écarter les jambes, les talons écrasés à chaque extrémité du lit, puis il se vautra sur elle de tout son poids. Guenièvre alors eut beau tenter de détourner la tête pour éviter son souffle fétide, il l'en empêcha en écrasant ses lèvres sous son horrible bouche et en l'obligeant de sa langue à desserrer les dents. Sa poitrine rugueuse et velue griffait la peau tendre de ses seins ; ses mains calleuses et moites malaxaient sauvagement sa taille et ses hanches. Totalement à sa merci, plus rien ne pouvait désormais l'empêcher d'assouvir en elle son innommable bestialité. Brutalement écartelée, elle sentit sa monstrueuse virilité s'insinuer en elle, forcer ses dernières résistances, investir complètement son corps arc-bouté dans un ultime et dérisoire réflexe de défense.

Mais plus elle le repoussait, plus il s'enfonçait profondément en elle, comme si l'homme voulait la broyer au plus intime d'elle-même, la déchirer, l'anéantir. Vaincue, la pauvre reine abandonna la lutte. Méléagrant eut alors un dernier spasme qui la secoua tout entière et il la rejeta en l'injuriant. Puis, gagnant à genoux le haut du lit, il rassembla à la hâte ses affaires éparpillées et entreprit de se rajuster.

— Laissez-moi partir maintenant, sanglota-t-elle... Méléagrant, je vous en supplie... je vous promets de ne rien dire... oui, je vous le jure...

— Pourquoi voulez-vous que je vous laisse partir ? grommela-t-il, semblant reprendre ses esprits tout en rebouclant sa ceinture. Vous êtes ici chez moi, et vous y resterez ! Mais peut-être souhaiteriez-vous une autre robe, ma colombe, pour vous couvrir, car la vôtre est en piteux état ? ajouta-t-il avec un rire gras.

Guenièvre ferma les yeux. Terrassée, maintenant plus rien n'avait d'importance pour elle.

— Je voudrais un peu d'eau et quelque chose à manger, parvint-elle seulement à articuler au bord de la nausée.

— Ma souveraine sera bientôt satisfaite, persifla ironiquement son bourreau.

Puis, légèrement titubant, il quitta la pièce, en éclatant de rire, et ferma la porte à clef derrière lui.

Quelques instants plus tard, en effet, une vieille femme en haillons se présenta devant Guenièvre, portant sur un plateau quelques morceaux de viandes froides, une galette d'orge et un pot ébréché rempli d'un breuvage qui ressemblait à de la bière. Elle les lui tendit sans un mot, jeta sur le lit une couverture crasseuse et posa également par terre une cuvette d'étain bosselée avec de l'eau.

— Si vous acceptez de porter un message au roi Arthur, je vous donnerai ceci, tenta Guenièvre d'une voix mal assurée, enlevant l'épingle d'or qui, par miracle, était toujours dans ses cheveux.

Une brève lueur de convoitise traversa le regard éteint de la vieille, puis elle se détourna et sortit sans prononcer un mot, laissant Guenièvre à ses larmes et à sa solitude.

Physiquement et nerveusement déchirée, longtemps elle fut incapable d'arrêter ses sanglots, son cœur, dans sa poitrine, semblant à chaque instant vouloir pour de bon s'arrêter. Elle venait d'être salie, humiliée pour toujours. Jamais plus Arthur ne voudrait d'elle. Elle s'était de manière aberrante jetée comme une folle dans un guet-apens prévisible après avoir refusé d'écouter les sages conseils de Morgane. Marquée à jamais dans son cœur et dans sa chair, elle était punie, horriblement châtiée d'avoir aimé Lancelot...

Quand le soleil déclina, Guenièvre, comme un oiseau blessé, était toujours blottie à l'extrémité du lit, à demi nue, souillée et décoiffée. Soudain, elle eut très froid et décida de se lever, de se laver, de s'habiller et surtout de se nourrir. Puis elle s'efforça malgré elle de reconsidérer son sort avec tout le calme possible.

Elle était prisonnière de Méléagrant dans l'ancien château de son père. Il l'avait séquestrée, violée et avait proclamé son intention de rester seul et unique maître de ce royaume en devenant son époux... Mais Arthur ne le laisserait pas faire. Quels que soient ses sentiments à l'égard de sa femme, son honneur de Haut Roi l'obligerait à déclarer la guerre à Méléagrant. Certes attaquer une telle place forte n'était pas aisé, mais nullement impossible à qui avait su mettre les Saxons en déroute à Mont Badon... Méléagrant avait beau posséder sans doute quelque troupe armée, et être sûrement un redoutable adversaire, il ne pourrait longtemps résister à son roi.

Assise sur le lit dans le grand silence de la nuit, Guenièvre, tout à son désarroi, laissait vagabonder ses pensées dans sa tête : personne ne se préoccuperait de la retrouver tant que Méléagrant n'aurait pas claironné partout qu'il était désormais l'époux de la fille de l'ancien roi Leodegranz. A Camelot non plus, personne ne s'inquièterait de son sort tant qu'Arthur resterait sur les rivages du Sud. Quand reviendrait-il ? Dans dix, douze, quinze jours, ou plus ? D'ici là elle serait morte de honte et de chagrin. Mais non ! Morgane, elle, grâce au Don, devait connaître déjà son infortune. Mais allait-elle manifester réellement son pouvoir, et quand ?

« Ah ! si, au moins, j'avais une torche pour éclairer ces ténèbres », s'exclama à mi-voix la malheureuse reine.

Dire qu'il allait falloir passer toute seule une seconde nuit dans cet horrible lieu et peut-être... subir à nouveau la présence de son geôlier. Frissonnant de terreur à cette perspective, elle mordit au sang sa lèvre inférieure. Encore tout endolorie du traitement sauvage qu'elle venait de subir, le corps couvert d'ecchymoses, le ventre douloureux, elle avait mal partout, mais la honte et la rage l'emportaient encore sur la souffrance. Et pourtant, elle savait que s'il revenait, elle ne ferait pas un geste, elle ne dirait pas un mot pour se défendre, tant elle redoutait d'être rouée de coups une nouvelle fois.

Et Arthur ? Comment, si elle en réchappait, pourrait-il lui pardonner sa lâcheté ? Comment accepterait-il de l'aimer encore et de l'honorer ? Quant à Lancelot, s'il apprenait ce qui s'était passé, dans cette chambre... sur cette couche...

Un vacarme, soudain, dans la cour du château, arracha Guenièvre à son désarroi. Elle se précipita vers l'étroite ouverture de la pièce et tenta de voir ce qui se passait au dehors. Mais ne pouvant se pencher à l'extérieur, elle ne vit rien d'autre qu'un pan de ciel étoilé. Des cris et des appels pourtant s'élevaient distinctement, accompagnés de bruits métalliques, comme si des armes s'entrechoquaient. Mais elle eut beau derechef tendre le cou, elle ne distingua rien. Et si c'était sa faible escorte qu'on égorgeait ? Non ! Ce serait déjà fait. On venait sûrement à son secours. Mais c'était impossible... il n'y avait pas même deux jours qu'elle avait quitté Camelot. Alors, qu'était-ce donc ?

Voulant à tout prix en avoir le cœur net, elle tenta encore une fois d'avancer la tête pour mieux voir, mais l'ouverture était si étroite qu'elle ne put y engager les épaules. Au même moment, un grand fracas derrière elle interrompit sa tentative ; la porte s'ouvrit brutalement et Méléagrant surgit comme un fou, l'épée à la main. Il semblait hors de lui et hurlait à l'intention de l'homme qui le suivait :

— Oui, c'est ici... dans cette pièce... Et vous, ma Dame, pas un cri, pas un geste, ou je vous saigne dans l'instant !

Le cœur de Guenièvre s'était arrêté de battre. Horrifiée, pas un son ne sortit de sa gorge. « Cette fois, c'est la fin. Je vais mourir... » se dit-elle simplement.

Mais, subitement, tout chavira devant elle. Méléagrant s'effondra à ses pieds dans un flot de sang ; des lambeaux de cervelle éclaboussèrent le sol et les murailles, et elle fut dans les bras de Lancelot, arrachée à l'enfer, emportée dans une tornade bienfaisante, submergée par une fulgurante lame d'amour et de bonheur.

— Lancelot, comment avez-vous pu, comment avez-vous su ? bégaya-t-elle à travers ses larmes, transfigurée par l'émotion et la reconnaissance.

— Morgane m'a averti, dès mon retour à Camelot, que vous étiez probablement tombée dans un piège. J'ai aussitôt sauté sur mon cheval et suis arrivé à bride abattue avec une douzaine d'hommes. J'ai d'abord trouvé votre escorte, ligotée dans un bois proche. Ayant libéré tout le monde, je me suis aussitôt précipité à l'attaque. Tout s'est ensuite déroulé très vite car Méléagrant, se croyant en sûreté, ne se méfiait absolument pas. La surprise a été totale.

En prononçant ces derniers mots, il regarda Guenièvre, avec une consternation indignée. « Mon pauvre amour, que s'est-il passé ? Ce monstre... » Mais il n'acheva pas sa phrase. Avec une tendresse, une douceur infinie, il effleura de ses doigts tremblants le cou et les épaules meurtris de sa bien-aimée, la serra convulsivement dans ses bras.

— Comme je regrette qu'il soit mort si vite ! Ah, si j'avais su, il aurait enduré mille trépas avant de rendre l'âme. Mon pauvre ange adoré, comme tu as dû souffrir...

— Tu ne sauras jamais, Lancelot, s'étrangla-t-elle dans un sanglot, enfouissant son visage dans le cou tiède de son amant. Je me suis crue perdue. J'ai pensé que personne, jamais plus, ne m'aimerait. Que je serais, après la honte que je venais de subir, rejetée, abandonnée par tous.

— La honte n'est pas pour vous, mon tendre amour, mais pour lui, et il l'a chèrement payée, murmura Lancelot, mêlant son souffle et ses lèvres aux cheveux dénoués de la reine. J'ai cru, moi aussi, vous avoir perdue à jamais, qu'il vous avait tuée, ou emmenée au loin... Morgane, heureusement, a toujours su que vous étiez en vie.

— Et Ectorius, et Lucan ? Sont-ils saufs ? interrogea-t-elle anxieusement.

— Lucan va bien. Ectorius, lui, a été sérieusement choqué en raison de son âge, mais il s'en remettra. Maintenant, Guenièvre, il faut descendre et vous montrer à eux : ils ont besoin de savoir que leur reine est sauvée !

Guenièvre, d'un air navré, regarda sa robe en loques, puis montrant son visage défait, ravala ses larmes avec peine :

— C'est affreux. Je... je ne peux pas ! Je ne veux pas qu'ils me voient dans cet état... Accordez-moi quelques instants pour essayer de ressembler de nouveau à leur souveraine.

— Oui, vous avez raison. Mieux vaut leur laisser croire que le traître vous a épargnée. Mais faites vite, mon pauvre amour. Je vais pendant ce temps m'assurer que personne n'est resté caché dans le château.

De retour quelques instants plus tard, il annonça joyeusement à Guenièvre :

— Savez-vous ce que je viens de découvrir : une très belle chambre, vaste et claire, richement meublée de coffres précieux renfermant des vêtements, et même un miroir !

Ayant, presque magiquement, repris quelque apparence normale, Guenièvre, l'âme et le corps rassérénés, se laissa prendre par la main et guider par son sauveur. La pièce en effet était jonchée d'herbes fraîches et le lit immense recouvert de fourrures épaisses et soyeuses.

— C'était la chambre de feu mon père, le roi Leodegranz, expliqua Guenièvre tout émue, désignant un vieux coffre sculpté qu'elle aurait reconnu parmi cent autres.

L'ayant ouvert, fébrilement, elle y trouva trois robes qui avaient dû appartenir à Aliénor.

— Je vais mettre celle-ci ! annonça-t-elle triomphalement en élevant la plus belle et la mieux conservée. Mais je vais avoir du mal à la passer toute seule...

— Ma Dame et ma reine, je serai toujours là pour vous servir, murmura tendrement Lancelot mettant un genou à terre. Quand je pense à cette brute infâme qui a posé ses mains sur vous ! Moi qui ose à peine vous effleurer du bout des doigts... Oubliez tout. Chassez de votre mémoire cet odieux souvenir. Vous n'êtes plus seule à le partager. Ensemble nous l'effacerons à jamais

— Oui, grâce à toi, mon bien-aimé, mon tendre chevalier d'amour. Serre-moi fort dans tes bras.

« Dieu va peut-être me punir à nouveau, songea-t-elle, se laissant emporter par Lancelot sur le grand lit. Mais qu'importe ! Dieu d'ailleurs existe-t-il vraiment ?... N'est-ce pas plutôt une invention des prêtres pour mieux dominer et contraindre l'humanité tout entière ? »

Lancelot maintenant était allongé tout contre elle, sa peau brûlante contre sa peau fraîche, visage contre visage, bouche à bouche, cœur à cœur. Elle écoutait sa voix comme un appel, venu de très loin, qu'elle attendait de toute éternité. Dans ses yeux se lisaient tous les recommencements, tous les espoirs du monde.

Quelques heures plus tard, à l'aube, ils quittèrent à cheval le château de Méléagrant. La joie illuminait Guenièvre. Une fois encore, après l'épreuve, c'était à Lancelot qu'elle devait ce nouveau bonheur.

IV

VI

Des prêtresses s'avançaient à pas lents sur les rivages d'Avalon, élevant leurs torches au-dessus des roseaux inclinés par la brise du soir. Morgane essayait de les rejoindre, mais une force dont elle ne s'expliquait pas l'origine l'empêchait d'avancer. Elle avait l'impression d'être retenue malgré elle sur une rive inconnue et de sentir peu à peu le sol se dérober sous ses pas.

Raven se trouvait en tête de la procession le visage plus pâle que jamais. Sa longue robe blanche flottait légèrement au vent, comme les flammes des torches qui semblaient danser. La barge sacrée était là, échouée sur le rivage des terres éternelles où elle ne pourrait plus jamais poser le pied... Mais où était Viviane, et qui était cette prêtresse qui surgissait soudain à la place de la Dame du Lac ? Sa lourde chevelure aux reflets de blé mûr était relevée au-dessus de son front, en forme de couronne, et à son côté gauche était suspendue la petite dague des prêtresses... Mais, ô vision sacrilège, quel était, glissé dans sa ceinture à droite, ce crucifix noir et argent se détachant comme une injure sur sa robe claire ?

Morgane tenta alors de se défaire des liens invisibles qui

l'empêchaient de se ruer sur cette prêtresse parjure pour lui arracher l'objet ignominieux, mais Kevin s'interposa en emprisonnant ses mains dans les siennes, les serpents enroulés à ses poignets se tordant et se convulsant en la menaçant de leur langue venimeuse...

— Morgane !... Qu'avez-vous ? Pourquoi ces cris et ces soupirs ? s'inquiéta Élaine en secouant énergiquement l'épaule de Morgane endormie dans son lit.

La jeune femme sursauta, ouvrit les yeux, passa une main sur son front et balbutia en s'asseyant sur sa couche :

— Ce n'est rien, je rêvais, je crois. Oui, je viens de faire un rêve étrange, très étrange...

— Il est très tard, Morgane, ce n'est plus l'heure de rêver ! ajouta Élaine tout en se demandant quel songe venait d'agiter de la sorte la sœur du roi.

Un songe inspiré par le démon, sans doute, un songe envoyé par les diablesses et les sorcières de l'île magique d'oû elle était venue. Morgane pourtant n'était aucunement néfaste et elle l'aimait beaucoup.

— Allons, levez-vous vite ! insista la jeune fille en la secouant affectueusement. Dépêchez-vous ! Le roi, vous le savez, revient aujourd'hui et nous devons aller aider la reine à se faire belle pour l'accueillir.

Acquiesçant d'un geste, Morgane se leva comme une somnambule, enleva sa longue chemise, en bâillant, et se retrouva entièrement nue devant Élaine qui détourna pudiquement les yeux : Morgane n'avait décidément honte de rien. Ignorait-elle donc que le péché était entré dans le monde à cause du corps de la femme ?

— Hâtez-vous, Morgane... Il vous en faut un temps pour trouver une robe dans un coffre ! La reine nous attend, voyons !

— Quelle impatience, mon enfant ! répliqua Morgane imperturbable. Gardons-nous au contraire d'une précipitation hors de propos. Laissons à Lancelot tout loisir de quitter tranquillement la chambre de Guenièvre. La reine n'apprécierait sûrement pas que nous soyons à l'origine d'un scandale.

— Comment osez-vous dire une chose pareille ? Après ce

qui lui est arrivé chez Méléagrant, n'est-il pas compréhensible que la reine ne veuille pas rester seule la nuit et autorise son champion à dormir en travers de sa porte ?

— Quelle ingénue vous faites ! pouffa Morgane sans retenue tout en nouant tranquillement ses cheveux.

— Voulez-vous dire que... Lancelot a partagé son lit pendant l'absence du roi ?...

— Cela vous étonnerait-il tant que cela, Élaine ? Je pense, quant à moi, qu'ils se sont retrouvés plus d'une fois. Il faut dire qu'après ce qu'elle a connu avec Méléagrant, cela n'a pas dû se faire sans appréhension de sa part et qu'il lui a fallu sans doute surmonter des sentiments instinctifs de répulsion tout à fait naturels... Si Lancelot donc a pu la guérir de cette crainte, j'en suis vraiment heureuse pour elle. Maintenant, il se pourrait aussi qu'Arthur la chasse définitivement et demande à une autre femme de lui donner un fils.

— Si, par malheur, cela se produisait, elle se rendrait certainement dans un couvent, remarqua pensivement Élaine. Pensez-vous, Morgane, que les religieuses de Glastonbury l'accueilleraient sous leur toit si elles apprenaient qu'elle a réellement partagé la couche du grand écuyer de son époux ?

— Mais qu'allez-vous chercher, Élaine ? Tout cela ne vous concerne en rien. Pourquoi vous en soucier ?

— Guenièvre a la chance d'avoir pour mari l'homme le meilleur, le plus sage et le plus puissant de Grande Bretagne... Quel besoin a-t-elle donc d'aller chercher l'amour ailleurs ?

La voix vibrante d'Élaine, ordinairement si douce, surprit Morgane : elle y décela une colère contenue, de l'amertume aussi et une violence insoupçonnable chez un être toujours si pondéré.

— La meilleure solution serait peut-être que Guenièvre et Lancelot quittent la cour, hasarda-t-elle, observant la jeune fille du coin de l'œil. Lancelot possède des terres en Armorique...

— C'est impossible, coupa Élaine. Arthur deviendrait la risée de tous ses vassaux. Mon père dit toujours qu'un roi incapable de gouverner sa femme ne peut avoir la prétention de conduire son royaume !

— Les hommes, ni les rois ne peuvent rien contre l'amour ! s'exclama Morgane en haussant les épaules avec lassitude. A quoi bon nous préoccuper des affaires de cœur de notre roi, de la reine ou de tel chevalier ?

— Le plus simple, poursuivit Élaine avec entêtement, faisant mine de n'avoir pas entendu la remarque de Morgane, serait encore que Lancelot accepte de quitter la cour. Vous qui êtes sa cousine, ne pourriez-vous facilement l'en convaincre ?

— Moi ! Je n'ai, hélas, aucune influence sur lui !

— A moins encore que Lancelot ne se marie. S'il était marié...

Élaine hésita un instant, puis elle se lança, et déclara tout d'une traite, d'un ton à la fois passionné et suppliant :

— Morgane, s'il m'épousait ! Vous savez bien que je l'aime ! Vous qui connaissez tous les charmes et les sortilèges de la terre, ne pouvez-vous intervenir pour obliger Lancelot à détourner ses regards de Guenièvre, pour faire en sorte qu'il les pose sur moi ? Je suis fille de roi, moi aussi, je suis aussi belle que la reine, et surtout, je n'ai pas de mari...

— Mes charmes, Élaine, répondit gravement Morgane, émue malgré elle par la fougue d'un tel aveu, ont parfois des effets regrettables ! Guenièvre, elle-même, vous dira peut-être un jour comment l'un d'entre eux s'est retourné contre elle d'une façon plutôt néfaste... Ainsi, seriez-vous prête vous-même à braver le destin ?

— Je suis certaine que si Lancelot m'aimait, je le rendrais heureux. Il serait vite obligé de constater que je ne suis pas moins digne d'amour que la reine !

Morgane s'approcha d'Élaine, lui souleva légèrement le menton du bout des doigts, plongea son regard dans ses yeux cherchant à pénétrer son âme.

— Élaine, écoutez-moi, murmura-t-elle. Vous dites que vous l'aimez, mais l'amour à votre âge n'est encore qu'un élan irraisonné ! Que savez-vous de Lancelot ? Imaginez-vous seulement ce qu'il vous faudra endurer à ses côtés jusqu'à la fin de votre vie ? Si vous désirez simplement partager sa couche, je peux arranger facilement les choses, mais le mariage... Avez-vous songé à ce qu'il adviendra lorsque le charme aura cessé d'agir ? Peut-être vous haïra-t-il de l'avoir attiré malgré lui dans vos bras. Que deviendrez-vous alors ? Quelle vie sera la vôtre ?

— Je l'aime tant. Pour l'amour de lui, j'accepte tous les risques, balbutia la jeune fille, vivement impressionnée par la gravité inaccoutumée de la voix de Morgane... Je n'ignore pas non plus que les femmes sont rarement heureuses dans le mariage. Mais je pense pourtant que nous devons toutes, un jour ou l'autre, choisir résolument cette voie. Cette voie, je veux m'y engager pour toujours aux côtés de Lancelot. Si je n'y parviens pas, un cloître sera ma retraite jusqu'au jour de ma mort. Oui, Morgane, que Dieu m'en soit témoin, j'en fais le serment sur mon âme, acheva-t-elle en retenant ses larmes.

Morgane, plus touchée cette fois qu'elle ne voulait le laisser paraître, attendit patiemment que la jeune fille ait retrouvé son calme avant de répondre :

— En vérité, Élaine, je n'ai qu'une faible confiance dans les philtres d'amour, et dans ces charmes appelés à modifier le cours des passions : ils ne servent qu'à cristalliser les désirs... L'art magique d'Avalon, lui, est tout autre et ne saurait être utilisé à la légère...

— Oh, non je vous en prie ! Ne me dites pas que vous pourriez agir, mais que vous ne le ferez pas de crainte d'enfreindre la volonté des dieux, ou parce que les étoiles ne sont pas favorables...

— Élaine ! si vous refusez de m'entendre, il est inutile de faire appel à moi, interrompit sévèrement Morgane. Écoutez d'abord ce que j'ai à vous dire, vous répondrez après !

La jeune fille baissa la tête en signe de soumission et Morgane poursuivit d'un ton affectueux :

— Élaine, il est en mon pouvoir de vous donner Lancelot pour époux si tel est vraiment votre souhait le plus cher. Je dois vous dire cependant qu'il ne vous apportera pas le bonheur que vous attendez. Mais vous êtes sage, lucide, Élaine, et vous semblez avoir assez peu d'illusions sur les joies du mariage... Il se trouve de plus que moi-même je ne désire rien tant que de voir Lancelot bien marié, partir loin de cette cour et de la reine. Je souhaite aussi ardemment ne jamais voir Arthur, mon frère, subir la honte qui le frappera tôt ou tard... Mais n'oubliez jamais, Élaine, que c'est vous, vous seule, qui m'avez demandé Lancelot. Ne venez donc jamais vous jeter à mes pieds quand il sera trop tard, quand le malheur sera venu frapper à votre porte.

— Je jure, Morgane... je jure de tout accepter si Lancelot devient mon époux, affirma solennellement Élaine.

« Les dieux vont donc en décider, se dit Morgane en elle-même. Qu'importent les charmes et les sortilèges ! Viviane, un jour, a placé Arthur sur le trône, et pourtant la Déesse a refusé un fils à sa reine. J'ai essayé alors de remédier à cet échec, mais je n'ai réussi qu'à jeter Lancelot dans les bras de Guenièvre, les unissant dans un amour scandaleux... Et maintenant je m'apprête à intervenir à nouveau, à faire en sorte que Lancelot cette fois suive la voie honorable du mariage, en sacrifiant Guenièvre. »

— Élaine, reprit-elle à voix haute, je vais donc vous donner Lancelot puisque telle est votre volonté. Mais il faut, en échange, que vous acceptiez de prêter le très grave serment de me faire plus tard un don infiniment précieux.

— Que puis-je vous offrir, Morgane, vous qui n'aimez ni les richesses, ni les bijoux ? demanda Élaine surprise.

— Je ne veux en effet rien de tel, Élaine. Écoutez-moi, c'est très simple : avec Lancelot, vous aurez des enfants, je le sais. D'abord, un fils... qui suivra son propre destin... Ensuite, vous aurez une fille, et cette fille, il vous faudra me la confier. Oui, vous devrez me donner votre première fille, pour qu'elle vienne vivre chez les prêtresses d'Avalon.

— Avec ces sorcières ? interrogea Élaine, les yeux agrandis par l'effroi.

— La propre mère de Lancelot était Haute Prêtresse d'Avalon, ne l'oubliez jamais ! répondit Morgane d'un ton sans réplique. Moi-même, en effet, ne donnerai jamais de fille à la

Déesse. C'est pourquoi, si grâce à moi, vous épousez Lancelot et lui donnez des enfants, vous devez jurer solennellement — au nom de votre Dieu — de me remettre votre fille qui deviendra ainsi ma fille adoptive !

Quelques secondes de silence s'écoulèrent. Comme si elle avait été subitement frappée par la foudre, Élaine restait immobile et sans voix. Certes elle s'était attendue à tout, mais pas à cela. Aussi s'entendit-elle, le cœur glacé, répondre résolument, ayant pris une profonde inspiration :

— Si tout se passe comme vous venez de me le dire, et si je donne un jour un fils à Lancelot, alors, oui, je le jure, je vous donnerai ma première fille. Je le jure au nom du Christ ! acheva-t-elle en se signant, réalisant à peine la gravité de son serment.

— C'est bon ! Élaine. Maintenant il faut agir... Vous allez demander l'autorisation de vous absenter de la cour pour rendre visite à votre père, en précisant que je suis invitée à vous suivre. Je veillerai de mon côté à ce que Lancelot nous accompagne... Voilà. Le destin est en marche. Allons désormais rejoindre la reine dans sa chambre, elle doit y être seule.

Personne en effet n'était avec Guenièvre quand elles pénétrèrent dans la pièce et rien ne laissait deviner qu'un homme y avait passé la nuit. Morgane admira le sang-froid de la souveraine, tout en remarquant aussitôt le pli d'amertume qui creusait les coins de sa bouche.

— Avouez que vous me méprisez beaucoup, Morgane, n'est-il pas vrai ? Vous le pensez si fort que je crois vous entendre, lança Guenièvre d'entrée de jeu.

— Ma reine, vous entendez fort mal, car je ne pense rien de pareil ! rétorqua Morgane, surprise de son agressivité. Je ne suis d'ailleurs pas votre confesseur et c'est vous, et non moi, qui déclarez croire en un dieu qui condamne le péché d'adultère. Notre Déesse, elle, se garde bien de faire preuve d'une telle rigueur ! Non, Guenièvre, en vérité, je ne vous méprise nullement...

Puis, changeant de ton pour lui montrer qu'elle ne lui

reprochait pas sa mauvaise humeur, elle enchaîna sur un autre sujet :

— Désirez-vous prendre quelque chose ? Des galettes, du fromage, du miel, un peu de vin ?

Attendant sa réponse, Morgane crut voir un bref instant le temps se figer autour d'elle. Tout dans la chambre s'enrobait d'un voile glacé, et Guenièvre elle-même, la bouche entrouverte, sur le point de parler, semblait s'être changée en statue. Alors Morgane entrevit au-delà de l'enveloppe charnelle de la reine, très loin des murailles de Camelot, dans un silence ouaté et profond, Arthur, endormi sur un grand lit, tenant le long du corps Excalibur dégainée. Elle se pencha sur lui, puis ne pouvant lui arracher l'épée sans l'éveiller, elle coupa avec le petit couteau de Viviane le lien qui retenait le fourreau à la ceinture du roi. C'était un vieux fourreau, au velours élimé, aux broderies ternies et usées. Elle s'en saisit subrepticement et après une fuite éperdue dans une nuit profonde, elle parvint hors d'haleine au bord d'un grand lac, où bruissaient d'innombrables roseaux...

— Non, pas de vin, mais un peu de lait frais, demanda Guenièvre, si Élaine veut bien aller jusqu'à l'étable pour m'en chercher. Mais, Morgane, qu'avez-vous ? M'entendez-vous ?

Morgane sursauta en revenant à la réalité. Non, elle n'était pas au bord d'un lac, un fourreau élimé à la main... Et, pourtant, ne venait-elle pas de vivre une seconde d'éternité, au Pays des Fées ?...

Élaine s'étant empressée de satisfaire le souhait de la reine, Morgane demanda à se retirer. Mais aussitôt seule, l'étrange vision qu'elle venait d'avoir continua d'obséder ses pensées. Presque contre son gré, elle remontait sans cesse le cours confus de sa mémoire pour y retrouver son rêve précédent, celui de la prêtresse parjure le long du lac, qui lui ressemblait sans être tout à fait la même. Se sentant prisonnière d'un mystérieux labyrinthe, envoûtée, ni l'air frais du jour ni les multiples occupations qui lui incombaient en une telle journée ne parvinrent à dissiper son trouble. Ah ! si seulement elle pouvait se souvenir !... Avait-elle finalement jeté Excalibur dans le lac, pour que la reine des Fées ne puisse la prendre ou bien était-elle au contraire restée avec son fourreau vide au bord de l'eau ?... Elle ne le savait plus, elle ne savait plus rien.

A la fin de l'après-midi, alors que le soleil commençait à décliner dans le ciel d'été, on entendit sonner les trompes annonçant le retour du Haut Roi. Heureuse de pouvoir se soustraire à ses confuses et lancinantes réminiscences, Morgane se précipita, avec tous les habitants du château, à l'extrémité des terrasses qui surplombaient la vallée. Le roi Arthur et sa suite arrivaient, en effet, au loin, bannières au vent, et elle sentit Guenièvre trembler à son côté. Guenièvre, si menue et fragile, si peu faite pour les joutes de l'existence, Guenièvre qui ressemblait en cet instant beaucoup plus à une petite fille effrayée et craintive, redoutant de se faire gronder pour quelque faute bénigne, qu'à une reine adultère qui venait de subir, en partie par sa faute, un irréparable outrage.

— Faut-il vraiment tout avouer à Arthur, murmura-t-elle à l'oreille de Morgane ? A quoi cela servira-t-il ? Le mal est fait, et Méléagrant est mort. Pourquoi ne pas lui laisser entendre que Lancelot est arrivé à temps... pour empêcher...

Sa voix, son filet de voix, devint alors si faible, que Morgane ne put saisir ses derniers mots.

— Guenièvre, c'est à vous de décider.

— Mais... s'il l'apprend par ailleurs...

— Je resterai quant à moi, muette, je vous le jure, la rassura-t-elle. D'ailleurs, qui pourrait vous tenir rigueur d'être tombée dans un piège... d'avoir été battue et humiliée ?

Mais au-delà de ces paroles réconfortantes et sereines, Guenièvre en entendait d'autres, plus acerbes et bien moins indulgentes : celles du prêtre par exemple répétant qu'aucune femme n'était jamais violée, que c'était elle qui distillait la tentation à l'homme, comme Ève autrefois face à Adam, que les martyres de Rome avaient préféré la mort plutôt que de renoncer à leur chasteté... Et ces paroles affolaient son cœur. Oui, elle méritait le châtiment suprême pour les péchés qu'elle avait commis : l'un avec Méléagrant, contre son gré, l'autre dans les bras de Lancelot auquel elle s'était donnée sans réserve, le second devant servir à effacer le premier, mais ne faisant peut-être que l'aggraver...

Cependant, devant elle, déjà les lourdes portes s'ouvraient et Ectorius, encore meurtri des mauvais traitements que lui avaient infligés Méléagrant et sa clique, s'avançait au côté de Caï pour accueillir Arthur et ses hommes d'armes, tous souriants et visiblement heureux de retrouver leur foyer.

— Caï... mon vieux Caï... Tout s'est-il bien passé en mon absence ? demanda le roi en lui ouvrant les bras.

— Oui, mon Seigneur ! Enfin, tout va bien... maintenant...

— Mais, une fois encore, votre Grand Écuyer mérite votre reconnaissance ! ajouta Ectorius.

— Oui, c'est la vérité, intervint Guenièvre en posant sa main sur le bras de Lancelot. Votre cousin m'a sauvée d'un piège horrible tendu par un fourbe. Il m'a préservé d'un malheur qu'aucune femme chrétienne ne saurait supporter...

Arthur tendit une main à Guenièvre, l'autre à Lancelot, et, les tenant ainsi dans un geste de confiante amitié, il gagna avec eux le grand vestibule de Camelot en disant :

— Une fois de plus, mon cousin, je vous remercie de ce que vous avez fait pour la reine ! Vous m'expliquerez ce soir ce qu'il est advenu. Pour l'heure, j'ai hâte d'enlever mes bottes et mon armure.

Restée légèrement à l'écart, Morgane les avait regardé s'éloigner.

« La paix dure depuis trop longtemps dans ce pays, se dit-elle en se dirigeant à son tour vers l'entrée du château. Rumeurs et médisances se multiplient car les esprits s'ennuient. Le trône d'Arthur ne résistera pas à un scandale. Le temps est donc venu pour moi d'éloigner Lancelot de la cour. »

— Ma sœur, prenez votre harpe et chantez-nous quelque chose... Il y a si longtemps que nous n'avons entendu une voix de femme, demanda galamment Arthur à l'heure du souper.

Morgane acquiesça sans se faire prier et vint s'asseoir près du trône, le bel instrument de bois gracieusement appuyé sur son épaule. Mais, tandis que ses doigts légers couraient le long des cordes, accompagnant les délicates vibrations de paroles à peine audibles dans le bourdonnement joyeux des conversations, son esprit s'envolait loin de Camelot et de ces retrouvailles. Sous quel ciel se trouvait donc Kevin ? Leur querelle certes lui avait laissé au cœur un souvenir navré, et jamais, jamais, elle n'accepterait de pardonner au barde sa trahison envers Avalon, même en échange d'une de ces nuits d'amour qui lui donnaient tant de bonheur.

Avalon... Elle n'avait aucune nouvelle d'Avalon, ni de son fils Gwydion. Si Guenièvre quittait la cour, avec ou sans Lancelot, probablement Arthur se remarierait-il pour avoir enfin un héritier. A les voir cependant tous deux ce soir, rayonnants, côte à côte, la main dans la main, il ne fallait sans doute pas trop se faire d'illusions. Donc si un enfant ne leur était jamais accordé, à l'heure de la succession, son fils à elle, Gwydion, de sang royal à double titre, pourrait être reconnu héritier du trône.

Aériens, les doigts de Morgane dansaient sur les cordes de la harpe. Assis aux pieds d'Arthur et de Guenièvre, immobile Lancelot écoutait, le visage empreint d'une mélancolie qui ne le quittait plus. De temps à autre seulement, il relevait la tête vers sa reine avec un regard extasié que traversait parfois un brusque et fulgurant éclair de désir. Pour tous, ce soir, il demeurait le capitaine fidèle, l'ami inséparable du roi, le vaillant champion de la reine, pour tous, sauf pour Morgane qui, elle, lisait au fond des cœurs, pressentait les tourments, connaissait les blessures qui ne guérissent pas...

Mais voici qu'à nouveau la ronde magique de ses visions reprenait possession de son être. Les lumières, les voix, les visages s'estompaient, sa harpe même n'était plus dans ses doigts qu'un minuscule jouet d'enfant. Elle était dans un monde éthéré, assise sur un trône, entourée d'ombres mouvantes, regardant à ses pieds un jeune homme aux cheveux sombres, le front ceint d'une fine couronne d'or. Il la regardait avec des yeux à fendre l'âme et elle le désirait à en mourir. Ce jeune homme, pourtant, n'avait pas un trait de Lancelot...

La harpe lui ayant d'un seul coup échappé des mains, elle s'écroula dans un grand fracas et Lancelot se précipita pour retenir Morgane au bord de l'évanouissement. « Ce n'est rien, la fumée... oui, c'est la fumée de l'âtre... » balbutia-t-elle confusément tandis qu'une main amicale approchait de ses lèvres une coupe de vin. Mais, en cette saison, aucun feu ne brûlait dans l'âtre... Seule une grande couronne de branchages tressés et de baies ornait la place vide du foyer. On sourit autour d'elle, avec ironie ou compassion : trop de sensibilité, un instant d'émotion...

Reprenant ses esprits, elle refusa cependant de continuer à jouer et c'est Lancelot qui la remplaça. Il interpréta une vieille mélodie qui chantait Avalon, apprise autrefois en écoutant Merlin. C'était la merveilleuse histoire d'une femme, non pas faite de chair et de sang, mais de fleurs. Sa chevelure était de lis, ses joues de pâquerettes, ses lèvres de pétales de roses. Suspendue à sa bouche, la tête dans les mains, Morgane écoutait de toute son âme. Dès qu'il eut terminé, Lancelot s'approcha d'elle et lui demanda à voix basse :

— Morgane, vous sentez-vous mieux maintenant ?

— Oui, merci. Ce n'est pas la première fois que j'éprouve ce genre de malaise. Ce n'est pas grave. J'ai l'impression de voir toutes choses à travers l'espace et le temps...

— Cela m'arrive aussi, souffla Lancelot à son oreille. Les images sont très loin, irréelles... Pour les atteindre, il faut franchir de grands espaces, et quand je crois pouvoir les saisir, elles m'échappent et s'éloignent à nouveau. Ces visions, à coup sûr, nous viennent du sang des Fées qui coule dans nos veines. Morgane, lorsque vous étiez jeune je vous appelais Morgane-la-Fée, et cela vous mettait en colère, vous souvenez-vous ?

Morgane sourit en refoulant ses larmes. Attendrie par la lassitude qu'exprimaient ses yeux et son visage, par les rides nouvelles qui striaient son front et ses tempes, par la mèche grise qui se devinait dans ses cheveux bruns, par ce corps souple et mâle, par ce cœur pur et torturé, elle chuchota pour elle-même, sachant qu'il ne l'entendrait pas et ne serait jamais à elle : « Mon tendre, mon lumineux chevalier d'amertume... »

Gauvain maintenant avait repris la harpe. Sa musique parut si lointaine à Morgane qu'elle se demanda, une fois encore, si ce monde avait vraiment davantage de réalité que celui du royaume des Fées. Tout, ce soir, semblait inaccessible. Où donc se situait l'invisible frontière, séparant les deux mondes ?

Ce n'était pourtant pas une femme-fleur que chantait Gauvain, mais un monstre vivant dans un lac au pays des Saxons. Sa ballade parlait aussi de terribles batailles, de sang et de larmes, de héros intrépides.

— C'est trop triste, murmura-t-elle à l'intention de Lancelot. Je hais ces histoires de guerres, de haches, d'épées, de membres arrachés !

— Les Saxons, eux, n'aiment que cela, répliqua Lancelot se forçant à sourire. Et puisque, désormais, il nous faut vivre en paix avec eux, autant accepter leurs rites et leurs légendes.

— Lancelot, aimeriez-vous retourner au combat ?

— Je ne sais pas, mais il est vrai que je suis un peu las de la cour, reconnut-il en soupirant.

S'appuyant sur cette confidence, Morgane en profita pour lui demander de partir le plus vite possible.

— Partez, insista-t-elle, partez si vous ne voulez pas être complètement et définitivement anéanti ! Je vous en conjure, Lancelot !... Partez, poursuivez les méchants ou traquez les dragons, peu importe, mais partez, partez vite !

— Et elle ? répondit Lancelot, la gorge serrée, le regard fixé sur Guenièvre, faut-il l'abandonner ?

— Je veillerai sur elle, je vous le jure. Je suis son amie moi aussi. Mais, avant tout, pensez qu'elle a, comme vous, une âme à sauver.

— Ce sont là conseils dignes d'un prêtre ! voulut ironiser Lancelot.

— Point n'est besoin d'être prêtre, Lancelot, pour reconnaître l'instant où un homme et une femme sont définitivement pris au piège mortel d'un amour impossible.

Lancelot avait blêmi. Animé d'une soudaine détermination,

il avait pris sa décision. Oui, il allait parler au roi sur-le-champ, avant que le courage ne l'abandonne.

La ballade de Gauvain achevée, Lancelot s'approcha donc d'Arthur et déclara d'une voix ferme et grave :

— Maintenant que vous êtes de retour, mon seigneur, et qu'ainsi vous pouvez de nouveau veiller vous-même aux affaires du royaume, je vous demande la grâce de quitter la cour pour quelque temps.

— As-tu l'intention de nous abandonner longtemps ? interrogea Arthur, un sourire indulgent aux lèvres. Loin de moi la pensée de te retenir contre ton gré, Lancelot, mais puis-je au moins savoir vers quelles contrées tu comptes diriger tes pas et pour quelles raisons ?

« Pellinore et son dragon... » répéta Morgane en elle-même avec toute la concentration et la force dont elle était capable, afin que ces deux mots viennent naturellement à l'esprit du roi et de son écuyer.

— Ma quête me mènera sur les traces d'un dragon, annonça Lancelot.

— Le dragon de Pellinore ? Il court à son sujet de funestes récits qui emplissent de terreur les voyageurs qui s'égarent à proximité de son antre. Mais j'y songe : Guenièvre, ne m'avez-vous pas dit qu'Élaine vous avait demandé de bien vouloir lui permettre de se rendre chez son père ? Ainsi, Lancelot, tu pourras l'escorter jusque là-bas. Tu me rapporteras ensuite la tête du dragon en guise de trophée !

— Mon seigneur, voulez-vous m'exiler à jamais loin de vous ? protesta Lancelot, ébauchant un sourire. Comment pourrais-je en effet tuer un dragon qui n'est sans doute qu'une chimère ?

— Si ce monstre n'est pas ou s'il échappe à tes recherches, répondit Arthur sur le même ton, cette aventure t'inspirera au moins quelque jolie ballade que tu nous conteras lorsque tu reviendras, les soirs d'hiver !

— Mon seigneur, permettrez-vous aussi que Morgane vienne me tenir compagnie quelque temps ? demanda timidement Élaine en s'inclinant devant le roi.

Venant aussitôt à la rescousse de la jeune fille, Morgane prit la parole à son tour.

— J'aimerais en effet accompagner Élaine. Dans le pays de son père poussent des herbes et des racines qu'on ne trouve nulle part ailleurs et qui me manquent beaucoup pour mes tisanes et mes médecines.

— J'y consens. Puisque vous le voulez, partez donc tous les trois ! Mais sans vous mes amis, la cour va nous paraître bien vide. Avec impatience la reine et moi guetterons votre retour. Chacun, dans mon royaume, est libre d'aller où bon lui semble acheva Arthur les yeux voilés de nostalgie.

Cette dernière affirmation fit tressaillir Guenièvre. Mais elle se reprit vite et tenta de se composer à la hâte un visage impassible et serein.

— Eh bien, Lancelot, puisque vous le voulez, intervint-elle la voix tremblante, ne pouvant totalement dissimuler sa peine, demain vous serez loin d'ici. N'est-ce pas, il est vrai, la destinée d'un chevalier de défendre les faibles, et d'affronter de grands dangers ? Soyez donc en toutes occasions, digne de notre confiance et de notre amitié. Brillez à la cour du roi Pellinore et triomphez dans les combats !

— Oui ! Qu'il en soit ainsi ! clama le roi Arthur entourant tendrement de son bras les épaules de Guenièvre. N'est-ce pas grâce à lui qu'à mon retour j'ai retrouvé ma reine saine et sauve, plus belle et resplendissante que jamais ? Mais il se fait tard maintenant. Allons, mes amis, allons tous prendre un repos mérité !

Arthur et Guenièvre quittèrent la haute salle, laissant Morgane et Lancelot silencieux, l'un près de l'autre, les yeux fixés sur le couple, apparemment uni, qui s'éloignait dans l'ombre. A cet instant, Morgane ressentit l'envie folle de s'offrir à Lancelot une dernière fois, non seulement pour elle-même, et son propre plaisir, mais aussi pour lui, pour calmer la douleur infinie qu'elle sentait monter en lui, muré dans un désespoir dont elle se savait responsable. Il est vrai qu'elle allait pour sa part devoir assumer seule sa souffrance car c'est Élaine qui tiendrait bientôt Lancelot dans ses bras et non elle ! Élaine l'enfant loyale et innocente qui méritait la paix et le bonheur.

Morgane fit un pas en direction de la porte, puis subitement s'arrêta. Toujours immobile, les yeux mi-clos, Lancelot semblait prier.

Elle voulut alors courir à lui. Mais une force invisible, implacable, l'en empêcha.

V

Après une route sans encombre, Morgane, Élaine, Lancelot et leur petite escorte parvinrent un beau soir en vue des hautes tours du château du roi Pellinore, où on les accueillit avec des transports de joie. La première semaine de leur séjour fut en tous points idyllique, fêtes et banquets se succédant à un rythme enchanteur. Ainsi, les jours glissèrent-ils ensoleillés et sereins, à l'image d'un été qui ne semblait jamais devoir finir.

Lancelot néanmoins n'oubliant pas sa principale mission avait commencé à fouiller les bois et les rives d'un grand lac, à la recherche du dragon. Mais, le soir venu, il restait devant l'âtre à échanger des souvenirs avec le roi Pellinore, ou à chanter des ballades à sa fille assise à ses pieds. Élaine était belle, de plus en plus belle et innocente, et ressemblait par instant à s'y méprendre, en dépit de la différence d'âge, à sa cousine Guenièvre. Quant à Morgane, elle observait du coin de l'œil, non sans désenchantement, l'intimité croissante du futur couple et du monarque vieillissant. La toile du destin se tissait lentement.

Un matin pourtant, elle s'éveilla en pensant qu'il était temps d'activer les événements et de mettre son plan à exécution. Lancelot en effet commençait visiblement à souffrir cruellement de l'absence de Guenièvre, et il était évident qu'il était prêt à tout pour retrouver, ne fût-ce qu'un instant, le souvenir vivant de son amour perdu.

A côté d'elle dans son lit, Élaine venait à son tour d'ouvrir les yeux. Souriante, à moitié endormie, elle s'était blottie contre elle comme un petit animal confiant en quête d'un peu de chaleur. « Cette enfant croit que je vais par amitié l'aider à gagner Lancelot, pensa Morgane. Pourtant je n'agirais pas autrement si je voulais lui faire du mal... Il est vrai que c'est le trône de Grande Bretagne qui est en cause. »

Ne souhaitant pas s'appesantir davantage sur la question, Morgane se leva la première et demanda à la jeune fille si elle se souvenait des rêves qu'elle venait de faire :

— Oui, très bien, répondit celle-ci, d'un ton faussement désinvolte. J'étais avec Lancelot...

Morgane, pressentant la question qui allait suivre, prit les devants :

— Vous n'aurez plus longtemps à attendre, Élaine. Vos rêves vont devenir réalité : l'heure est venue d'agir.

— Lui donnerez-vous un charme, ou un breuvage d'amour ?

— Disons que je verserai ce soir dans sa coupe ce qu'il faudra pour enflammer ses sens. Cette nuit, Élaine, vous ne dormirez pas ici, mais sous une tente, dressée à l'orée du bois. Lancelot vous y rejoindra dans la pénombre...

— Et... il croira que je suis Guenièvre, n'est-ce pas ?

— D'abord, oui, mais il découvrira assez rapidement la vérité... car... vous êtes vierge, Élaine ?

— Je le suis, murmura la jeune fille.

— De toute manière, ne vous inquiétez pas. Grâce au breuvage que je vais préparer, il ne pourra résister à son désir. Mais, je dois vous avertir, ce ne sera pas pour autant un moment aussi agréable que vous l'imaginez.

— Je veux Lancelot pour mari, et je jure de ne reculer devant rien jusqu'à ce que je sois réellement sa femme devant Dieu et les hommes, répondit Élaine d'un ton farouche.

— Alors, mettons au point les derniers détails de notre stratagème : connaissez-vous le parfum qu'utilise Guenièvre ?

— Oui, et je ne l'aime guère. Il est trop lourd, trop capiteux.

— Peu importe, c'est moi qui le fabrique, comme la plupart de ceux employés à la cour. Avant de vous retirer sous la tente, vous vous parfumerez le corps : l'eau de senteur éveillera en Lancelot le souvenir de Guenièvre et attisera son désir pour elle.

— Est-ce vraiment bien loyal, Morgane ?

— Élaine, il faut savoir assumer ses décisions et ses responsabilités. Le royaume d'Arthur ne peut se maintenir dans les conditions actuelles. Au lendemain de vos noces, tout le monde oubliera l'aventure de Guenièvre et de Lancelot. On pensera même dès lors que c'est vous que Lancelot aimait depuis longtemps. Voici donc le parfum. Tout à l'heure, sous un prétexte quelconque, nous ferons dresser la tente dans un endroit suffisamment discret pour que Lancelot ne puisse la voir avant ce soir. Maintenant, Élaine, allez, envoyez, une fois encore, le chevalier de votre cœur sur les traces du dragon ! Pendant ce temps, je mets la dernière main à mon philtre d'amour.

Aussitôt seule, Morgane se dirigea vers le foyer de l'âtre où frémissait, dans un chaudron de cuivre, un mystérieux mélange de vin et d'écorces. Elle en huma l'odeur douceâtre, et y jeta une poignée d'herbes. Puis elle demeura longtemps immobile, perdue dans ses pensées, à contempler la surface du liquide visqueux où commençaient à poindre d'innombrables et légères bulles roses...

Ainsi, Lancelot, ce soir, prendrait Élaine dans ses bras. Le breuvage magique l'enflammerait d'amour, l'obligerait jusqu'au bout à assouvir son désir, même lorsqu'il serait trop tard, même lorsqu'il s'apercevrait de sa méprise, éperdument enlacé à une vierge pantelante... Oui, cela ressemblera un peu à un viol, songea Morgane le cœur serré. Élaine sera prise par un homme enfiévré par ma potion, par une véritable bête en rut, et malgré la ferveur de son amour pour lui, elle en souffrira forcément tant est grande la différence entre le rêve tendre et la brutale réalité...

Quand Morgane, elle, avait fait don de sa virginité au Roi Cerf, elle savait, depuis sa plus lointaine enfance, ce qui l'attendrait un jour. Elle avait été élevée dans le culte d'une Déesse toute-puissante, appelée à mener l'homme et la femme l'un vers l'autre, entièrement soumis et consentants à la loi suprême de l'amour et du désir... Élaine, elle, avait été élevée en chrétienne, dans l'idée que cette force vitale qui poussait deux corps à s'unir était le fondement même du péché... Fallait-il donc au dernier moment préparer la jeune fille à recevoir en elle la semence de vie, source de tout bonheur et de fécondité, fondamental élément de la survie universelle ? Mais le comprendrait-elle ? Non, il était trop tard. Mieux valait maintenant la laisser seule face à l'inévitable accomplissement de sa destinée.

Morgane plongea de nouveau son regard dans le chaudron bouillonnant. Elle ajouta à la mixture rougeâtre trois cuillerées de vin, quelques graines séchées qu'elle sortit d'un sachet dissimulé dans les plis de sa jupe. Aussitôt, une vapeur légère s'éleva, dont les puissants effluves lui firent tourner la tête. Elle se vit chevauchant à travers les collines, sous un ciel de plomb où couraient des nuages d'encre balayés par un vent glacial. Tout, autour d'elle, devenait désolation et vertiges, quand, au-delà d'abîmes insondables, apparut le lac... le lac sinistre et mystérieux, le lac immobile et immense dont la surface figée s'animait soudainement, se soulevait, grondait, en dégageant d'irrespirables émanations.

Alors, lentement, émergea des eaux un long cou surmonté d'une horrible tête, suivi par un corps sinueux et difforme, couvert d'écailles, s'avançant en rampant vers le rivage, glissant, se soulevant et retombant mollement, se tordant comme un reptile répugnant en quête de sa proie.

Mais déjà les molosses de Lancelot s'élançaient sus au monstre en aboyant furieusement, tandis que Pellinore, derrière eux, sonnait de la corne à tout rompre pour rassembler ses hommes. Quelques secondes plus tard, tous dévalaient la colline, Lancelot en tête, galopant d'un train d'enfer vers l'hideuse apparition en poussant de stridents cris de guerre. Ils n'avaient pas atteint la forme noire et flasque échouée sur le sable, sa gueule énorme se balançant et crachant de longs jets de vapeur, qu'un chien éventré hurla à la mort. En un instant, il ne restait plus de l'animal qu'un petit tas de chair décomposée par le liquide visqueux s'échappant par saccades des naseaux du dragon.

L'épée haute, Lancelot avait mis pied à terre. Évitant à plusieurs reprises la tête terrifiante qui se balançait en jetant des éclairs, il se rua en avant, son glaive effilé pointé vers le poitrail frémissant. Un terrible hurlement ébranla alors le rivage et les collines environnantes. Un hurlement semblant venir des entrailles de la terre qui sema l'épouvante à dix lieues à la ronde... La tête pourtant se balançait toujours au-dessus de la carapace ensanglantée de droite à gauche, mais, tout à coup, l'énorme masse se tordit, dans un spasme frénétique, ses écailles et la crête écarlate de son dos se hérissèrent dans un ultime sursaut, et elle s'abattit, la gueule grande ouverte, une bave noire éclaboussant de sa substance infâme le sable et les ondes. L'épée de Lancelot fichée dans l'œil fixe de sa victime mit fin à l'agonie. C'est alors que des bulles, de minuscules bulles roses s'élevèrent dans les airs et crevèrent bientôt la surface du chaudron...

« Est-ce un cauchemar, une hallucination, ou un message annonçant la victoire de Lancelot ? » se demanda Morgane, en revenant à elle, glacée jusqu'aux os. Pour oublier, elle vida d'un trait une coupe pleine de vin, puis s'occupa sans attendre d'ajouter à sa décoction un peu de fenouil et de miel, afin d'atténuer le goût très prononcé des herbes, et d'en masquer l'amertume. A cet instant précis, des cris retentirent dans la cour et Élaine se précipita dans la chambre :

— Morgane... Morgane, venez vite ! Mon père et Lancelot ont tué le dragon, mais ils sont brûlés tous les deux...

— Brûlés ? C'est impossible ! Croyez-vous encore, à votre âge, que les dragons volent et crachent du feu ?

— Je ne sais, cria Élaine avec impatience, mais la bête a

craché sur eux une sorte de liquide qui brûle comme du feu. Venez vite, je vous en prie, il faut soulager leurs blessures !

Saisissant à la hâte quelques linges, plusieurs baumes et deux petits flacons d'un élixir qu'elle fabriquait elle-même, elle s'élança à la suite d'Élaine dans la pièce où l'on venait de transporter Lancelot et Pellinore. Ce dernier avait, en effet, une large brûlure sur un bras et là, le tissu de la manche avait complètement disparu. Morgane, ayant appliqué sur la plaie un onguent cicatrisant et une compresse pour atténuer la douleur, se pencha sur Lancelot, plus légèrement atteint au côté droit et à une jambe. Sa botte n'étant plus qu'une bouillie indéfinissable, collée à la peau, il commenta l'événement en le tournant en dérision :

— Il va falloir nettoyer avec soin mon épée, dit-il. Si la bave de ce monstre décompose le cuir, gare au fer de ma fidèle compagne !

— Voilà en tout cas de quoi convaincre ceux qui se moquaient de moi quand je parlais de ce dragon ! enchaîna Pellinore grimaçant de souffrance. Avez-vous vu ce pauvre chien réduit à rien en un instant ?

— Vous n'avez qu'à exhiber l'horrible bête au pied des murailles du château pour que tout le monde puisse contempler sa dépouille, suggéra Élaine encore tout émue.

— Impossible ! Son cadavre est plus mou que celui d'un gigantesque ver ! Il ne contient pas d'ossature mais une curieuse matière gélatineuse qui se désagrège au seul contact de l'air... Ce n'est certes pas une bête ordinaire, mais quelque fantastique animal sorti droit des enfers !

— Enfin, il est anéanti maintenant grâce à vous deux. Dormez en paix, mon cher père, murmura tendrement Élaine en posant ses deux mains sur les épaules du vieillard.

— C'est ce que je vais essayer de faire. Espérons n'avoir jamais plus à affronter un pareil adversaire ! soupira Pellinore en se signant. Mais avant de chercher le sommeil, buvons ensemble quelques coupes de mon meilleur vin pour fêter notre victoire !

« Si l'on s'adonne trop à la boisson ce soir, songea aussitôt

Morgane, mes plans risquent d'échouer. Il faut à tout prix éviter cela. »

— Soyez prudent, seigneur Pellinore, intervint-elle avec autorité : votre blessure a vilaine allure. Je vous conseille plutôt d'avaler une soupe ou un peu de lait. Retirez-vous dans votre chambre maintenant et réclamez deux briques chaudes pour vos pieds.

Ayant obtempéré, un peu à contrecœur, aux raisonnables injonctions de Morgane, Pellinore regagna ses appartements soutenu par sa fille.

Morgane alors se tourna vers Lancelot :

— Je vous ai préparé ceci, dit-elle. C'est une médecine destinée à calmer la douleur. Elle vous fera dormir.

Puis lui ayant tendu un gobelet ciselé, contenant l'élixir qu'elle avait mis toute la journée à élaborer, elle s'éloigna en prétextant qu'elle allait voir si le roi s'était bien conformé à ses instructions. Lancelot ainsi serait bientôt prêt pour l'amour, son breuvage, et la mort qu'il venait de frôler de si près, ne pouvant que redoubler son ardeur sexuelle...

Dans sa chambre, Pellinore semblait sur le point de sombrer dans un sommeil serein.

— Rendez-vous vite à la tente maintenant, souffla Morgane à Élaine. Lancelot ne tardera pas à vous y rejoindre. N'oubliez pas le parfum !

Élaine était très pâle et Morgane lui fit boire, à elle aussi, un peu de sa potion magique. Mais, à peine Élaine eut-elle avalé une gorgée qu'elle s'écria :

— Le feu brûle ma langue... et mon ventre, Morgane ! N'est-ce pas du poison que vous me donnez là ? Ne cherchez-vous pas à me tuer parce que je vais devenir la femme de Lancelot ? Morgane... je vous en supplie, jurez-moi que vous ne me haïssez pas !

Spontanément Morgane attira la jeune fille dans ses bras, l'embrassa tendrement, inclina la tête blonde sur son épaule.

— Vous haïr ? lui dit-elle doucement, la bouche dans ses cheveux de soie. Non, Élaine ! Je vous jure que même si Lancelot m'en suppliait à genoux, je refuserais de le prendre pour époux. Si la Déesse l'avait voulu, il y a longtemps que ce serait fait... Mais je ne puis, pour l'instant, vous en dire davantage. Buvez encore un peu de ce philtre d'amour, parfumez-vous entièrement, et souvenez-vous bien de ce que Lancelot attend de vous : retrouver Guenièvre à travers vous-même... Allez vite, mon enfant, ne perdons plus de temps et... que la Déesse vous bénisse !

Morgane regarda s'éloigner la mince silhouette dans la nuit, si semblable à celle de Guenièvre dans sa fragilité et sa blondeur, puis elle rejoignit Lancelot. Il était assis à la place même où elle l'avait laissé, regardant sans la voir le gobelet vide qu'il tenait toujours à la main.

— Posez cette timbale, Lancelot, et écoutez-moi ! J'ai un message pour vous d'une grande importance.

— Un message ? interrogea Lancelot d'une voix légèrement pâteuse.

— Oui, c'est une grande et secrète nouvelle : la reine Guenièvre vient d'arriver. Elle vous attend dans une tente, au-delà des pelouses, et vous demande de la rejoindre le plus discrètement possible.

Une soudaine et violente flambée de désir anima le regard incertain de Lancelot.

— Morgane, c'est impossible... Et pourquoi est-ce vous que la reine a choisie pour m'avertir ?

— Je vous expliquerai plus tard. Pour l'instant, allez rejoindre la reine. Elle vous attend. Si vous doutez de moi, prenez ceci : elle m'a chargée de vous le remettre, dit-elle en lui tendant un mouchoir d'Élaine imprégné du parfum de Guenièvre.

Lancelot le porta à ses lèvres, le respira avec transport.

— Oh, Morgane ! le Ciel est avec nous ! Jamais je n'aurais cru qu'elle prendrait le risque de venir jusqu'à moi. Où est-elle ?

— Dans une tente à quelques toises de la lisière des bois. Mais avant de partir, buvez encore !

Tout à son émoi, Lancelot s'exécuta sans réfléchir, se leva en titubant légèrement, et dut s'appuyer sur Morgane pour retrouver son équilibre. Ses mains s'attardèrent un instant sur ses hanches. Il caressa son visage, voulut saisir sa bouche. Incapable de maîtriser ses sens, il était cette fois vraiment prêt pour l'amour...

— Allons, Lancelot, allons, hâtez-vous maintenant, ne faites pas attendre votre reine ! bredouilla-t-elle en reculant d'un pas pour échapper à son étreinte.

Cherchant visiblement à reprendre ses esprits, il regarda Morgane quelques instants sans bien comprendre ce qui lui arrivait, puis aiguillonné par la passion, il s'élança dans la nuit en direction des bois. Morgane restée seule attendit que se calment les battements de son cœur. Puis ses pensées se tournèrent vers Élaine... Étendue dans l'obscurité, frémissante, sa chevelure blonde, si semblable à celle de Guenièvre, illuminée par un rayon de lune, elle attendait, de toute son âme, que vienne son amant. Lancelot ne distinguerait d'abord rien de précis, mais il reconnaîtrait tout de suite le parfum enivrant de Guenièvre. Sans doute ne chercherait-il même pas à reconnaître son corps et son visage et dans son impatience, il la prendrait dans un éblouissement sensuel, pour apaiser sa soif d'elle, pour oublier tous ses tourments...

« Non ! je ne veux pas ! cria presque Morgane, refusant d'imaginer la suite ! Non, que le Don s'éloigne en ce moment, de moi ! Je ne veux plus voir Élaine, je ne veux plus voir le corps nu de Lancelot, ses mains, ses lèvres sur son cou... » S'arrachant alors à ses insupportables visions, elle quitta la salle, avec une farouche détermination, s'empara d'une torche, et se dirigea d'un pas ferme vers la chambre de Pellinore.

— Le roi repose ! Il est interdit d'interrompre son sommeil, lui dit la sentinelle en faction à sa porte.

— Il s'agit de l'honneur de sa fille ! s'exclama Morgane en élevant sa torche à bout de bras. Ouvrez-moi sans tarder ! Il y va de votre tête !

Décontenancé par une telle autorité et par les motifs invoqués, l'homme s'effaça. D'ailleurs, Pellinore, réveillé par le bruit, ordonnait qu'on l'informe.

— Venez vite, mon seigneur... Élaine ! j'estime de mon devoir de vous avertir...

— Élaine ?... Que se passe-t-il ?

— Elle n'est pas dans son lit, venez vite !

Pellinore, en dépit de sa blessure, fut aussitôt sur pied. Il enfila quelques vêtements à la hâte, appela les femmes de sa fille, et suivit Morgane aussi vite qu'il le put. Ayant franchi la grande porte, puis traversé les pelouses, ils firent tous ensemble irruption dans la tente après avoir précipitamment écarté la portière de soie.

— Mon Dieu ! s'écria le vieux roi en tremblant de colère, découvrant, à la lumière des torches, sa fille et Lancelot dans les bras l'un de l'autre.

S'étant retourné d'un bond, celui-ci faisait face aux arrivants. L'horreur et l'indignation ravageaient son visage, mais il ne prononça pas un seul mot.

— Ainsi, misérable, vous m'avez trahi ! s'écria, hors de lui, le malheureux monarque. Vous, le meilleur et le plus fidèle chevalier d'Arthur... Comment avez-vous pu ? J'exige une réparation immédiate et totale.

A ces mots, anéanti par le constant acharnement de son destin, Lancelot se releva, dissimulant tant bien que mal sa nudité derrière une couverture, et murmura, brisé :

— Je ne comprends pas... mais, mon seigneur, qu'il en soit fait selon votre volonté.

Son regard alors se tourna vers Morgane, un regard terrible, accusateur, lucide et glacial. Elle en fut transpercée plus vivement que n'aurait pu le faire la lame d'une épée. Entre eux deux désormais, c'était la haine, une haine éternelle et partagée. Honteuse, déçue, mais aussi folle de joie, Élaine, elle, avait envie de rire et de pleurer.

Morgane parle...

« Le mariage de Lancelot et d'Élaine eut lieu le jour

de la Transfiguration. Si j'ai gardé peu de souvenirs de la cérémonie, je n'ai pas oublié le visage d'Élaine, un visage radieux, éclatant de bonheur. Quelques jours auparavant, elle avait appris qu'elle portait un enfant. Lancelot, lui, impénétrable, pâle et amaigri, souriait à sa jeune épousée apparemment fier de son œuvre. Je me souviens de Guenièvre aussi, les traits ravagés par les larmes, le regard haineux à mon adresse :

— Jurez-moi, répétait-elle, jurez-moi, que vous n'êtes pour rien dans tout cela, Morgane !

— Guenièvre, pouvait-on refuser à votre cousine le droit d'avoir un mari, tout comme vous en avez un ? lui répondis-je à plusieurs reprises, la regardant droit dans les yeux.

« Que pouvait-elle répondre ? Si Lancelot et elle avaient vraiment été honnêtes envers Arthur, ils n'avaient qu'à quitter la cour ensemble et vivre au loin. Ainsi le Haut Roi aurait-il pu prendre nouvelle femme et avoir un héritier. Je n'aurais alors pas eu à intervenir. De ce jour, bien sûr, Guenièvre m'a détestée, et j'en eus beaucoup de peine. Oui, curieusement, je l'aimais. En revanche, elle ne sembla pas éprouver de ressentiment à l'égard d'Élaine et lui fit parvenir même une magnifique coupe d'argent à la naissance de son fils. Plus, lorsque l'enfant fut baptisé, sous le nom de Galaad — le véritable nom de son père — Guenièvre tint à être sa marraine, jurant qu'il serait l'héritier du royaume si, par malheur, elle ne donnait elle-même pas de fils à Arthur.

« L'union d'Élaine et de Lancelot ne s'est d'ailleurs pas révélée plus mauvaise qu'une autre. Comme de nombreux maris, Lancelot est rarement chez lui. Il ne retrouve son foyer que deux ou trois fois l'an pour inspecter ses terres, un joli fief dont Pellinore, peu rancunier, lui a fait cadeau. Alors il change ses vêtements usés contre des neufs, tissés et amoureusement brodés par Élaine, il embrasse son fils, dort une nuit ou deux avec son épouse, puis repart à la guerre...

« Élaine est-elle vraiment heureuse ? Est-elle femme à trouver son bonheur dans l'accomplissement des tâches domestiques et l'éducation de son enfant, ou bien rêvait-elle d'un autre destin ? Je l'ignore.

« Quant à moi, j'ai rejoint la cour du roi Arthur et ce n'est que deux ans plus tard, lors des fêtes de la Pentecôte, alors qu'Élaine attendait son second enfant, que je sus que Guenièvre allait enfin trouver le moyen de prendre sa revanche... »

VI

IV

Une fois encore, donc, les fêtes du mois de juin allaient réunir Arthur et ses fidèles chevaliers de la Table Ronde. Lancelot, lui aussi, serait là. La précédente année, il n'était pas venu car il avait dû répondre à l'appel de son père, le roi Ban, pour réprimer de sérieux troubles en Armorique. Mais Guenièvre, au fond d'elle-même, avait bien compris qu'il ne s'agissait là que d'un mauvais prétexte. Deux ans ! Il y avait déjà deux ans qu'elle ne l'avait revu, et elle ne s'habituait toujours pas à son absence. Lancelot d'ailleurs manquait également à Arthur qui évoquait de plus en plus souvent les souvenirs communs de leurs combats contre les Saxons et les Jutes, combats auxquels son fidèle ami avait pris une si large part.

Guenièvre, qui s'était éveillée aux premières lueurs de l'aube, se retourna et regarda longuement le roi dormant à son côté. Comme il était encore beau, plus beau peut-être même que Lancelot, aussi blond et doré que son ancien amant était noir et ténébreux. Une ressemblance certaine pourtant les unissait l'un et l'autre, sans doute parce qu'un même sang coulait dans leurs veines, ce sang qui était aussi celui de Morgane, Morgane que le peuple des Fées avait envoyée sur la terre pour nuire à tous deux, elle en était persuadée, le récent mariage de Lancelot et d'Élaine en apportant la preuve irréfutable.

Heureusement, Arthur, lui, se conduisait désormais en chrétien, et assistait fréquemment à la messe. Elle l'aimait de plus en plus et ferait tout ce qui était en son pouvoir pour sauver son âme. Quant à elle, elle expiait en prières chaque jour la faute commise avec Lancelot et espérait qu'elle serait bientôt effacée.

Et pourtant, ce matin-là, les yeux grands ouverts sur la lueur naissante du soleil levant, Guenièvre n'avait que Lancelot en tête, Lancelot qui serait là bientôt, avec sa femme et son fils. Élaine allait-elle voir d'un mauvais œil qu'elle l'embrasse comme on embrasse un frère, puisqu'elle n'éprouvait plus pour lui qu'une amitié profonde ?

Arthur bougea imperceptiblement à cet instant comme si les pensées de sa femme le dérangeaient dans son sommeil, mais ne manifesta en se tournant vers elle que la joie qu'il éprouvait chaque matin à la trouver près de lui à son réveil :

— C'est jour de Pentecôte aujourd'hui, mon cœur. Tous nos amis vont bientôt arriver... Êtes-vous heureuse ?

En guise de réponse, elle lui offrit son plus beau sourire, et se blottit dans ses bras :

— Ne serez-vous pas contrariée, ma mie, ajouta-t-il non sans quelque hésitation dans la voix, si je désigne, en ce jour, le fils de Lancelot comme héritier de la couronne ? Il est certain que vous êtes jeune encore, Guenièvre, et que Dieu peut nous envoyer des enfants, mais plusieurs souverains du royaume ont fait pression sur moi pour que je nomme mon successeur... La vie est, en effet, fragile et incertaine ! Si, bien sûr, nous avions un jour la joie d'avoir un fils, cette disposition s'annulerait d'elle-même. Je suis d'ailleurs persuadé que le jeune Galaad, quel que soit son destin, me servira en toute loyauté comme l'a fait Gauvain...

Abandonnée aux caresses de son mari, Guenièvre, il est vrai, ne perdait pas tout à fait l'espoir de lui donner un jour un fils. La Bible ne racontait-elle pas que des femmes ayant largement dépassé l'âge d'enfanter avaient mis néanmoins des enfants au monde ? Oui, maintenant qu'elle ne s'offrait plus à Arthur uniquement par devoir et par soumission, mais par plaisir et par amour, il était impossible qu'elle ne se lève pas un beau matin portant enfin en elle le fruit de leur union. Élaine cesserait alors de triompher à l'annonce bénie de la venue tant attendue de l'authentique fils du roi...

Ne pouvant s'empêcher quelques instants plus tard de confier à Arthur son espoir, alors que tous deux s'apprêtaient pour les cérémonies, ce dernier feignit l'étonnement :

— La femme de Lancelot manque-t-elle de prévenance à votre égard ? Vous êtes toutes deux cousines, et me semble-t-il, très liées d'amitié.

— Nous le sommes, mais, Arthur, vous connaissez les femmes, répondit Guenièvre avec grande tristesse. Celles qui ont des enfants s'estiment supérieures à celles qui n'en ont pas, et l'épouse du dernier des manants en train d'accoucher n'éprouve que mépris à l'égard d'une reine, incapable de donner un héritier à son roi...

— N'en aies aucune peine, ma bien-aimée. Même si tu ne me donnes jamais d'enfant, je ne t'en aimerai jamais moins et te préférerai toujours à toutes celles qui pourraient m'en apporter des légions.

— Comme j'aimerais vous croire ! Au jour de mon mariage, je n'étais cependant qu'une toute petite partie d'un marché conclu entre mon père et vous, une jeune fille livrée en échange d'une centaine de chevaux...

A ces mots, Arthur leva vers elle un regard à la fois douloureux et étonné :

— Est-ce vraiment l'idée qui vous habite depuis que nous sommes mariés ? Ne vous êtes-vous donc jamais aperçue que, dès l'instant où je vous ai vue pour la première fois, vous êtes devenue aussitôt pour moi la plus chère et la plus aimée de toutes les femmes du monde ?

L'attirant alors à lui, il voulut l'embrasser, mais elle détourna la tête pour cacher ses larmes.

— Guenièvre, poursuivit-il tendrement, ma vie, vous êtes mon épouse que j'aime infiniment. Je crois n'avoir cessé de vous le prouver durant toutes ces années passées ensemble. Je n'aimerai jamais que vous.

— C'est vous, pourtant, qui m'avez poussée dans les bras de Lancelot !

— Je vous en prie, Guenièvre, oubliez cette folie... Je n'étais pas tout à fait moi-même ce soir-là, et vous sembliez l'aimer tellement que j'ai cru vous complaire. Dans la mesure où je me sentais responsable de votre stérilité, il me paraissait juste que vous ayez peut-être un enfant de celui qui, après vous, m'est le plus proche au monde par le cœur et par le sang, que vous ayez de lui un enfant que je pourrais considérer plus tard comme mon héritier...

— A vous entendre et bien que vous vous en défendiez, il me semble parfois que vous aimez Lancelot beaucoup plus que moi. Pouvez-vous me jurer, Arthur, que c'était uniquement pour me complaire à moi, et non pour son plaisir à lui, que...

Arthur laissa tomber les bras dans un geste de découragement :

— Est-ce donc péché si grave, Guenièvre, d'aimer son cousin et de songer à son plaisir ? Oui, il est vrai que je vous aime tous deux mais...

— Les Saintes Écritures parlent d'une cité qui fut détruite pour de semblables péchés, l'interrompit Guenièvre avec une agressivité soudaine.

— J'aime mon cousin Lancelot en tout honneur et sans détour, Guenièvre ! tonna Arthur indigné. Le roi David lui-même n'a-t-il pas reconnu aimer son cousin Jonathan d'un amour surpassant celui qu'on peut porter aux femmes ? Dieu l'a-t-il pour autant châtié ? Eh bien ! il en va de même avec nos frères d'armes. Nos liens sont uniques, irremplaçables, et je vous le dis, Guenièvre, il n'y a rien dans tout cela de condamnable ! Que Dieu m'en soit témoin, je dis la vérité !

— Pouvez-vous donc jurer, Arthur, que lorsque nous sommes restés tous trois étendus sur ce lit... il n'y avait dans vos yeux pas plus d'amour pour Lancelot que pour moi ? Pouvez-vous me jurer que lorsque vous m'avez plongée dans le péché, ce n'était nullement pour dissimuler votre propre faute, et que vos exhortations à mon égard ne tendaient pas à me faire entériner le terrible péché qui, jadis, attira sur Sodome la foudre et la colère divines ?

— Vous perdez la raison, Guenièvre, balbutia Arthur d'une voix blanche. Cette nuit-là, seules des libations excessives ont fait chanceler mon esprit. C'était Beltane, souvenez-vous, nous étions tous sous l'emprise de la Déesse, la folie était sur nous...

— Arthur, aucun chrétien digne de ce nom n'oserait parler comme vous le faites !

— Ah, s'il en est ainsi, eh bien, oui, je refuse le nom de chrétien ! s'écria-t-il perdant toute patience ; je refuse vos perpétuels remords, votre hantise du péché. J'ai eu tort, je l'avoue, j'aurais dû vous répudier, comme vous me l'avez si souvent demandé, j'aurais dû prendre une nouvelle épouse qui, elle, m'aurait donné des enfants !

— Mais vous avez préféré me partager avec Lancelot, être certain, ainsi, de le garder près de vous...

— Ne me poussez pas à bout, Guenièvre, menaça le roi, hors de lui, ne me poussez pas à bout, car il se pourrait bien que je ne réponde plus de votre vie !

Stupéfaite, Guenièvre se mit à sangloter sans retenue, et lorsqu'elle parvint enfin à s'exprimer, ce fut d'une voix entrecoupée par les larmes où la souffrance et la haine semblaient avoir part égale :

— Vous dites que vous désirez un fils de moi, mais vous m'avez poussée à commettre un si grave péché que Dieu ne pourra jamais me le pardonner... Et maintenant vous osez me déclarer que le fils de Lancelot va devenir votre héritier... alors que vous-même vous refusez d'élever à la cour votre propre fils ? Nierez-vous toujours après cela que Lancelot n'occupe pas toutes vos pensées ?

— Guenièvre, il suffit ! Désormais vous divaguez et il serait plus à propos d'appeler vos femmes afin de vous aider à vous préparer. Qu'est-ce donc maintenant que cette histoire d'enfant qu'il faudrait élever à la cour comme mon héritier ? N'ajoutez pas d'indignes railleries à votre désarroi qui me navre. Hélas ! Si seulement j'avais un fils...

— Vous mentez ! revint à la charge Guenièvre avec colère. Il y a fort longtemps, je suis allée un jour trouver Morgane et la supplier d'user en notre faveur d'un charme contre la stérilité, car je croyais alors que c'était vous qui ne pouviez pas avoir d'enfant. Or Morgane... Morgane ce jour-là m'a juré que vous étiez fécond, et qu'un fils né de vous vivait, à la cour de Lothian où il est élevé...

— A la cour de Lothian ? murmura Arthur interdit. Cette fois, c'en est trop ! Quelle est donc cette fable insensée ?

— Oui, vous avez raison, c'est une fable, une malveillante invention, bredouilla Guenièvre affolée, regrettant déjà d'avoir trop parlé ! Morgane a dû mentir une fois de plus par jalousie... par plaisir de blesser !

— Morgane est prêtresse d'Avalon, Guenièvre, elle ne peut mentir ! Je veux la vérité, vous entendez, je l'exige ! Qu'elle vienne sur-le-champ s'expliquer ! trancha sévèrement Arthur.

— Non, n'en faites rien, je vous en prie, oubliez tout ce que je viens de dire...

La terreur maintenant gagnait Guenièvre.

— Arthur, pardonnez-moi, je vous en supplie. J'avais promis à Morgane de ne jamais vous en parler...

— Eh bien, vous venez de manquer à votre serment, voilà tout, répliqua le Haut Roi d'une voix implacable. Il est trop tard, maintenant, pour reculer ! Puis, se dirigeant vers la porte, il l'ouvrit et lança à l'intention du garde qui se tenait dans le couloir :

— Garde, qu'on mande dans l'instant ma sœur. Je désire qu'elle vienne sur-le-champ.

Se sentant perdue, Guenièvre s'effondra sur un siège, le visage dans les mains, anéantie. Arthur, lui, au comble de l'expectative et de l'irritation, demeurait de glace à son égard, dans l'attente d'une révélation qui le dépassait totalement.

Lorsque Morgane entra, drapée dans sa robe de fête cramoisie et enrubannée, elle resta figée sur le pas de la porte. Que se passait-il ? Quel drame allait-il se nouer en ce jour de

Pentecôte ? Mais elle n'eut pas le temps de s'interroger davantage :

— Je suis navré, ma sœur, de vous déranger de si bon matin, mais je désire connaître la vérité sur un événement auquel vous êtes, je crois, mêlée de près, commença Arthur d'une voix étrangement grave.

Puis, se tournant vers Guenièvre, il ajouta :

— Veuillez, je vous prie, répéter devant Morgane ce que vous venez de me dire.

Un sanglot, qui secoua la jeune femme tout entière, fut l'unique réponse. Arthur, les sourcils froncés, les lèvres serrées, dépourvues de toute compassion ne broncha pas. Il n'était plus en cet instant que le Haut Roi s'apprêtant à rendre la justice.

— Guenièvre, reprit-il, impassible, je vous somme de répéter devant Morgane ce que vous venez de me dire.

Mais voyant que celle-ci restait muette, il s'adressa directement à sa sœur :

— Est-il vrai, Morgane, que j'ai un fils et qu'il est élevé à la cour de Lothian ? Répondez-moi, sans détour. Ai-je vraiment un fils ?

Un instant décontenancée par la question, Morgane se reprit vite et répondit, dissimulant au mieux son embarras :

— Je n'ai uniquement parlé à Guenièvre... que pour la réconforter. Elle craignait beaucoup que vous ne puissiez jamais engendrer d'héritier alors...

— Et moi ? Était-il inutile, selon vous, de m'informer ? Depuis mon mariage, nuit et jour, je n'ai songé qu'à avoir un enfant, un fils né de moi, qui me succéderait un jour... Morgane, je vous en conjure, dites-moi toute la vérité : il y va de l'avenir du royaume !

Un long silence suivit, durant lequel le roi et sa sœur s'affrontèrent du regard. Puis Morgane poussa un profond soupir et murmura, sans parvenir à dissimuler totalement son émotion :

— Au nom de la Déesse, Arthur, et puisque vous exigez la vérité, vous allez la connaître. Oui, j'ai porté un fils du Roi

Cerf, dix lunes après votre sacre sur l'Ile du dragon. Morgause l'a élevé comme son propre enfant et m'a juré de garder le secret. Voilà, vous savez tout...

Arthur avait blêmi. Il s'approcha de Morgane, la prit dans ses bras, laissa couler ses larmes, sans chercher à les retenir.

— Morgane... ma sœur... Comment pouvais-je savoir ? Comment imaginer vous avoir infligé, à vous que j'aime tant, une si grande souffrance ?

— Ah ! Vous avouez donc ! hurla Guenièvre comme un animal blessé, en se dressant de toute sa taille. Cette débauchée, cette sorcière, est donc parvenue à vous prendre dans ses filets, vous, son propre frère !...

— Je vous interdis ! Rien n'est de sa faute. Viviane est la seule responsable de ce qui est advenu ce jour-là ! Nous ne nous sommes même pas reconnus ! Morgane, pour moi, n'a été, ce soir-là, que la prêtresse de la Mère Éternelle. Pour elle, je n'ai été que l'incarnation du Dieu Cornu... Morgane, pourquoi ne m'avez-vous jamais parlé ?

— Mais vous êtes damnés ! s'étrangla Guenièvre d'un ton hystérique. Comprenez-vous maintenant pourquoi Dieu a châtié notre couple en lui refusant un héritier ?

— Assez ! s'insurgea Morgane se libérant de l'étreinte de son frère, assez ! Vous ne pensez qu'au péché, vous n'avez que ce mot à la bouche. Arthur et moi n'avons commis aucune faute. Nous sommes venus l'un à l'autre par la seule et toute-puissante volonté de la Déesse, attirés malgré nous par les forces indestructibles de la vie. Si un enfant est né de notre rencontre, il a été conçu dans l'amour le plus pur. Ni la Déesse, ni votre Dieu ne peuvent donc vous punir de stérilité pour un péché qui n'existe pas, et qui ne vous concerne en rien. Mais vous n'avez pas le droit de rendre Arthur responsable de votre malheureuse incapacité à enfanter.

— Vous ne me ferez pas taire ! poursuivit la reine avec la même véhémence. Je suis certaine que Dieu l'a puni, puni pour le plus grave des péchés, celui qu'il a commis avec sa propre sœur, et pour avoir servi la Déesse, cette créature du diable... Arthur, promettez-moi de racheter votre faute, promettez-moi qu'en ce jour de Pentecôte vous irez trouver l'évêque, que vous lui avouerez tout. Promettez-moi aussi d'accepter la pénitence qu'il vous imposera. Alors, peut-être, Dieu, dans sa clémence infinie, acceptera-t-il de vous pardonner et cessera-t-il de nous accabler tous les deux !

Visiblement troublé, Arthur regarda Morgane, puis Guenièvre. Laquelle des deux fallait-il écouter ? Qui avait tort, qui avait raison : sa sœur ou sa femme ?

— Moi-même, reprit Guenièvre, j'ai confessé mes propres erreurs... j'ai fait pénitence, j'ai été pardonnée... Ce n'est donc pas pour mes fautes que Dieu nous a punis ! Au nom de notre amour, faites de même, Arthur. Libérez-vous de vos fautes, pour être pardonné, et donnez-moi enfin ce fils qui vous succèdera un jour sur le trône de Grande Bretagne !

Ne pouvant rester insensible à une telle prière, Arthur cette fois accusa le coup. S'appuyant à la muraille, il s'approcha de l'étroite ouverture à travers laquelle on apercevait de gros nuages noirs monter à l'horizon, aspira l'air avec difficulté, les yeux étrangement fixés sur le paysage soudainement privé de l'éclat du soleil. Morgane fit alors un pas vers lui comme si elle voulait lui porter secours, mais Guenièvre, d'un bond, devança son geste.

— Non, Morgane ! Allez-vous-en maintenant. Ne l'approchez pas ! Vous lui avez suffisamment fait de mal, vous et votre Déesse des enfers !

Ce fut au tour de Morgane de blêmir. Un instant, on put croire qu'elle allait pleurer, mais se reprenant aussitôt avec toute l'énergie dont elle était capable, elle répliqua d'un ton parfaitement maîtrisé :

— Guenièvre, il y a une chose, vous m'entendez, que je ne supporterai jamais, c'est que vous osiez parler en ces termes de ma religion. Je ne me suis jamais permis de critiquer la vôtre ! Dieu est Dieu, quel que soit le nom qu'on lui donne. Il est toujours juste et équitable, et c'est Lui faire gravement injure d'imaginer qu'il puisse parfois se montrer cruel ou vindicatif. Pesez bien votre décision avant d'inciter le roi à aller se confier aux prêtres. Prenez garde, avant qu'il ne soit trop tard, de ne pas entraver inconsidérément la marche du destin !

Sur ces mots, Morgane quitta brusquement la chambre royale, abandonnant les deux époux à leur pathétique face à face. Arthur semblait si profondément ébranlé que Guenièvre fut tentée un instant de lui murmurer les paroles qu'il espérait entendre, des paroles d'apaisement et de compassion. Elle hésita à le prendre dans ses bras, mais elle ne bougea pas, le cœur pris en tenaille par une dévorante jalousie.

— Guenièvre, dit enfin le roi sous l'emprise d'un douloureux abattement, pourquoi accordez-vous tant de soin à mon âme ?

— Je ne peux supporter l'idée de vous voir condamné aux flammes de l'enfer. Je sais aussi que si vous acceptez de vous repentir, le Dieu de miséricorde nous accordera un enfant.

La voyant fondre en larmes, Arthur, bouleversé, l'attira tendrement à lui.

— Ma reine, le croyez-vous vraiment ?

Dès lors, sachant qu'elle avait gagné la partie, Guenièvre observa un silence prudent. Elle se souvenait en effet de ce jour lointain où, après avoir refusé de porter la bannière de la Vierge dans la bataille, Arthur lui avait posé cette même question, avec la même intonation de voix. Ce jour-là aussi, il avait cédé et elle l'avait conduit vers Dieu qui, en récompense, lui avait accordé la victoire sur les Saxons à Mont Badon.

— Guenièvre, ma très aimée, qu'attendez-vous de moi ? demanda-t-il, enfin l'air résigné.

— C'est aujourd'hui la Pentecôte, fête du jour où le Saint-Esprit est descendu sur les hommes. Assisterez-vous à la messe, et recevrez-vous la sainte communion avec un tel péché sur la conscience ?

— Je ne sais pas... Je n'attache pas, comme vous, une telle importance à ces choses, répondit Arthur d'une voix atone. Mais si cela vous tient tellement à cœur, Guenièvre, j'essaierai de me conformer à vos vœux, je me repentirai même, si vous le souhaitez, autant que faire se peut... J'accomplirai, jusqu'au bout, la pénitence que l'évêque exigera de moi. J'espère seulement que vous ne vous méprenez pas quant à la volonté divine de notre destinée.

Guenièvre n'en attendait pas tant. Elle se jeta dans ses bras en versant des larmes de reconnaissance. Ayant désormais pris sa résolution, le Haut Roi l'embrassa longuement, puis il lui prit doucement la tête entre les mains, et plongeant ses yeux dans les siens, lui chuchota d'une voix lente, comme si ses paroles montaient à ses lèvres du plus profond de son âme :

— Pour vous, ma reine, pour notre enfant à venir peut-être, j'accepte. Faites venir maintenant le père Patricius...

Dès qu'elle avait quitté le couple royal, Morgane, en proie à une insupportable tension, avait éprouvé l'irrésistible besoin de faire quelques pas dehors et d'aspirer à grandes bouffées l'air frais du matin. Les efforts qu'elle venait de faire, par égard vis-à-vis d'Arthur, pour ne pas s'emporter contre Guenièvre et lui crier ses quatre vérités, avaient mis ses nerfs à rude épreuve.

Les abords du château étaient déjà envahis par la foule des invités et de leurs serviteurs, accourus pour la fête dans une fébrile agitation, dans un déploiement ininterrompu de bannières multicolores, claquant joyeusement au vent sur un fond de nuages venant de l'ouest et de plus en plus menaçants.

Insensible au brouhaha qui l'entourait et à la bruine qui commençait à tomber, Morgane, de nouveau maîtresse d'elle-même et de ses sentiments, s'efforça d'envisager calmement la situation : Gwydion serait-il roi ? Était-ce la volonté de la Déesse ? Quoi qu'il arrive en tout cas, il suivrait son destin... Personne ne pouvait échapper à son destin. D'ailleurs, lui revenait en mémoire une histoire que Merlin lui avait racontée maintes fois, celle, très ancienne, d'un garçon né en Terre sainte. Un sage avait prédit, au lendemain de sa naissance, qu'il tuerait son père et épouserait sa mère. Devant l'horrible malédiction qui pesait sur l'enfant, ses parents avaient vainement cherché à le faire mourir en l'abandonnant en plein désert. Mais des étrangers l'avaient recueilli et élevé. Devenu, adulte, il avait un jour rencontré son père, qu'il ne connaissait pas, et s'étant pris de querelle avec lui, l'avait tué selon la prédiction, puis il avait épousé sa veuve... Ainsi, tout ce qui avait été tenté pour éviter le drame et faire dévier le destin avait échoué, le jeune homme ayant agi dans la plus totale ignorance.

Or Arthur et elle avaient eux aussi agi dans l'ignorance. Pourquoi alors la femme-fée avait-elle maudit son fils en lui disant : « Débarrasse-toi de lui avant sa naissance, tue-le dès qu'il sera sorti de ton sein ? » C'était là pour elle incompréhensible mystère.

Le tintement des cloches, sonnant à la volée pour annoncer la messe, ramena Morgane à la réalité présente. Malgré la pluie fine qui tombait de plus en plus serrée, elle hésita à suivre la foule à l'intérieur de l'église, supportant tout aussi mal l'odeur de l'encens que les paroles des prêtres.

— Avec ce mauvais temps, il n'y aura pas de jeux ni de tournois aujourd'hui, fit alors une voix derrière elle sinon, je vous aurais demandé l'un de vos rubans, dame Morgane !

Celle-ci se retourna mais ne reconnut pas le jeune homme, mince et brun, aux yeux très sombres, qui s'adressait à elle :

— Rappelez-vous, ma Dame, insista-t-il... Il y a deux ans... au cours d'une journée semblable, vous aviez parié sur moi l'un de ces mêmes rubans...

Oui, soudain elle se souvenait, en effet. Ce jeune fils du roi Uriens des Galles du Nord, qui s'était mesuré à Lancelot dans le champ clos... Accolon était son nom. S'étant excusée de ne pas l'avoir aussitôt remis, Morgane lui dit quelques amabilités, puis tous deux engagèrent une conversation animée évoquant tour à tour la guerre, la paix, les légions d'Arthur maintenant au repos, les envahisseurs du Nord dont la menace pesait toujours sur le pays.

— Regrettez-vous ces jours de combats et de gloire ? interrogea Morgane.

— J'étais à Mont Badon, sourit le jeune homme. C'était ma première bataille et j'ai bien cru que ce serait la dernière ! Non, je l'avoue, je préfère vraiment les jeux équestres et les tournois. Mieux vaut se battre sous le regard des dames et contre des amis qui ne cherchent nullement à vous tuer !

Il avait une voix douce et musicale qui surprit Morgane. « Joue-t-il de la harpe ? » se demanda-t-elle remarquant en même temps les minces serpents bleus qui s'enroulaient autour de ses poignets. Cependant les cloches avaient cessé de sonner, et autour d'eux il n'y avait plus personne. Ni l'un ni l'autre ne semblaient décidés pour autant à entrer dans l'église.

— Négligeriez-vous le salut de votre âme ? questionna-t-elle sans chercher à dissimuler l'ironie de sa voix.

— Non, pas vraiment, mais je ne suis pas très attiré par les litanies des prêtres. Mon père est pieux pour nous deux. Autrefois, il voulait m'envoyer à Avalon. Mais il y a eu la guerre, et depuis il ne cache plus sa préférence pour la foi chrétienne. Il s'est mis également dans la tête de me marier et espère trouver femme pour moi parmi toutes celles qui se trouvent réunies ici aujourd'hui. Que n'êtes-vous, ma Dame, la fille d'un gentil roi !

— Le serais-je que vous seriez bien jeune pour moi ! répliqua Morgane, non sans coquetterie, s'amusant à entrer dans le jeu.

— Il est vrai que vous portez aussi le croissant d'Avalon...

Une violente rafale de pluie interrompit leur badinage, les obligeant à se séparer rapidement. Morgane regagna le château, non sans avoir promis au jeune homme de le retrouver plus tard à la faveur des festivités. Mais, une fois seule, elle ne put s'empêcher de revenir au drame qui avait éclaté au début de la matinée : Guenièvre avait-elle craint surtout de la voir à nouveau attirer Arthur dans ses filets à l'aide de ses pouvoirs magiques ? Elle, qui se consolait dans les bras du meilleur ami de son époux, ignorait-elle, ou faisait-elle semblant d'ignorer que Morgane la Fée s'était donnée au grand Cornu selon la volonté de la Déesse, et non pour satisfaire un plaisir interdit ? Ou bien redoutait-elle, par-dessus tout, qu'Avalon et Morgane réussissent à soustraire définitivement le Haut Roi à l'influence des prêtres ?...

Comme elle tournait et retournait en elle-même ces lancinantes interrogations, Guenièvre, de son côté, agenouillée dans l'église, se posait sans fin, elle aussi, les mêmes questions. Peu attentive aux gestes et aux paroles du prêtre, elle regardait autour d'elle : Élaine, là-bas, avait de nouveau le ventre arrondi... Elle triomphait sans modestie aux côtés de l'homme qui lui avait donné le fils qu'elle-même espérait depuis tant d'années... Si Arthur croyait que l'enfant de Lancelot lui succéderait sur le trône, elle était quant à elle désormais convaincue que ce serait leur fils à eux. Oui, lorsqu'Arthur aurait confessé sa faute et obtenu son pardon, elle aurait, elle en était certaine, enfin un enfant et ce serait un garçon.

Elle tourna alors son regard vers le roi, debout à côté d'elle, le visage recueilli et incliné. Il était si pâle qu'on l'aurait dit malade. L'évêque l'avait reçu avant la messe, mais ils n'avaient pas eu le temps d'achever leur entretien. Depuis, Arthur semblait complètement absent...

L'office terminé, le prêtre bénit l'assistance d'un geste ample, et la foule quitta l'église dans un irrésistible flot qui précipita Guenièvre contre Lancelot et Élaine.

— Il y a si longtemps que nous nous sommes vus, bredouilla-t-elle en tentant de sourire.

— Il y a tant à faire dans le fief que nous a légué le roi Pellinore, voulut s'excuser Lancelot, visiblement troublé par le regard de la reine.

Arthur, sans en prendre réellement conscience, vint heureusement le tirer d'embarras en lançant de loin :

— Mon ami, enfin ! quelle joie de te revoir... et, le prenant fraternellement par une épaule, il l'entraîna vers la foule.

Les deux femmes se dévisagèrent un instant en silence puis Guenièvre demanda d'un ton qui se voulait aimable :

— Quand doit naître votre enfant ? Préférez-vous un garçon ou une fille ?

— J'ai déjà un garçon, mais préférerais en avoir un second... enfin, ce sera comme Dieu le voudra ! Mais, où est Morgane ? Je ne l'ai pas vue dans l'église.

— Morgane, vous le savez, n'a rien d'une chrétienne, et je

me demande parfois si elle ne sera pas la dernière en ce royaume à préférer le dragon du diable à la croix du Christ !

— Je ne sais... Mais je l'aime telle qu'elle est. Chrétienne ou non, elle reste mon amie et je prie pour elle.

— Ces sentiments ne regardent que vous, répliqua Guenièvre d'une voix acide, se disant en même temps qu'elle étranglerait volontiers une telle péronnelle. Décidément, il allait lui être bien difficile de supporter dorénavant ce visage angélique, cette voix mièvre, ce regard candide... Coupant court à ce dialogue qu'elle ne souhaitait prolonger, elle inventa une excuse banale et s'éloigna à la recherche d'Arthur. Mais celui-ci avait disparu, sans doute pour aller rejoindre l'évêque. Alors, pour tromper son impatience, elle se hâta vers les invités qui se pressaient, nombreux, dans la grande salle du château. Il lui fallait accueillir maintenant chacun d'entre eux, et tout particulièrement les compagnons d'Arthur, en leur expliquant que celui-ci serait en retard, retenu par un entretien important avec l'un de ses conseillers, ce qui n'était pas tout à fait un mensonge puisque l'évêque Patricius faisait effectivement partie de ses confidents intimes.

Mais tout le monde était si affairé à retrouver parents ou amis, à échanger des nouvelles de son pays ou de son foyer, à parler des filles récemment promises ou déjà mariées, des fils devenus hommes, des morts et des naissances, des brigands châtiés et des nouvelles routes, qu'un long moment passa sans que l'absence du monarque soit vraiment remarquée. Puis les conversations s'épuisèrent d'elles-mêmes, et la foule commença à s'interroger et à murmurer. Pour faire patienter ses convives, Guenièvre alors fit apporter du vin, du cidre, de la cervoise, et bientôt, le ton montant, les conversations reprirent de plus belle...

Enfin, Arthur parut. Sa démarche était lente, mal assurée, comme s'il portait sur les épaules un trop pesant fardeau. Guenièvre remarqua tout de suite qu'il avait échangé sa tunique de cérémonie contre une simple robe de laine brune, mais qu'en dépit de son comportement et de l'âpre sobriété de sa tenue, son port de tête et son regard n'avaient rien perdu de leur séduisante noblesse. D'ailleurs, tout le monde déjà se levait avec respect pour participer spontanément à l'ovation qui saluait son entrée.

Levant les deux mains en signe de remerciement, le monarque prit la parole dans le silence revenu :

— Mes amis, je vous ai fait attendre, veuillez me pardonner. Je souhaite à tous joie et prospérité. Et maintenant que la fête commence !

Un murmure de satisfaction accueillit ces paroles et aussitôt reprit, avec un entrain renouvelé, le ballet continu des serviteurs croulant sous de grands plats fumants abondamment garnis de rôts, gibiers et volailles dorées et croustillantes à point. Guenièvre, qui avait l'esprit à tout autre chose qu'aux présentes agapes, se fit servir distraitement une moitié de caneton. Puis elle tourna la tête vers son époux et demeura interdite en voyant ce qu'il avait lui-même choisi. Alors que les tables regorgeaient de mets et de boissons, il n'y avait dans l'assiette du Haut Roi qu'une tranche de pain et dans sa coupe un peu d'eau fraîche.

— Vous... Vous ne prenez rien, Arthur ? lui murmura-t-elle à l'oreille. C'est aujourd'hui jour de fête. Nous ne sommes pas en période de jeûne.

— N'est-ce pas ce que vous souhaitiez, Guenièvre ? L'évêque a jugé ma faute si grave qu'il se refuse à l'absoudre avant que je ne me sois soumis à une longue pénitence !

Sentant certains regards se tourner vers eux, Guenièvre s'empressa de détourner l'attention en souriant ostensiblement à son époux. Il ne fallait en effet à aucun prix susciter des remarques ou des commentaires susceptibles d'éventer la situation. Arthur d'ailleurs avait dû, lui aussi, pressentir le danger, car s'adressant le plus naturellement du monde à Morgane, il lui demanda de bien vouloir contribuer à la réussite de la journée en chantant, pour le plaisir de l'auditoire tout entier, l'une de ses complaintes favorites.

— Chantez, dit-il, ce que vous préférez. Votre voix surpasse celle de tous mes ménestrels...

Morgane qui, curieusement, avait, elle aussi, troqué sa robe de fête contre un simple vêtement de grosse laine brune, remercia le roi de son compliment d'une simple inclinaison de la tête puis s'installa à ses pieds avec sa harpe. Au son de sa voix, clair et limpide, le brouhaha s'atténua progressivement et l'on n'entendit bientôt plus dans la salle que le bruit léger des serveurs entre les tables déposant le plus précautionneusement possible d'énormes corbeilles de fruits et de pâtisseries harmonieusement décorées.

Lancelot, comme aux heureux jours du passé, s'était assis à côté d'Arthur, et tous deux, tout en écoutant Morgane, échangeaient de temps à autre, à mi-voix, leurs souvenirs communs... Guenièvre, elle, avait fermé les yeux. Revivant intensément des heures à jamais enfuies, elle goûtait un court et très fugitif instant de bonheur. Mais Morgane ayant fini de chanter, Arthur se leva et du même coup brisa le charme.

— J'aimerais maintenant saluer mes vieux compagnons, dit-il. Lancelot, mon ami, asseyez-vous près de Guenièvre, comme autrefois...

— Que se passe-t-il ? Comme il semble las... et comme son attitude est étrange, s'inquiéta Lancelot dès que le roi se fut éloigné. Est-il souffrant ?

— Non, mais l'évêque Patricius lui a ordonné de faire pénitence et cela semble l'affecter beaucoup.

— Arthur ne doit pas avoir de bien grosses fautes sur la conscience... Il est si juste et si loyal !

Tous deux se regardèrent un instant en silence, puis Guenièvre demanda à voix basse :

— Êtes-vous heureux avec Élaine, Lancelot ?

— Heureux ?... Peut-on l'être sur cette terre ?

Elle ferma les yeux, subjuguée par la voix qui lui rappelait tant de souvenirs, et murmura :

— Lancelot, je voudrais... oui, je voudrais tant vous savoir heureux...

— Guenièvre, vous le savez, je ne pouvais rester éternellement grand écuyer du roi... et champion de la reine. Mais, vous, avez-vous enfin trouvé le bonheur ?

— Moi ? Mon ami, je ne connaîtrai jamais le vrai sens du mot « bonheur », vous le savez depuis longtemps.

Arthur qui revenait vers eux suivi de plusieurs de ses anciens preux, interrompit leur dialogue. L'un voulait lui offrir un présent, un autre lui demander aide ou conseil. Le roi Uriens des Galles du Nord, homme déjà âgé, aux cheveux presque blancs, mais possédant encore une étonnante vitalité, écarta amicalement ses pairs.

— Roi Arthur, demanda-t-il tout haut, j'ai une faveur à te demander. Ma dernière femme, tu le sais, est morte depuis plus d'une année... et j'aimerais me remarier. A cette occasion, je serais heureux de contracter une alliance avec ta maison. Le roi Loth — Dieu ait son âme ! — étant récemment décédé, je te demande la faveur d'épouser sa noble veuve, Morgause.

— Mon ami, répondit Arthur réprimant avec peine un sourire, à l'âge qui est le sien, Morgause est libre de décider elle-même de son avenir. Je crois d'ailleurs que ses idées dans ce domaine sont très arrêtées, et que son attitude envers les hommes ne serait pas pour vous un gage obligatoire de bonheur.

C'est alors que Guenièvre fut frappée d'une soudaine inspiration : si Morgane épousait Uriens, elle s'éloignerait de la cour de Camelot, perspective hautement souhaitable dans les circonstances présentes.

— Arthur... souffla-t-elle à voix basse en tirant doucement le monarque par la manche. Uriens est un allié nullement négligeable... Ne m'avez-vous pas dit que les mines de Galles étaient de première importance pour le fer et le plomb... Pourquoi ne pas lui faire épouser votre sœur Morgane ? Je suis sûre qu'elle répondrait exactement à ses vœux.

— Uriens est beaucoup trop âgé pour elle, répondit aussitôt Arthur en la regardant avec étonnement.

— Puis-je vous faire remarquer que Morgane est beaucoup plus âgée que moi, et puisqu'il a déjà de son côté des enfants et des petits-enfants, Uriens se souciera bien peu de ne pas avoir de nouveaux héritiers.

— Dans ce sens, vous avez raison. Eh bien, demandons-lui

son avis. Uriens, reprit le roi, à haute voix, je ne peux imposer à dame Morgause un nouveau mari. Mais peut-être ma sœur, la duchesse de Cornouailles, serait-elle heureuse de devenir ton épouse. Elle n'a jamais été mariée, et peut souhaiter maintenant trouver un vrai foyer. Elle ne manque ni de charme ni de personnalité et, j'en suis sûr, tiendrait très bien sa place à tes côtés.

— Seigneur, je n'espérais pas une telle marque d'intérêt et de confiance de ta part, s'exclama Uriens en s'inclinant respectueusement. Si Dame Morgane accepte donc d'être souveraine en mon royaume...

— Il faut s'en enquérir désormais. Je m'en charge personnellement.

— Morgane serait d'ailleurs certainement plus heureuse en compagnie d'un homme de votre expérience qu'aux côtés d'un pâle jouvenceau, renchérit Guenièvre, voulant cautionner le projet de toute son influence. Elle n'a rien d'une écervelée et, je crois, répondrait entièrement à votre attente.

Très fier et tout étonné de la sollicitude royale à son égard, Uriens s'éclipsa après moult remerciements et faillit croiser Morgane qu'un page avait été quérir d'urgence. Cette dernière parvenue devant le roi s'inclina avec déférence, comme à l'accoutumée, et apprit sans tarder, de la bouche de son frère, la demande en mariage.

— Je suis d'autant plus favorable à ce projet, insista-t-il, qu'il serait souhaitable pour nous tous et pour la tranquillité du royaume que vous vous éloigniez de la cour quelque temps. Morgane, acceptez-vous donc d'aller vivre dans les Galles du Nord ? C'est une contrée lointaine, au climat assez rude mais pas plus dur, après tout, que celui de Tintagel...

— Seigneur, cette demande à vrai dire n'est pas pour moi une grande surprise, avoua Morgane dont les joues s'étaient à peine colorées de rose. Dites-lui donc que je serais heureuse de partir pour les Galles du Nord en sa compagnie.

Surpris par l'impénétrable attitude de sa sœur, Arthur marqua une seconde d'hésitation et lui demanda gravement :

— La différence d'âge qui vous sépare ne vous inquiète pas ?

— Non. S'il n'y voit pas d'inconvénient, je n'en vois pour ma part aucun, répondit-elle d'une voix toujours aussi égale.

— Si telle est donc votre décision, buvons tous à cette grande nouvelle ! lança Arthur à la cantonade tout en levant sa coupe. Mes amis, j'ai la joie de vous annoncer les noces prochaines de ma sœur bien-aimée, dame Morgane, duchesse de Cornouailles, avec mon vieil et fidèle allié le roi Uriens des Galles du Nord ! Puisque vous êtes tous réunis ici pour les fêtes de la Pentecôte, nous procéderons à la cérémonie le plus tôt possible !

Des exclamations d'approbation accueillirent les paroles du Haut Roi et, pour la première fois de la journée, l'atmosphère ressembla vraiment à celle d'un jour de grande fête. Seule la principale intéressée, Morgane, semblait étrangement indifférente à la liesse générale. Le visage de marbre, l'air absent, elle essayait, à froid, simplement de comprendre ce qui lui arrivait. Arthur n'avait pu imaginer seul une semblable union. Quant au roi Uriens, il ne la connaissait pour ainsi dire pas. Non, ce ne pouvait être qu'un stratagème de Guenièvre pour l'obliger à s'éloigner de la cour ! Ainsi triomphait-elle pour l'instant. Il était en effet impossible de revenir en arrière après avoir accepté ce mariage devant toute la cour et tous les souverains de Grande Bretagne réunis ! Une fois de plus, il allait donc falloir accepter le défi, assumer son destin, un destin d'ailleurs dont le jeune Accolon ne serait pas absent...

De son côté, Guenièvre l'observait à la dérobée et cherchait vainement une explication à son attitude apparemment impassible : « Morgane était-elle déjà au courant de la requête d'Uriens puisqu'elle avait avoué elle-même à Arthur n'en être pas surprise ? Fallait-il mettre son extrême réserve sur le compte d'une émotion contenue mais réelle ? Non, c'était impossible ! Une fille d'Avalon ne pouvait se conduire comme une vierge effarouchée... »

C'est alors que Guenièvre se souvint tout à coup du jeune homme entr'aperçu à plusieurs reprises à ses côtés. « Mais oui, ils avaient un instant bu et mangé ensemble, échangé même quelques sourires de connivence. Cette sorcière avait-elle déjà jeté son dévolu sur ce jeune chevalier ? Elle en était capable, et si cela était, elle avait donc berné tout le monde ! Non ! car elle s'apercevrait bientôt, cette diablesse, de ce qu'il en coûtait d'être donnée en mariage à un homme qu'on n'aime pas ! »

Rassérénée par cette dernière pensée, impatiente de savourer sa victoire, Guenièvre se dirigea vers Morgane et lui lança d'une voix faussement bienveillante :

— Ainsi, Morgane, allez-vous être reine à votre tour... et l'épouse d'un roi très chrétien...

Mais Morgane ne répondit pas. Avec une indicible insolence, elle affronta la reine du regard, la transperça avec des yeux de haine et de mépris. Puis se sentant entièrement libérée, elle lui sourit soudain, d'un sourire si ambigu, que la reine, effrayée, se demanda si elle ne venait pas de lui jeter un mauvais sort...

Voulant vite effacer cette pénible impression et compte tenu de la hâte qu'elle avait de voir Morgane disparaître au plus tôt vers les Galles du Nord, Guenièvre s'affaira à la préparation de la cérémonie. Les fêtes seraient à la hauteur de l'événement, six dames d'honneur et quatre reines devant directement participer à la célébration officielle des noces. Arthur lui fit cadeau de la plus grande partie des bijoux de leur mère, et de plusieurs objets de valeur pris chez les Saxons, présents que Morgane voulut un instant refuser. Mais Guenièvre lui ayant affirmé que son futur époux attachait beaucoup d'importance aux signes extérieurs de l'opulence et de la richesse, elle finit par accepter ce qui revêtait à ses yeux si peu d'importance. Un seul bijou cependant la toucha, le collier d'ambre qu'elle avait vu souvent au cou d'Ygerne lorsqu'elle était enfant.

Morgane ne put s'entretenir qu'une fois avec Uriens durant les trois jours qui séparèrent la Pentecôte de leur mariage. Au fond d'elle-même, elle avait un peu espéré qu'il reviendrait sur sa décision et préférerait au dernier moment, porter son choix sur une femme plus jeune, sans se faire cependant d'excessives illusions. Quoi qu'il en soit, elle ne voulait surtout pas qu'il accepte de l'épouser en ignorant tout d'elle, ou presque, pour le lui reprocher plus tard, car elle connaissait la très grande importance qu'attachent les chrétiens à la virginité, sentiment que leur avaient inculqué les Romains toujours soucieux d'orgueil familial et de soi-disant bonne réputation.

— J'ai trente-cinq ans passés, Uriens, lui fit-elle observer un après-midi où ils se retrouvaient à l'abri des oreilles indiscrètes, et je ne suis plus vierge comme vous vous en doutez. Je voulais donc vous préciser la chose...

Le vieux roi ne sembla guère troublé par cet aveu direct et se contenta de poser doucement le doigt sur le petit croissant bleu nettement apparent entre ses sourcils :

— Vous avez été prêtresse d'Avalon, inconditionnelle servante de la Dame du Lac, et je sais que vous avez rituellement rencontré le Dieu Cornu, n'est-il pas vrai ?

— Vous dites la vérité, répondit franchement Morgane.

— Pour ma part, vous avouerai-je en confidence, je me soucie assez peu de savoir quel dieu, exactement, trône là-haut dans le ciel, ou vers lequel vont les préférences de mon peuple, à partir du moment qu'il vit en paix. Il m'est même arrivé une fois de porter moi-même les bois d'un cerf. Ainsi, soyez sans crainte, je ne vous reprocherai jamais rien en ce domaine, dame Morgane.

— Uriens, il y a une chose encore que vous devez savoir : j'ai porté un fils du grand Cornu. Il est élevé à Avalon. Mais j'ai été si malade à la naissance de l'enfant, que je refuse désormais d'en mettre au monde un second.

— Ma descendance est assurée, Morgane. Tranquillisez-vous donc. Je n'ai aucune arrière-pensée à cet égard.

« Uriens n'est plus jeune, mais il est sage et avisé, pensa Morgane. Il sera sûrement un compagnon acceptable. »

— Si vous le désirez, Morgane, vous pouvez même faire venir votre enfant à ma cour. Je vous promets qu'il sera traité comme il convient en fils aimé de la duchesse de Cornouailles, reine des Galles du Nord ! Je serais d'ailleurs très heureux de voir courir un autre enfant dans la maison, un enfant qui deviendrait sûrement un compagnon de jeux rêvé pour mon dernier fils, Uvain.

— Uvain ? Je croyais qu'Accolon était votre cadet ?

— Non, c'est Uvain, qui vient d'avoir neuf ans. Sa mère est morte à sa naissance... Bien sûr, vous n'imaginiez pas, interrogea-t-il en souriant, qu'un homme de mon âge puisse avoir un fils aussi jeune ?

— Pas du tout. J'ai souvent entendu dire qu'un homme de trente ou quarante ans pouvait avoir quelque difficulté à engendrer, mais qu'en revanche, un homme de soixante ans ou même davantage avait, lui, toutes les chances d'être père à condition qu'une jeune et jolie femme ait bien voulu le satisfaire, répondit Morgane non sans ironie, regrettant aussitôt d'avoir peut-être été trop loin dans ses propos.

Mais Uriens éclata d'un rire sonore, plein de santé :

— Je crois que nous nous entendrons bien, vous et moi, gloussa-t-il avec gaillardise ; j'ose espérer que vous ne serez pas malheureuse en compagnie du vieil homme que je suis !

Morgane parle...

« Notre première nuit fut telle que je l'avais imaginée. Uriens se livra avec moi à toutes les caresses et aux jeux de l'amour pour tenter d'échauffer ses sens, puis arrivé au paroxysme de son ardeur, il s'effondra dans mes bras et s'endormit comme une masse, l'aboutissement de ses efforts ayant trouvé une très rapide conclusion. Je ne m'attendais à rien de mieux et ne fus donc pas déçue. Je compris vite qu'il tenait avant tout à me sentir blottie contre lui pendant la nuit, à me cajoler, à me parler, à profiter de ma féminité sans pour autant exiger de moi le suprême abandon de mon corps. Je lui en fus reconnaissante, appréciant également beaucoup l'attention qu'il portait à mes avis, contrairement aux Romains du Sud qui répugnaient le plus souvent à écouter les conseils des femmes.

« Les Galles du Nord étaient un pays magnifique, avec

des monts escarpés et de hautes collines qui me rappelaient le Lothian. Mais, autant cette dernière contrée était restée dans mes souvenirs empreinte de tristesse et de grisaille, autant le royaume d'Uriens était vert et riant, couvert d'arbres et de fleurs, avec un sol fertile riche d'abondantes moissons. En ce qui concernait la vie de tous les jours, son fils Avalloch, tout comme sa femme et ses enfants, me consultaient sur tout, et le jeune Uvain m'appelait « mère ». Grâce à lui, je goûtais toutes les joies de la vie familiale et notamment celle d'avoir un enfant à élever, à surveiller, à soigner et à consoler.

« C'était un gamin turbulent mais attachant qui n'hésitait pas à grimper aux arbres ou à partir chasser en cachette pour échapper à ses études, faisant le désespoir du prêtre qui lui enseignait les lettres, mais le bonheur de son maître d'armes. M'étant très vite prise d'affection pour ce jeune diable, affection qu'il me rendait bien, il lui arrivait souvent, le soir, de venir s'asseoir à mes pieds au coin de l'âtre pour m'écouter bouche bée jouer de la harpe. Il faut dire qu'il avait lui-même une oreille extrêmement musicale et une voix très juste, à l'instar de toute la famille, musicienne au point de préférer jouer de la musique elle-même plutôt que de demander le concours des ménestrels de la région.

« Bref, je considérais Uvain comme mon propre fils. De son côté, n'ayant aucun souvenir de sa mère et éprouvant le besoin naturel d'une présence et d'une tendresse féminines, il ne demanda rapidement qu'à s'assagir, après une brève époque de rébellion. Je le vis donc de plus en plus souvent multiplier à mon égard des attentions qui m'allèrent droit au cœur. De retour de ses vagabondages dans la campagne, il revenait avec des fleurs des champs, des plumes d'oiseaux, des rameaux artistiquement assemblés, ou autres cadeaux spontanément imaginés pour me faire plaisir. Une fois même, timide et rougissant, il m'embrassa avec une telle fougue au retour d'une promenade que j'eus la faiblesse de croire qu'il n'aurait pas éprouvé plus d'ardeur envers sa propre mère. Ces joies simples et douces, ces jours tranquilles régénéraient ma vie.

« Un an passa ainsi, tel un songe sans nuages, pause inespérée dans mon existence orageuse. C'est alors qu'Accolon revint un soir au château de son père... »

L'air devenait plus chaud. Dans les vallées, sur les collines, dans les jardins, mille buissons en fleurs célébraient avec éclat la venue de l'été. Se laissant enivrer par la douceur des jours, par la limpidité d'un ciel sans voile, Morgane cependant ne parvenait pas à oublier Avalon. Et pourtant comme elles étaient loin maintenant les années vécues dans l'Ile Sacrée ! Sentait-elle seulement affluer de nouveau en elle, au plus intime de son être, les énergies profondes auxquelles elle avait toujours été jusqu'ici si sensible ? L'âge avait-il prise sur son âme ? Ou bien était-ce la vie dans les Galles du Nord qui l'avait à ce point métamorphosée ?

Le soc d'une charrue heurtant une pierre dans un champ, où tournoyaient en arabesques compliquées des vols de martinets criant leur joie, sortit Morgane de sa torpeur. Le solstice d'été sera bientôt là, se dit-elle, et dimanche prochain un prêtre bénira les prés et les champs, accompagné d'une procession où brilleront les torches, où éclateront les psaumes. Seigneurs et chevaliers les plus riches du royaume étaient maintenant tous chrétiens, et tous avaient jugé que c'était là cérémonie plus convenable que les anciens Feux de Beltane ! Ah ! Que de jours de sa vie n'aurait-elle pas donnés pour se retrouver prêtresse parmi les prêtresses dans les brumes d'Avalon, et non abandonnée et étrangère sur une terre étrangère, si seule dans la lumineuse splendeur de l'été qui naissait !

Mesurant pleinement, après quelques mois de répit, l'étendue de son isolement, elle refoula ses larmes, et tourna résolument le dos au soleil qui embrasait l'horizon. Puis elle se dirigea vers la cour du château où l'appelait une de ses femmes : le roi venait de rentrer de voyage et la demandait instamment. Elle pénétra en frissonnant dans la sombre bâtisse que même la belle saison ne parvenait jamais à réchauffer vraiment, et trouva Uriens étendu sur les peaux de bêtes qui recouvraient son lit, les traits profondément altérés par la souffrance et la fatigue. Ayant en effet chevauché jusqu'à la plus lointaine cité du royaume pour régler un litige opposant deux de ses vassaux, il n'avait pu supporter, en raison de son âge, une course éprouvante pour les plus endurcis. Morgane savait donc qu'elle allait devoir plus que jamais le réconforter et l'écouter tout en massant ses membres endoloris à l'aide d'huiles et d'herbes patiemment préparées tout au long de l'année à son intention.

— Vous sentez-vous mieux, mon seigneur ? lui demanda-t-elle doucement après avoir longtemps officié en silence. Il serait plus sage, désormais, d'envoyer Avalloch à votre place. Ces épuisantes équipées ne sont plus de votre âge et il est temps pour lui d'apprendre à gouverner son peuple !

— Oui, vous avez raison, ma Dame, mais, si je ne me dérange pas en personne, mes sujets s'imaginent que je les délaisse. Néanmoins l'hiver prochain, c'est décidé, je lui laisserai les rênes afin qu'il fasse ses preuves.

— N'oubliez pas, mon bon seigneur, que si vous avez de nouvelles engelures, vous risquez de perdre l'usage de vos mains...

— Je sais, Morgane, je suis maintenant un vieillard, et personne ne peut plus rien pour moi... Mais, je n'ai toutefois nullement envie de me morfondre à longueur de journée enfermé dans cette chambre. A propos, avons-nous bien du porc rôti pour le souper ?

— Oui, répondit-elle en souriant, et je vous promets même que nous allons goûter ensemble les premières cerises.

Revigoré à cette perspective, il sourit à son tour en la félicitant une fois de plus pour ses talents de maîtresse de maison, puis, lui demandant son aide, il se leva et gagna à son bras la salle basse où avaient lieu les repas. Toute la maisonnée les y attendait : Avalloch, sa femme Maline et leurs trois jeunes enfants, Uvain et son prêtre précepteur, occupant le haut bout de la table, plusieurs hommes d'armes et leurs femmes, ayant pris place à l'autre extrémité.

Morgane s'étant assise au côté d'Uriens ordonna alors de servir. Mais, à peine s'était-elle installée sur son siège que le jeune Ran, dernier fils d'Avalloch, commença à hurler pour monter sur ses genoux. Rien n'y fit, ni les menaces d'Uriens, ni les sourcils froncés de la fragile et pâle Maline très éprouvée par une nouvelle grossesse. Ran avait décidé de dîner en proche compagnie de sa jeune grand-mère, et n'en démordait pas.

Morgane qui aimait bien le bambin, n'opposa pas une sérieuse résistance. Se laissant attendrir pour avoir la paix, elle prit le petit dans ses bras, l'installa sur ses genoux et commença à lui donner à grignoter quelques morceaux de viande prélevés dans sa propre assiette.

Le repas touchait à sa fin lorsqu'un bruit de pas et des éclats de voix firent tourner toutes les têtes. La rumeur venait de la grande cour et Uriens n'eut pas même le temps d'envoyer un serviteur pour voir ce qui se passait, qu'un cavalier, drapé dans une cape vert émeraude, faisait irruption dans la salle : c'était Accolon... Comme il s'agenouillait devant son père, saluait Maline, et embrassait son frère, Morgane se composa à la hâte un visage convenant à son nouveau rôle de belle-mère. Mais d'innombrables pensées se bousculaient en elle. Accolon était-il devenu son ennemi ? L'avait-il estimée opportuniste et ambitieuse d'avoir accepté de devenir la femme d'Uriens, le jour même où lui-même lui avait déclaré sa flamme ? Savait-il dans quelles conditions avait été décidé son mariage, et comment elle avait été, malgré elle, prise au piège ?

— Faut-il vous appeler « ma Dame » ou « mère », murmura-t-il en s'inclinant calmement devant elle.

Mais déjà il se relevait, et Morgane, posant à terre le marmot qui ne cessait de s'agiter sur ses genoux, lui répondit, un demi-sourire aux lèvres :

— Non ! Pas « mère », je vous en prie, Accolon, ce nom est réservé à Uvain !

La regardant quelques instants sans mot dire, il détailla, sans avoir l'air d'y prêter attention, les lignes souples du corps de Morgane, l'obligeant à baisser les yeux, la laissant à la fois irritée et flattée. Puis il prit place à la table, près de son père, mais son regard ne parvenant pas à se détacher d'elle, Morgane eut tout loisir de remarquer que, depuis le jour où ils s'étaient quittés, quelques fils d'argent s'étaient insidieusement glissés dans sa chevelure, et que quelques rides nouvelles griffaient légèrement le coin de ses paupières. Mais elle, qu'était-elle d'autre pour lui maintenant que l'épouse d'un vieux roi qui lui avait confié sa santé déclinante, sa maison et ses jeunes enfants ? Était-elle seulement encore désirable ?

D'un geste sévère de la main, elle tenta alors de repousser le petit garçon qui, revenu à la charge, s'accrochait maintenant à son cou avec des mains pleines de sauce, puis elle tendit l'oreille aux conversations, Maline venant de demander à Accolon des nouvelles de la cour d'Arthur.

— C'est le grand calme là-bas, affirmait-il, et je crains que l'époque des actions d'éclat ne soit définitivement révolue. La cour est indolente, et le roi continue de faire pénitence pour quelque péché inconnu : il ne mange plus de viande, ne touche plus au vin, même les jours de fête !

— Et la reine ? Peut-on espérer un heureux événement ? interrogea Maline.

— Non, apparemment. Néanmoins, on dit qu'elle aurait annoncé à l'une de ses dames, il y a quelques mois, qu'elle attendait un héritier. Mais tout le monde sait maintenant que l'infortunée souveraine prend trop souvent ses désirs pour la réalité !

— Le roi a fait preuve d'imprudence ! s'exclama alors Uriens. Il aurait dû la répudier depuis longtemps et prendre femme capable de lui donner un fils. Je me souviens des désordres indescriptibles qui ont régné dans ce pays, lorsqu'on a cru qu'Uther Pendragon mourrait sans héritier. Il est grand temps pour le Haut Roi de songer sérieusement à assurer sa succession.

— Arthur a désigné pour cela le fils de son cousin Lancelot. Mais il est à craindre qu'il n'ait jamais l'autorité suffisante pour gouverner !

— N'oubliez pas que Lancelot est le fils de la Dame du Lac, et qu'il appartient à l'ancienne lignée royale d'Avalon, intervint Morgane.

— Avalon ?... persifla Maline d'un ton dédaigneux. Nous sommes en terre chrétienne aujourd'hui. Avalon ne représente plus rien pour nous.

— Peut-être davantage que vous ne le croyez, répliqua Accolon avec sévérité. J'ai en effet entendu dire qu'une très grande partie du vieux peuple des campagnes réprouve le fait qu'Arthur se conduise en roi chrétien : ils n'ont pas oublié qu'avant son couronnement, il avait juré de rester fidèle à leur foi ancienne. Il est cependant vrai que les prêtres gagnent chaque jour un peu plus d'influence à la cour, comme dans l'ensemble du pays. Ainsi, le roi saxon Edric lui-même vient-il de se convertir au Christ ! Il s'est fait baptiser avec toute sa suite à Glastonbury, puis il s'est agenouillé devant Arthur et l'a reconnu, au nom de tous les Saxons, comme le Haut Roi.

— Je n'accorderais quant à moi pas la moindre confiance à un Saxon, même s'il était coiffé d'une mitre ! commenta Uriens en riant.

— Moi non plus, renchérit Avalloch. Mais, si les chefs saxons prient et font pénitence pour sauver leur âme, ils auront moins de temps pour brûler nos fermes et nos abbayes. Mais à propos de pénitence et de jeûne... quel péché Arthur peut-il bien avoir sur la conscience ? Il m'a toujours paru si juste et si probe. Comment a-t-il pu mériter un châtiment aussi sévère ? Morgane, vous qui êtes sa sœur, quel est votre sentiment intime ?

— Je suis sa sœur, non son confesseur, répondit d'un ton évasif Morgane.

— Donnez-moi donc maintenant des nouvelles de notre royaume, reprit Accolon mettant un terme au bref silence qui venait de s'installer dans la pièce. Le printemps a été tardif, et il me semble que les labours ne sont guère avancés.

— Il est vrai, expliqua Maline, mais tous les travaux de printemps seront terminés dimanche prochain pour la fête de la bénédiction des champs.

— Oui, on est en train de choisir la Vierge du Printemps, cria Uvain tout excité. Il y aura des danses, partout... et on portera même une statue de paille qu'on fera brûler... Le père Eian dit qu'il déteste tout cela, mais moi je trouve qu'on va bien s'amuser !

— Je pense, en effet, que la bénédiction de l'église serait amplement suffisante, dit celui-ci en toussotant. A-t-on besoin d'autre chose que de la parole de Dieu pour fertiliser les champs ? Cette effigie de paille est un souvenir de vieux rituels païens. Quant à la Vierge du Printemps... c'est une réminiscence d'une coutume idolâtre et proprement scandaleuse dont je préfère ne pas parler devant les enfants.

— Dieu merci, dit alors Maline en se signant, nous vivons maintenant dans un pays civilisé !

Hélas ! elle n'a pas tort, pensa Morgane, tout a bien changé : les prêtres promènent leur croix avec ennui et interdisent d'allumer les feux de la fertilité... C'est miracle que la Déesse n'ait pas rendu stériles les champs de blé pour se venger des humains.

La conversation prit alors un tour tout autre et Morgane retint seulement qu'Élaine venait de mettre une fille au monde. Puis chacun regagna ses appartements. Morgane, qui restait toujours la dernière pour vérifier que tout était en ordre, se dirigea, son inspection terminée, vers la chambre préparée en hâte pour Accolon afin de s'assurer que celui-ci ne manquait de rien.

— J'ai tout ce qu'il me faut, lui dit-il avec aplomb, sauf une femme pour me tenir compagnie. Mon père a de la chance de vous avoir dans son lit. Si j'ai bonne mémoire, j'avais pourtant tout lieu d'espérer...

Ne pouvant cacher son agacement, Morgane se rebiffa.

— On ne m'a guère laissé le choix, figurez-vous, le coupa-t-elle sèchement. D'ailleurs, ce qui est fait est fait, mon cher Accolon !

Et sans lui fournir d'autres explications, elle tourna les talons et quitta la pièce, non sans l'avoir entendu proférer d'une voix presque menaçante :

— Non, ma gente dame, vous ne vous en tirerez pas à si bon compte...

Morgane dormit très mal cette nuit-là et elle avait déjà ouvert les yeux depuis longtemps lorsque l'aube du Solstice d'Été se leva, triomphante sur une nature vibrant dans ses moindres fibres de toutes les promesses de la fécondité. Elle qui, au cours des dernières semaines, avait craint de n'être plus sensible à cette exaltation profonde, sentit avec joie son corps, et tout son être, répondre aux sollicitations de la terre et de la vie comme il l'avait toujours fait à Avalon.

— Nous allons avoir une journée radieuse pour la fête de la bénédiction des champs, s'exclama tout guilleret Uriens en s'éveillant à son tour. Il est vrai qu'il pleut très rarement un jour tel qu'aujourd'hui. Je me souviens pourtant d'une année où la pluie n'a pas cessé pendant dix jours. Nous ressemblions tous à un troupeau de cochons pataugeant dans la boue !

— N'oubliez pas, mon cher seigneur, qu'on appelle parfois la Déesse la « Grande Truie », lui reprocha affectueusement Morgane, et que dans une certaine mesure nous sommes par conséquent tous ses pourceaux !

— Morgane, la rabroua d'un même ton le vieux monarque, ces temps sont maintenant révolus.

Par notre faute à tous ! pensa Morgane. Uriens le premier aurait pu se montrer un souverain plus énergique face à la marée du christianisme qui a déferlé sur ses terres. Sans doute Viviane aurait-elle pu aussi placer sur le trône un roi moins complaisant envers la loi des prêtres, mais il était difficile de prévoir que Guenièvre deviendrait aussi pieuse. Pourquoi d'ailleurs, elle, Morgane, n'était-elle pas intervenue plus fermement vis-à-vis d'Arthur ? Dans l'ombre de Guenièvre, n'aurait-elle pu davantage et mieux servir la gloire de la Grande Déesse ? N'avait-elle pas pendant longtemps exercé sur le Haut Roi une réelle et profonde influence, celle que possèdera toujours la première femme qu'un homme a tenue dans ses bras ? Or, par sa faute, par négligence coupable, elle avait laissé Guenièvre et l'Église prendre sur lui une pernicieuse et fatale emprise. Était-il malgré tout trop tard pour prendre la suite de Viviane et poursuivre son œuvre ? Elle seule le pouvait. Fallait-il en effet accepter la défaite, abdiquer sans réagir, mourir sans combattre ? Non ! Après tant d'années, après tant de renoncements et d'abandons, elle se sentait aujourd'hui investie d'une mission nouvelle et sacrée par la Mère Éternelle.

Galvanisée par cette soudaine et impérieuse révélation, elle entreprit alors, l'esprit très loin des gestes, d'aider Uriens à s'habiller, puis tous deux se rendirent aux cuisines où les attendaient du pain fraîchement cuit à leur intention, du miel nouvellement recueilli dans les ruches et une cervoise pétillante et dorée.

— Nous sommes au début de l'été, Morgane, et pourtant je n'ai jamais eu aussi mal dans le dos, geignit le vieil homme en se laissant tomber lourdement sur un banc. Mes vieux os me font de plus en plus souffrir ! Que penseriez-vous d'un séjour dans le Sud, aux Eaux de Sulis ? Il existe là-bas les ruines d'un ancien temple consacré au dieu Sul tout près desquelles les Romains ont construit des thermes. Les grands bains ont été comblés et les Saxons ont pillé les objets de valeur, mais la source est toujours là. Elle ne cesse de bouillonner et de cracher dans l'air des nuages de vapeur qui semblent monter des entrailles de la terre... C'est très impressionnant à voir ! Un homme comme moi, qui souffre des jambes et du dos, peut se plonger dans cette eau bienfaisante et en sortir réconforté. J'en ai fait l'expérience il y a trois ans... J'ai bien envie d'y retourner. M'y accompagnerez-vous, ma mie ? Laissons à mes fils le soin de gérer les affaires du royaume en notre absence. Vous verrez, je suis sûr que cet antique lieu de pèlerinage ne manquera pas de vous intéresser...

— Vous avez mille fois raison, mon seigneur, et ce vieux sanctuaire me plairait certainement, répondit Morgane. Mais est-il bien raisonnable de confier le royaume à vos fils ? Ils sont encore bien jeunes. En conséquence, ne serait-il pas plus sage que je reste ici avec eux le temps de votre absence ?

— Vous avez raison, vous avez toujours raison, ma tendre reine, reconnut le vieillard et je vous remercie de veiller ainsi à nos intérêts. Je dirai à mes fils de vous consulter en toute chose jusqu'à mon retour. D'ailleurs, je ne serai pas absent bien longtemps.

— Votre confiance m'honore infiniment, mon doux maître. Reposez-vous entièrement sur moi. Quand désirez-vous partir ?

— Le plus tôt sera le mieux. Ce soir même si possible, après la bénédiction des champs. Veillez, je vous prie, aux nécessaires préparatifs.

Bagages et escorte promptement organisés, Morgane, ayant personnellement vérifié que tous ses ordres étaient exécutés, put rejoindre quelques heures plus tard Uriens et suivre, avec lui, le déroulement de la longue procession qu'ils regardèrent du haut d'un petit tertre dominant la campagne. Des danseurs gambadaient comme de jeunes cabris, et Morgane se demanda combien, parmi eux, connaissaient la signification des pieux taillés en forme de phallus, couronnés de guirlandes rouges et blanches, au milieu desquels déambulait en toute innocence une jeune fille d'à peine quatorze ans. Elle était belle et fraîche, et ses cheveux ondoyants, couleur de paille brûlée, ondulaient jusqu'à la taille en lourdes et opulentes mèches toutes bouclées.

Quels spectateurs, sinon elle, pouvaient saisir l'incongruité flagrante d'un tel cortège mené par un prêtre flanqué de deux enfants vêtus de noir portant des croix et marmonnant d'incompréhensibles prières en latin ? Tous les prêtres haïssent la vie sous toutes ses formes ! se dit-elle en elle-même maîtrisant avec peine son indignation. Leur seule présence devrait suffire à rendre inculte la terre qu'ils foulent de leurs pieds !

Ce fut presque une réponse à ce monologue intérieur que prononça soudain derrière elle Accolon, à voix basse :

— Peut-être suffit-il à la Déesse que vous et moi, Morgane, nous sachions... La Dame ne nous trahira pas tant qu'un seul de ses adorateurs lui donnera son dû !

Interdite, Morgane sursauta. En elle, malgré elle, montait une brûlante et délicieuse sensation qui prenait possession de tout son corps. Accolon... Accolon était là tout près d'elle et savait. Accolon, le fils de l'homme qu'elle avait épousé, et qu'elle s'était par là même interdit de séduire.

C'est alors qu'une petite phrase, apparemment anodine, lui revint en mémoire. Une phrase entendue à Avalon et prononcée par un druide au cours de l'initiation des jeunes prêtresses à la sagesse secrète : « Si vous désirez connaître le message des Dieux qui vous aidera à conduire votre vie, n'oubliez jamais ce qui, dans celle-ci, se renouvellera à plusieurs reprises. » Or dans sa propre vie un fait s'était répété plusieurs fois.

Oui, un fait troublant. Elle avait en effet jusqu'à ce jour aimé et désiré deux hommes trop proches d'elle pour qu'elle pût donner suite à leur amour : Lancelot, fils de Viviane, sa mère adoptive, et Arthur, fils de sa propre mère. Et maintenant Accolon, le fils de son époux, insensiblement l'attirait dans ses rets...

Mais n'étaient-ils pas tous trois proches d'elle uniquement selon des lois chrétiennes qui voulaient maintenant asservir le pays de façon tyrannique, changer les mœurs, bouleverser les esprits, pervertir les cœurs et les âmes de tous ses habitants ? Fallait-il qu'elle aussi, prêtresse d'Avalon, accepte jusqu'à la fin de sa vie terrestre, de subir le joug abhorré et maudit ?

A leurs pieds, cependant, les danseurs masqués secouaient désormais les pieux phalliques tout en se trémoussant tandis que la Vierge du Printemps, cheveux au vent, venait tour à tour effleurer de ses lèvres leurs visages inconnus.

— C'est à vous, Morgane, que revient l'honneur de distribuer ceci aux danseurs, dit alors Uriens, en lui remettant entre les mains une grande corbeille débordante de friandises et de sucreries. Ils viennent tous de nous donner une belle démonstration de leurs talents !

Se prêtant avec indifférence à la distribution qu'on lui demandait de faire, Morgane descendit à la rencontre des acteurs de la fête, déplorant en son for intérieur le lamentable faux-semblant, la sinistre parodie d'un rite destiné à rappeler les temps où l'assemblée tendait avidement les lèvres vers le sang du sacrifice. Abrégeant le plus rapidement possible ses obligations si secrètement méprisées, Morgane regagna le château en hâte, uniquement préoccupée par l'imminence du départ de son époux.

Uriens partit en effet en début de soirée, en compagnie de quelques sergents d'armes et de deux serviteurs. Il avait confié à son épouse la maison et sa famille, après avoir recommandé à Avalloch et à Accolon d'écouter en tout point les conseils de leur belle-mère. Le seul récalcitrant dans l'affaire fut le jeune Uvain, fou de rage de n'avoir pu suivre son père comme il se l'était mis en tête. Il fallut donc à Morgane un long moment pour l'apaiser et lorsqu'enfin il fut couché, elle put dans le calme, au coin de l'âtre, dans la grande salle, réfléchir sereinement à la situation.

Le crépuscule, en ce jour le plus long de l'année, commençait, comme marée montante, à gagner peu à peu toute la pièce, noyant dans une pénombre tamisée les dernières lueurs du couchant. Morgane avait dans les mains un fuseau et une quenouille, mais elle faisait seulement semblant de filer. Elle détestait toujours autant ce labeur car elle redoutait par-dessus tout les gestes mécaniques qu'il engendrait, mille et mille fois répétés, qui finissaient immanquablement par la plonger dans un état second, à mi-chemin entre le rêve et la réalité. Alors d'étranges visions s'emparaient de son esprit, annihilant en elle tout sursaut de sa volonté.

L'obscurité maintenant était là, s'épaississait autour d'elle, envahissait les coins les plus reculés de la pièce. Frissonnante, Morgane songea, les yeux fermés, à l'ombre immense des pierres levées au sommet du Tor, à la cohorte des prêtresses brandissant haut leur torche dans la nuit d'Avalon... Puis le visage de Raven se dessina avec précision, énigmatique et troublante vision se superposant presque exactement à celle de Viviane. Vint ensuite la silhouette d'Arthur, toute de noir vêtue, marchant courbé à pas très lents au milieu de ses sujets, un cierge de la pénitence à la main, comme si les prêtres l'avaient obligé à s'humilier en public... Enfin, ce fut le tour de la barge d'Avalon, émergeant des brumes opaques avec, à son bord, trois femmes également drapées de noir et un homme blessé, livide, l'air mourant...

La lueur d'une torche, bien réelle celle-là, arracha soudain Morgane à ses ombres, et une voix rieuse explosa dans la nuit :

— Parvenez-vous vraiment à filer dans une telle obscurité, ma mère ?

— Je vous ai déjà demandé de ne pas m'appeler ainsi !

Accolon accrocha sa torche à un anneau de fer fixé à la muraille, puis il s'approcha de Morgane à la toucher, lui soufflant à l'oreille avec passion :

— Vous avez pour moi le visage de la Déesse...

Enflammée par sa présence et déjà consentante, emportée par un flot qui déferlait en elle, Morgane eut à peine le temps de s'interroger. Vulnérable, désarmée, offerte sans défense aux mains et aux lèvres d'Accolon, elle sentait bondir et jaillir, du plus profond de son être, la lame familière du désir.

— Tout le monde dort ici... je savais que vous m'attendiez, chuchota Accolon au creux de son cou.

— Où est Avalloch ? interrogea-t-elle tentant mollement de s'arracher à son étreinte.

— Il est parti rejoindre la Vierge du Printemps, selon une coutume encore ignorée des prêtres ! Il en a toujours été ainsi depuis que notre père ne peut complètement, en raison de son âge, accomplir lui-même son devoir. Ce privilège à ses yeux n'est nullement incompatible avec sa foi chrétienne ! Il m'a même proposé de l'accompagner et de partager ses ébats, mais pour moi, ce soir, c'est vous qui représentez la Déesse...

— Puisqu'il en est ainsi, que s'accomplisse donc la volonté divine ! capitula Morgane d'une voix défaillante.

Voulant alors entraîner le jeune homme dans quelque chambre isolée du château, quelque chose la retint et elle se ravisa :

— Non, pas ici... Dehors, dehors sous les étoiles, dans la grande nuit protectrice.

Haletants, enfiévrés de désir, ils traversèrent la cour et, les doigts entrelacés, gagnèrent la lisière des bois presque en courant. Soudain, une étoile filante traversa tout le ciel, traînée fulgurante d'espoir, message silencieux et grandiose de la Déesse Mère, l'accueillant de nouveau en son sein. La joie au cœur, Morgane se retrouvait enfin, emportée par une force primordiale, brassée par le raz de marée triomphant de la nature complice et bienveillante.

Ne résistant plus, captive et confiante, elle étendit sa longue cape sur l'herbe tendre, s'y allongea et murmura simplement :

— Viens !...

Alors la voûte céleste s'effaça derrière l'ombre de l'homme qui se penchait sur elle. Transfigurée, Morgane sourit, puis lentement ferma les yeux.

Morgane parle...

> « Heureux, apaisés, émerveillés, nous reposions ensemble sous le firmament. Je savais que nous venions d'agir sous l'unique impulsion d'une magie irrésistible. Les caresses d'Accolon, chacune de ses étreintes, me consacraient de nouveau prêtresse d'Avalon, et je savais que ce que nous venions d'accomplir n'avait été possible que grâce à l'intervention de la Déesse. Bien qu'aveugles et sourds aux bruissements de cette nuit d'été, n'entendant plus que le battement de nos cœurs, je sus soudain avec certitude que nous n'étions pas seuls. Il aurait voulu me garder dans ses bras, mais une force impérieuse

m'obligea à me mettre debout : j'élevai les mains lentement vers le ciel puis, les yeux fermés, les abaissai plus lentement encore en retenant mon souffle. Alors j'entendis le cri d'Accolon et ouvris les yeux : son corps et le mien baignaient dans un même halo d'irréelle lumière...

« La Mère Éternelle était avec nous, avec moi. A nouveau je détenais les pouvoirs sacrés, à nouveau j'étais redevenue sa prêtresse. Après tant d'années d'abandons et de trahisons, elle revenait vers moi, m'acceptait à nouveau en son sein, magnanime et miséricordieuse.

« En lisière des bois, des yeux brillaient derrière les buissons. Non, nous n'étions pas seuls... Le Petit Peuple des collines avait su nous retrouver... Je me penchai vers Accolon, le baisai au front, puis aux lèvres, en répétant plusieurs fois : « Allez, et soyez béni... »

« Sans me poser une seule question, il se leva alors lentement, me regarda longuement comme s'il ne m'avait jamais vue, puis s'éloigna dans la pénombre happé par quelque silencieuse et mystérieuse attraction.

« Quant à moi, je ne dormis pas de la nuit. Errant sous les arbres, dans les vergers et dans les champs, ma course solitaire ne prit fin qu'aux premières lueurs de l'aube. A la faveur de la clarté renaissante, je compris qu'il me fallait maintenant revenir seule sur mes pas. Cette nuit m'avait apporté une grâce, une révélation ultime, mais, à l'avenir, aucun signe ne me serait plus adressé, ni aucune aide, avant que je ne sois redevenue, dans son essence et dans son entité, la prêtresse que je n'aurais jamais dû cesser d'être.

« Résolument, je pris donc le chemin du château et gagnai ma chambre en quête du seul souvenir matériel que j'avais conservé d'Avalon, le petit couteau en forme de faucille que j'avais détaché de la ceinture de Viviane le jour de sa mort. Il était identique à celui que j'avais longtemps porté moi-même, puis abandonné lorsque je m'étais enfuie de l'Ile Sacrée. Le dissimulant avec ferveur sous ma tunique, je jurai alors de ne jamais plus m'en séparer et de le garder contre moi jusqu'au dernier jour de ma vie.

« Ayant en revanche intentionnellement évité de peindre à nouveau le croissant bleu sur mon front, afin de ne pas éveiller la curiosité d'Uriens, je repris, comme si de rien n'était, mes occupations et mon rôle auprès de mon époux et de ses enfants. Mais mon esprit et mon cœur étaient absents, le petit couteau en forme de faucille contre ma peau me rappelant sans cesse la mission sacrée dont j'étais investie. Lorsque la maisonnée était endormie, je regardais les étoiles, et me pénétrais de leur rayonnement bénéfique, jusqu'à me sentir engloutie au centre parfait de la spirale des saisons, fondue et emportée dans un flux d'éternité. Je me levais très tôt, je me couchais tard pour rattraper le temps perdu et courir combes et collines sous prétexte de récolter herbes et racines pour mes médecines. Mais, en réalité, je n'avais d'autre but que de redécouvrir les anciennes et mystérieuses voies que je tentais de suivre, des pierres levées jusqu'aux mares secrètes, démarche épuisante et subtile qu'il me fallait accomplir à l'insu des humains tout autour du château.

« Un jour, au creux d'une gorge isolée, je découvris un cercle de pierres — non pas grand comme celui qui se trouvait sur le sommet du Tor ou comme celui qui délimitait autrefois le Temple du Soleil dans les vastes plaines crayeuses — mais un cercle dont les pierres dépassaient à peine la hauteur de mon épaule. En son centre se trouvait un bloc aux formes imprécises, envahi de lichens et à moitié enfoui dans les hautes herbes. Je le nettoyai soigneusement et y déposai, à l'intention du Petit Peuple, quelques aliments, du pain d'orge, du fromage et un peu de beurre. Étant revenue sur les lieux, quelque temps plus tard, je vis tout de suite avec plaisir et émotion qu'une guirlande de fleurs parfumées avait été déposée au centre même du cercle, de ces fleurs qui ne poussent qu'en bordure du Pays des Fées et ne se fanent jamais.

« Au cœur de l'hiver, alors que la lune était pleine, y étant revenue encore comme pour répondre à un secret appel, j'aperçus cette fois, toujours au centre du cercle, un petit sac de cuir. Ayant fébrilement défait le lacet qui le fermait, je fis glisser son contenu dans la paume de ma main : au premier abord, on aurait dit deux petites graines séchées, mais en les examinant de plus près, je constatais bientôt qu'il s'agissait en fait de deux minuscules champignons comme il n'en venait qu'à Avalon. Réputés vénéneux parce qu'ils provoquent des vomissements et des troubles de la circulation, pris à très faible dose et dans un état de jeûne avancé, ils avaient au contraire la propriété de provoquer le Don de seconde vue. C'était là un inestimable présent et j'imaginais avec reconnaissance le long trajet qu'avaient dû accomplir les hommes du Petit Peuple pour me les offrir.

« En remerciement et signe d'amitié, je déposai, bien sûr à leur intention, toute la nourriture que je leur avais apportée, viande séchée, fruits et un rayon de miel, que je voulais garder dans ma chambre dans l'espoir de favoriser en moi la renaissance du Don auquel j'avais renoncé depuis si longtemps. Mais désormais la Déesse était avec moi : une fois grandes ouvertes les portes de la clairvoyance, je pouvais solliciter sa présence et la supplier de pardonner mon infidélité. Je ne la craignais plus : c'est elle qui m'avait envoyé ce présent pour que, plus sereinement encore, je puisse aller à sa rencontre.

« Le temps de la pénitence était révolu. Je n'étais plus seule. Pour fuir les Romains, le Petit Peuple se cachait à l'ombre protectrice du monde végétal, mais je sentais qu'il veillait sur moi sans relâche. Il m'appelait de ses vœux pour redevenir sa prêtresse et sa reine. Pour eux, « Morgane la Fée » était de retour. »

VIII

Avec le temps, Guenièvre en était arrivée à détester les fêtes de la Pentecôte. Non seulement ces fêtes étaient, avant tout, celles d'Arthur et de ses compagnons, mais la tenue de chaque nouvelle cour plénière lui rappelait qu'elle avait vieilli d'un an. Debout derrière le Haut Roi, elle le regardait, l'air maussade, apposer son sceau sur les missives qu'il adressait à ses vassaux et à ses chevaliers :

— Pourquoi les convoquer par écrit ? ne put-elle s'empêcher de bougonner d'un ton acerbe. Personne n'oubliera cette fête. Vous savez bien que tous ceux qui le pourront viendront. Ne serait-ce que pour parler entre eux des jours anciens et se délecter du souvenir de leurs batailles contre les Saxons ! On dirait vraiment que vous regrettez tous la guerre !

— Ma douce amie, répondit Arthur placidement, ce ne sont pas tant les guerres que nous regrettons, mais les jours enfuis où nous étions tous jeunes et liés par une indestructible amitié. Ne vous arrive-t-il jamais, Guenièvre, de rêver aux jours anciens ?

Les joues de Guenièvre s'empourprèrent et elle baissa la tête pour cacher son trouble. Oh oui, comme il lui arrivait souvent de pleurer ces temps bénis où Lancelot était là avec elle, ces temps bénis où ils s'étaient si ardemment aimés !

— Oui, vous avez raison, comme le temps passe ! murmura-t-elle à voix basse. Il m'arrive aussi de le déplorer...

Dans un mouvement de tendresse spontanée, Arthur lui prit la main et Guenièvre se sentit apaisée. Surmontant sa mélancolie, elle se força à s'intéresser au présent :

— Attendez-vous autant d'hôtes que l'année passée ?

— Hélas ! plusieurs de mes vieux compagnons ont disparu, et parmi les plus jeunes certains risquent d'être retenus loin de nous pour protéger leurs terres. J'espère cependant que Lancelot viendra. Maintenant que Pellinore n'est plus là, il règne à sa place en attendant que son fils ait l'âge d'être roi. Agravain quant à lui m'a déjà fait savoir que Morgause viendrait, mais j'ignore en revanche si Uriens pourra accomplir le déplacement. Il est encore solide, mais il se fait vieux ! Grâce au ciel, Morgane, à ses côtés, l'aide et le conseille.

— N'est-il pas anormal et choquant, remarqua alors la reine d'un ton pincé, de voir Morgause gouverner en Lothian et Morgane, derrière son mari, le royaume des Galles du Nord ? Les Saintes Écritures ne recommandent-elles pas aux femmes de se tenir effacées à l'ombre de leurs époux ?

— Ce sont les prêtres qui le prétendent. Rappelez-vous, Guenièvre, que chez nous et depuis des temps immémoriaux, les Dames exercent sans partage leur influence. Je ne suis pas seulement roi en tant que fils d'Uther Pendragon, mais parce que je suis celui d'Ygerne, fille elle-même de l'ancienne Dame du Lac. Mon cœur, ne l'oubliez jamais !

— J'avais cru comprendre, au contraire, que toutes ces balivernes étaient enterrées à jamais ! s'exclama Guenièvre sans chercher à cacher son dépit. Je croyais surtout que vous, Arthur, vous vous considériez maintenant comme un roi chrétien, et que vous aviez définitivement abandonné vos croyances anciennes.

— Mon rôle et mes convictions religieuses sont une chose, répliqua gravement Arthur, mais si les Tribus croient en moi, c'est parce que je porte à mon côté Excalibur. Si d'ailleurs j'ai survécu jusqu'ici à tous mes combats, c'est grâce à elle et à son indéniable pouvoir magique.

— Non, Arthur, si vous avez survécu à vos combats, c'est uniquement parce que Dieu vous a épargné afin de vous permettre de christianiser cette terre !

— Vous dites sans doute vrai, Guenièvre, mais l'heure n'en est pas encore venue partout. Les hommes du Lothian acceptent pleinement d'être gouvernés par Morgause, et Morgane est parfaitement reconnue en tant que reine des Galles du Nord. Sachez ainsi que je règne en fonction de ces réalités, et non pour complaire à l'évêque !

Comprenant qu'elle n'aurait pas ce matin-là gain de cause, Guenièvre conclut en se signant :

— Espérons qu'un jour les Saxons et les Tribus fléchiront le genou au pied de la croix et que, comme l'affirme l'évêque Patricius, le Christ sera seul monarque des chrétiens, que les rois et les reines ne seront plus alors que ses serviteurs sur la terre.

— Je serai volontiers le serviteur du Christ, Guenièvre, mais jamais celui des prêtres ! Et je souhaite que mon successeur, quel qu'il soit, sache, lui aussi, faire cette différence. A ce propos, si le fils aîné de Lancelot doit un jour monter sur le trône, j'aimerais beaucoup le voir élevé à la cour...

— J'en ai parlé à Élaine. Elle m'a répondu qu'elle souhaitait élever son fils comme le plus simple de ses sujets.

— Peut-être a-t-elle raison, approuva le monarque. Puis, se décidant soudain à évoquer un délicat sujet, il demanda non sans hésitation : je voudrais également connaître maintenant le fils de Morgane... Il doit avoir dix-sept ans... Bien sûr, il ne pourra me succéder. Les prêtres ne l'accepteront jamais. J'aimerais cependant, au moins une fois, le voir, lui parler...

Guenièvre réprima avec peine une soudaine colère.

— Laissons-le vivre là où il est, réussit-elle à articuler d'un ton glacial. Cela, je crois, est préférable pour nous tous.

Au moins, dans cette île aux sorcières, se réjouit-elle en elle-même, les rois chrétiens ne peuvent poser le pied. Mieux que partout ailleurs, ce fils du péché y reste donc en marge d'un éventuel retournement du sort.

— Là encore avez-vous sans doute raison, soupira Arthur. Il est toutefois bien pénible d'avoir un fils et de ne l'avoir jamais vu... Mais revenons pour l'heure, ma Dame, aux prochaines réjouissances des fêtes de la Pentecôte. Cette année, au nom de notre gloire temporelle et spirituelle, je veux qu'elles revêtent une importance et un éclat encore jamais atteints.

Un mois plus tard, Guenièvre contemplait du haut de sa fenêtre des centaines de bannières claquant au vent sur les pentes de Camelot. Selon la volonté royale exprimée maintes fois aux quatre coins du royaume, la plupart des souverains de la Grande Bretagne et des compagnons d'Arthur étaient fidèles au rendez-vous. Mais, où était Lancelot ? En vain cherchait-elle à discerner dans la houle bariolée des oriflammes l'étendard tant attendu du dragon blanc adopté par Pellinore après la mort du monstre. Oui, Lancelot aurait dû être là, Lancelot qu'elle n'avait pas revu depuis plus d'un an, Lancelot avec qui elle n'avait pu rester seule à seul depuis la veille de son mariage avec Élaine. Non, il n'avait pas trahi leur amour, il était prisonnier des sortilèges de Morgane, lui avait-il expliqué ce jour-là les larmes aux yeux. Et ces larmes avaient été pour elle le plus doux cadeau qu'elle eût jamais reçu de lui...

Guenièvre parcourut encore une fois la foule du regard et, toute désappointée de ne pas apercevoir la silhouette de Lancelot, elle décida de tromper son impatience en s'absorbant de son mieux dans ses devoirs de maîtresse de maison. Par la force des choses, surveiller donc deux bœufs entiers qui rôtissaient dans une arrière-cour, et d'innombrables pièces de gibier tournant sur des broches dans la grande cheminée, veiller à la préparation de centaines de miches de pain d'orge, vérifier des rangées de boisseaux d'amandes et de noisettes, s'assurer de la bonne cuisson des multiples pâtisseries qu'appréciaient tant les dames, penser aussi à trier les baies qui accompagneraient rôtis et civets, l'obligea, malgré elle, à oublier quelques heures durant ses intimes et lancinantes préoccupations. Tant et si bien que tout était fin prêt lorsque, vers midi, le long cortège des invités s'engouffra dans la grande salle. Chacun, selon son rang, prit alors place autour de la célèbre Table Ronde ou s'installa selon son gré et son ordre d'arrivée à l'une des nombreuses tables faites de simples planches dressées sur des tréteaux pour la circonstance.

L'un des premiers, Gauvain vint s'incliner devant le Haut Roi. A ses côtés, sa mère, Morgause, toujours aussi resplendissante, les cheveux nattés et ornés et bijoux scintillants, s'appuyait avec légèreté au bras d'un jeune homme que Guenièvre reconnut aussitôt : Lamorak, le fils de Pellinore. Ainsi la rumeur n'était pas sans fondement. Morgause, aux yeux de toute sa cour, avait jeté son dévolu sur lui. Partagée entre l'indignation et une secrète jalousie, Guenièvre ne put totalement surmonter son dépit. Morgause, elle, indifférente aux critiques, agissait à sa guise, sans chercher nullement à masquer ses sentiments, ni à tempérer en aucune façon l'attitude sans équivoque adoptée publiquement à son égard par son jeune chevalier servant.

Lamorak en effet n'avait d'yeux que pour elle et ne prêtait pas la moindre attention à celle qui, manifestement, surclassait par la beauté toutes les dames présentes, l'incomparable Isotta de Cornouailles qui faisait son entrée au bras du duc Marcus, son époux, de nombreuses années plus âgé qu'elle. Grande et mince, les cheveux plus brillants qu'une pièce de cuivre nouvellement frappée, parée de précieux bijoux d'or miroitant à son cou et à ses poignets, elle portait avec une grâce souveraine une longue et très soyeuse cape qui glissait sur le sol doucement derrière elle, les deux pans retenus par une petite fibule, elle aussi d'or massif, sertie de fines perles d'Irlande.

— Oui, elle est très belle, acquiesça Morgause qui avait suivi le regard de Guenièvre. On dit à la cour du roi Marcus qu'elle s'intéresse bien davantage à l'héritier du royaume, le jeune Drustan, qu'à son vénérable mari... Qui l'en blâmerait ? D'ailleurs, si par inadvertance elle donnait un enfant au vieux roi, celui-ci, sans doute, ne manquerait pas aussitôt de revendiquer la Cornouailles. Or Morgane la tient d'Ygerne et de Gorlois... Mais, au fait, où est donc notre petite fée ? Je ne l'ai pas encore vue.

— Elle est pourtant arrivée à Camelot avec Uriens, répondit Guenièvre ne sachant pas trop comment échapper aux éternelles médisances de Morgause.

Mais celle-ci reprenait déjà :

— Arthur aurait plutôt dû la marier en Cornouailles. Mais peut-être trouvait-il Marcus vraiment trop âgé pour elle. Que n'a-t-il pensé à ce jeune Drustan ?... Sa mère étant alliée à Ban de Bénoïc, il est donc un cousin éloigné de Lancelot. Guenièvre, ne le trouvez-vous pas presque aussi beau que lui, n'est-il pas vrai ? Oh, mais suis-je folle ! Vous si pieuse et si vertueuse, ne pouvez vous permettre de distraire vos pensées en dehors du mariage !

— Je vous rappelle que Morgane a épousé Uriens de son propre gré ! la coupa Guenièvre excédée. D'ailleurs, iriez-vous sous-entendre qu'Arthur a marié sa sœur chérie sans lui demander son avis ?

— Loin de moi une telle pensée ! Mais Morgane est si débordante de vie que je me demande parfois comment elle parvient à se contenter de la couche d'un vieillard, railla Morgause d'une voix acide. Il est vrai que si j'avais un beau-fils aussi séduisant qu'Accolon...

L'arrivée de Morgane accompagnée d'Uriens et de ses deux plus jeunes fils, mit un terme aux considérations de l'insatiable veuve. Le roi des Galles du Nord avait une requête à adresser à Arthur : accepterait-il de recevoir parmi ses chevaliers le jeune Uvain, qui brûlait de se joindre aux célèbres compagnons du Haut Roi ? Souriant, ce dernier demanda au jeune homme avec bienveillance :

— Quel âge as-tu, Uvain ?

— Quinze ans, mon seigneur et roi.

— Eh bien, c'est entendu : tu passeras cette nuit en prières auprès de tes armes et, demain, l'un de mes compagnons te fera chevalier.

— Me ferez-vous l'honneur de décerner moi-même ce titre à mon cousin, roi Arthur ? demanda alors Gauvain en s'approchant du monarque.

— Je te l'accorde, Gauvain ! Qui, mieux que toi, mériterait ce privilège ? Pour l'heure, faisons ensemble une place au jeune Uvain autour de notre Table Ronde.

Guenièvre avec un pincement au cœur entendit alors Morgane remercier Arthur, et lui expliquer qu'Uvain avait toujours été avec elle aussi attentionné et affectueux que s'il avait été son propre fils. Ainsi, cette sorcière, pensa-t-elle, a le front de se comporter comme si elle était vraiment la mère de deux enfants... alors que moi-même je n'en ai toujours pas.

Morgane, de son côté, apparemment occupée à servir son mari, ne pouvait ignorer les regards de haine que lui prodiguait Guenièvre avec insistance. Elle, pourtant, ne ressentait rien de tel à son égard et n'arrivait pas même à lui en vouloir d'avoir été l'instigatrice de son mariage avec Uriens, union qui en définitive, et de mystérieuse façon, lui avait permis de redevenir ce qu'elle n'aurait jamais dû cesser d'être : prêtresse d'Avalon. Son unique crainte actuellement était que sa liaison avec Accolon fût portée à la connaissance du vieux roi auquel elle ne voulait faire aucune peine. Aussi, elle et son amant devaient-ils se montrer très prudents, car Guenièvre n'hésiterait pas à provoquer un scandale si elle venait à apprendre la vérité.

Uriens d'ailleurs ne serait pas éternel, et elle se refusait à imaginer que son peuple serait assez stupide pour accepter un jour Avalloch comme souverain. Pouvait-elle d'autre part courir le risque de porter un enfant d'Accolon, et faire croire qu'Uriens en était le père ? Personne ne croirait sérieusement à cette paternité, mais elle persuaderait en tout cas aisément le vieux roi de sa fécondité, d'abord parce qu'il lui faisait confiance en toute chose, ensuite parce qu'il lui arrivait encore de partager sa couche trop souvent à son goût !

— Vous êtes si bonne pour moi, Morgane ! disait au même

instant le vieil homme auquel elle venait de soustraire une tranche de porc rôti à son assiette la jugeant trop riche pour lui.

En fait, Uriens était réellement persuadé que Morgane l'adorait, cette dernière multipliant les efforts et les attentions pour entretenir sa dévotion. C'est alors qu'apercevant Lancelot, elle marmonna quelques mots aimables à l'oreille du vieillard et s'éloigna prestement pour le rejoindre.

Sa sombre chevelure s'éclairait désormais de nombreux fils d'argent qui le rendaient peut-être plus séduisant encore, et dans ses yeux dansait toujours cette petite flamme qu'elle n'avait jamais vu briller dans le regard des autres hommes. La voyant venir à lui, il lui tendit les bras, l'embrassa affectueusement, caressa sa joue de sa barbe grisonnante et soyeuse.

— Comment va Élaine ? demanda Morgane aussitôt.

— Très bien, mais elle n'a pas pu venir jusqu'ici car elle a mis au monde une petite fille, il y a juste trois jours.

— Combien donc avez-vous d'enfants désormais, Lancelot ?

— Trois déjà... Galaad est un grand gaillard de sept ans, Nimue une fillette de cinq. Hélas ! je ne les vois pas souvent, mais on les dit tous les deux vifs et intelligents. Notre dernière fille s'appellera Guenièvre, comme la reine.

— Si vous le voulez bien, Lancelot, j'irai bientôt là-bas rendre visite à votre épouse.

— Elle en sera sûrement heureuse. Élaine se sent bien seule éloignée de ses anciens amis et vous serez la bienvenue.

De cela Morgane était moins sûre, mais c'était une affaire qui les concernait l'une et l'autre... Tendant l'oreille, un instant, vers le petit groupe que formaient Guenièvre, Isotta, Arthur, le duc Marcus de Cornouailles et son neveu Drustan, où l'on parlait musique, elle changea de conversation en posant à Lancelot une question sans conséquence :

— Kevin jouera-t-il de la harpe aujourd'hui ?

— Je ne l'ai pas encore vu, répondit Lancelot. La reine, je crois, ne l'aime guère : à ses yeux, sa foi chrétienne n'est pas assez affirmée à la cour de Camelot ! En revanche, Arthur, lui, l'apprécie hautement pour sa sagesse et ses talents musicaux.

— Et vous... Lancelot, êtes-vous devenu chrétien ?

— J'aimerais pouvoir vous dire oui, Morgane, soupira-t-il. Mais cette foi chrétienne me semble bien naïve : croire que le Christ est mort, une fois pour toutes, pour racheter nos fautes, non, ce n'est pas très sérieux. Ne sommes-nous pas les seuls responsables du mal que nous faisons ? Il m'est impossible de concevoir qu'un seul homme, même saint, puisse racheter l'ensemble des péchés commis par toute l'humanité depuis l'aube des temps jusqu'à la fin du monde. Non... Tout cela est invention fabriquée par les prêtres pour obliger les hommes à croire qu'ils détiennent les pouvoirs de Dieu et peuvent pardonner les péchés en son nom... Et pourtant, comme j'aimerais que tout cela soit vrai...

Morgane n'eut pas le temps de lui répondre car Lancelot venait de se précipiter à la rencontre d'un jeune homme qui s'avançait, les bras ouverts, prêt, semblait-il, à embrasser toute l'assistance.

— Gareth ! s'écria Lancelot dans un élan de joie. Toi aussi tu es venu des lointaines contrées du Nord ! Raconte-moi vite, parle, que deviens-tu ? Combien as-tu d'enfants ?

— Quatre fils ! intervint Caï, les yeux rieurs, administrant une claque fraternelle sur l'épaule de celui qui avait été autrefois son aide actif dans les cuisines du château. Quatre fils... car Dame Aliénor, telle les chattes sauvages, a eu la bonne idée de mettre des jumeaux au monde... Je vous salue, Morgane, vous êtes plus jeune que jamais !

— Caï, lorsque je vois Gareth père de quatre enfants, je me sens plus âgée que la terre elle-même ! soupira Morgane non sans coquetterie.

— Votre fils aîné, Gareth, doit avoir à peu près l'âge du mien, enchaîna Lancelot.

Mais Gareth ne répondit pas : tourné vers Morgane, il lui demandait des nouvelles de son frère adoptif, Gwydion.

— Je pense qu'il est à Avalon, mais je ne l'ai pas vu récemment, répondit-elle brièvement comme si cette question n'avait pour elle aucune importance.

Désirant alors s'éloigner, elle se heurta à Gauvain. Il était devenu gigantesque, avec des épaules si larges et si puissantes qu'on l'imaginait facilement saisir à bras-le-corps et jeter un taureau à terre. Le visage strié par d'innombrables petites cicatrices, il parlait avec animation avec Lionel, le frère de Lancelot, un homme élancé et vigoureux lui aussi, dont les vêtements frustes tranchaient étrangement au milieu de l'assemblée raffinée.

— Lionel, mon frère ! s'exclama gaiement Lancelot. Quelles nouvelles de ton brumeux royaume au-delà des mers ?

Lionel s'exprimait avec un accent si prononcé que Morgane eut quelque peine à saisir ses commentaires relatifs aux graves troubles que semblait connaître l'Armorique. Puis ils parlèrent de l'autre fils de Ban de Bénoïc, leur frère Bors :

— Je ne sais plus rien de lui depuis longtemps, fit remarquer Lancelot, sinon qu'il devait épouser la fille du roi Hoell.

— Oui... mais ce mariage est loin d'être conclu et...

Lionel ne put poursuivre. L'une des jeunes servantes de Guenièvre venait en effet, toute rougissante, avertir Lancelot que la reine désirait lui parler. Tournant aussitôt les talons, il la suivit avec une telle hâte que Lionel ne put s'empêcher de conclure en secouant la tête :

— Elle lève le petit doigt et il bondit comme un jeune étalon.

— Pourquoi s'en étonner ? plaida Gauvain en sa faveur. Il est son champion depuis son mariage avec Arthur. Quoi de plus naturel ? Regardez Isotta, la reine de Cornouailles. Elle est mariée au vieux duc Marcus, mais c'est Drustan qui compose ses ballades...

— Gauvain ! s'exclama Morgane, Isotta n'a nullement droit au titre de reine de Cornouailles. Il n'y en a qu'une ici, et c'est moi. Marcus ne règne qu'en mon nom. S'il ne l'a pas encore compris, je me chargerai bientôt de le lui rappeler !

La foule maintenant se faisait de plus en plus dense dans la haute salle du château, et Morgane, habituée au grand air et à la solitude de ses montagnes galloises, étouffait. Ressentant donc l'envie d'échapper quelques instants à cette oppressante affluence, elle se fraya un chemin jusqu'à la porte où elle se heurta presque à Kevin. Ne l'ayant pas revu depuis leur entrevue orageuse le jour de la mort de Viviane, Morgane préféra l'éviter. Mais celui-ci la rattrapa par le bras :

— Morgane, une fille d'Avalon peut-elle vraiment détourner les yeux lorsqu'elle croise le messager des dieux ?

— Soit ! Si vous me parlez au nom de la Déesse et de l'Ile Sacrée, je suis prête à vous écouter. Sinon... Comment oublierais-je que vous avez enterré Viviane selon les rites de la religion chrétienne et qu'à ce titre vous avez trahi notre foi !

— Comment osez-vous me parler ainsi, Morgane, vous qui régnez au côté du roi des Galles du Nord sans vous soucier de voir le trône sacré d'Avalon rester vide ?

Morgane baissa les yeux, ne pouvant nier le bien-fondé de son reproche :

— Eh bien, parlez, Kevin, la fille d'Avalon vous écoute...

— Morgane, vous êtes toujours belle, comme l'était Viviane.. Avalon a besoin de vous. Êtes-vous si attachée à votre vieil époux pour refuser de le quitter ? murmura-t-il pensivement après l'avoir un long moment, observée en silence.

— Non, mais là-bas aussi, j'œuvre pour la Déesse !

— Je le sais et je l'ai dit à Niniane. Néanmoins, pour le moment, Accolon n'est pas l'héritier de son père, et c'est son frère aîné Avalloch, sinistre pantin aux mains des prêtres, qui lui succèdera...

— Qu'insinuez-vous donc là et quel sombre dessein occupe votre esprit ? La disparition d'Avalloch ne servirait à rien : les Galles du Nord suivent maintenant la loi romaine, et Avalloch a un fils, le petit Ran...

— La vie d'un enfant est fragile, Morgane, ne vous en souvient-il pas ? répondit tout bas le barde. Un grand nombre d'entre eux ne parviennent jamais à l'adolescence.

— Je n'accepterai jamais de me prêter à de telles visées, Kevin, même pour Avalon. Faites-le savoir autour de vous, répliqua Morgane fermement.

— Vous vous en expliquerez vous-même à l'Ile Sacrée puisque vous avez décidé de vous y rendre après la Pentecôte.

Ainsi Kevin savait. Comment ? Pourquoi ? Décontenancée,

Morgane eut soudain l'impression d'avoir perdu toute liberté, d'être désormais pieds et poings liés, prisonnière de la volonté d'Avalon : sa vie, ses intentions, rien d'elle-même n'était là-bas inconnu. Tout était prévu, décidé en dehors de son consentement.

— Parlez clairement, Kevin, que voulez-vous me dire exactement ?

— Rien d'autre que cette vérité : votre place est toujours vide à Avalon et Niniane sait bien qu'elle ne peut encore assumer tous les pouvoirs... Morgane, j'ai beaucoup d'affection pour vous, et contrairement à ce que vous semblez croire, je ne suis pas un traître... Oubliez-vous que nous avons été heureux ensemble ? En souvenir de ces brefs instants, puisse la paix régner de nouveau entre nous !

Joignant le geste à la parole, il tendit ses mains tordues vers Morgane qui les saisit avec effusion, puis elle s'approcha de lui et l'embrassa en répétant :

— Au nom de la Déesse Sacrée, que la paix règne de nouveau entre nous, Kevin !

Au même instant, le barde eut un brusque mouvement de recul comme si Morgane, soudain, lui inspirait une irrépressible frayeur.

— Qu'avez-vous, Kevin ? Que craignez-vous de moi ? Je jure...

— Ne jurez pas, Morgane ! s'écria-t-il en levant la main pour l'empêcher de continuer, car vous risquez un jour d'être parjure. Qui d'entre nous peut savoir ce que la Déesse exigera demain de l'un des nôtres...

Retrouvant alors son calme, il s'inclina profondément devant elle et s'éloigna en boitillant sans ajouter un mot. Celle-ci, perplexe, le regarda partir, se demandant quelle étrange raison avait bien pu l'inciter à se conduire ainsi, quelles flammes soudaines venaient d'embraser sa conscience et l'effrayer à ce point.

Ne voulant surtout pas laisser croire qu'elle délaissait la fête, Morgane s'en revint vers Guenièvre, Morgause et Isotta qui continuaient à deviser à mots couverts non loin de la Table

Ronde. La belle amie du jeune Drustan leva vers la nouvelle venue un regard indolent et esquissa un vague sourire. D'immenses yeux bleu-vert plus lumineux que des turquoises animaient un visage de nacre aux traits sensibles et fins. Sensible à son mélancolique et fascinant rayonnement, Morgane ne put s'empêcher, malgré elle, d'éprouver pour la jeune femme une sympathie instinctive, en dépit du titre de reine de Cornouailles qu'elle portait indûment, et se mit à parler avec elle d'herbes potagères et de racines sauvages qui poussaient dans les environs de Tintagel et qu'elle affectionnait particulièrement. Arthur vint interrompre leur aparté et, après avoir échangé quelques paroles aimables avec leur entourage, s'adressa à Morgane :

— Ma sœur, auriez-vous la bonté de jouer et de chanter pour nous ? Il y a si longtemps que nous n'avons pas eu le plaisir d'entendre votre voix.

— Ma harpe est restée dans les Galles, s'excusa Morgane, mais peut-être Kevin, tout à l'heure, voudra-t-il bien me prêter la sienne. Pour l'instant, l'entrain des conversations rend difficile tout intermède musical. Lancelot lui aussi est un excellent interprète...

Sollicité aussitôt par le roi, le chevalier déclina à son tour l'invite prétextant qu'il n'avait pas joué depuis l'époque lointaine d'Avalon, et proposa plutôt qu'on écoute Drustan, doué, selon lui, d'un très réel et rare talent.

Un page ayant été dépêché à sa recherche, Drustan se présenta bientôt paré de toutes les grâces de la jeunesse et de la beauté. L'air viril, le maintien assuré, les yeux noirs et perçants, la chevelure sombre et ample harmonieusement rejetée en arrière sur la nuque, tout rappelait en lui à s'y méprendre la silhouette et l'attitude à la fois fragile et martiale de Lancelot. Prenant sa harpe, sans se faire davantage prier, il s'assit sur les marches menant au trône et entonna une ballade triste et grave des anciens temps, chantant des terres mystérieuses et lointaines englouties à jamais par l'océan. Drustan avait un don, c'était indéniable, et sans être sans doute aussi expert et brillant que Kevin, il faisait preuve d'une sensibilité communicative servie à merveille par une voix chaude et envoûtante.

— Comment vous portez-vous, ma sœur ? demanda discrètement Arthur tout en écoutant le jeune homme fredonner à mi-voix la nostalgique mélodie d'un refrain. Il y a trop longtemps que vous n'êtes venue à Camelot. Vous m'avez beaucoup manqué...

— Dois-je vraiment vous croire ? lui répondit ironiquement Morgane, ne quittant pas des yeux le chanteur. Il me semblait pourtant que vous m'aviez exilée dans les Galles du Nord afin de m'éloigner de la cour et de certaines personnes qui vous sont chères.

— Morgane, je vous en prie... vous savez l'attachement, l'affection que j'éprouve pour vous. Uriens m'a semblé simplement être un homme bon et digne de confiance.

— Je comprends, dit-elle à voix feutrée. C'est un époux idéal, suffisamment âgé pour être votre grand-père, ayant de plus l'avantage de vivre à l'autre bout du monde.

— Uriens, je le concède, n'est sans doute plus jeune, mais il ne sera pas éternel ! Je le pensais capable de ne pas vous déplaire. Là se trouvait ma seule préoccupation.

Comment, s'interrogea Morgane, un roi peut-il être si sage et si bon, et manquer à ce point d'intuition ? Mais peut-être est-ce là le secret de sa réussite : ne s'en tenir qu'à des vérités simples, au jour le jour, sans chercher plus loin. Sans doute est-ce la raison pour laquelle il a si facilement accepté le christianisme, une foi primaire et aisée à saisir, ne comportant que quelques prescriptions élémentaires.

— J'aimerais tant que chacun, autour de moi, soit heureux, reprit Arthur avec une sincérité qui la toucha au cœur.

Oui, elle le savait, ces paroles correspondaient à l'exacte vérité : Arthur souhaitait de toute son âme le bonheur de son peuple, jusqu'au dernier de ses sujets. Pour cette unique raison, il ne s'était pas opposé à l'amour de Guenièvre pour Lancelot. Pour cette unique raison, il ne l'avait pas répudiée, et s'était refusé à prendre une autre épouse susceptible de lui donner un fils, uniquement pour ne pas la meurtrir. Pour cette unique raison aussi il ne serait jamais non plus un roi autoritaire et implacable.

C'est pourquoi il allait falloir qu'elle, Morgane, se rende en personne en Cornouailles pour bien faire comprendre au duc Marcus qu'il n'était pas là-bas le véritable maître. Il ne faudrait pas pour autant heurter la langoureuse et douce Isotta, qui s'intéressait tant aux herbes et aux plantes médicinales, mais qui pour l'instant ne semblait préoccupée que de musique. Mais, était-ce bien de musique qu'il s'agissait, ou bien du musicien ?

Pourquoi donc tant de femmes cherchaient-elles l'amour en dehors du mariage ? Isotta ne quittait pas des yeux Drustan. Morgause cherchait sans cesse le regard de Lamorak... Quant à elle-même, elle soignait d'une main Uriens et caressait de l'autre Accolon... Pourquoi ? Bien sûr, toutes deux vivaient au côté d'un homme trop âgé, mais Guenièvre, elle, n'était-elle pas infidèle à un mari jeune et beau ? Dans la ronde sans fin de l'immense univers, le soleil était-il à jamais condamné à poursuivre sans cesse l'insaisissable clarté de la lune ?

Mais le silence s'étant de nouveau installé dans la salle, Morgane revint à la réalité : Drustan lui proposait aimablement de lui prêter sa harpe et de prendre la relève. Voyant son manque d'enthousiasme à s'exécuter, Arthur insista affectueusement :

— Morgane, je vous en prie, ne me privez pas de ce plaisir. Il y a si longtemps que vous n'avez pas chanté pour moi ! Votre voix est la plus douce que j'aie jamais entendue... Je me souviens encore de ces berceuses que vous chantiez pour m'endormir, quand j'étais tout petit, alors que vous-même n'étiez encore qu'une enfant ! Ces souvenirs sont à jamais gravés dans mon cœur.

Une fois encore la tristesse et le désenchantement pathétique d'Arthur bouleversèrent Morgane, qui sentit vibrer en elle les fibres d'un attachement dont elle n'avait sans doute pas encore mesuré la profondeur. Pour Arthur elle avait à la fois le visage de la Déesse, celui de la mère, et celui de la sœur, et c'était sûrement la raison pour laquelle Guenièvre acceptait si mal sa présence.

Ne pouvant donc se dérober davantage devant une telle prière, elle prit la harpe de Drustan, l'appuya à son épaule, laissa errer ses doigts sur les cordes au gré de son inspiration. Si forte fut bientôt l'attention de toute l'assistance fascinée par la magie de ses accords qu'il fallut plusieurs sonneries de trompe retentissant à l'extérieur pour tirer l'auditoire de son hypnose. Dehors, en effet, montaient jusqu'aux murailles des cris, des hennissements, des bruits de bottes d'une troupe en armes. Lancelot d'ailleurs et Caï n'eurent pas même le temps de s'élancer que, déjà, quatre cavaliers faisaient irruption dans la salle, le bouclier au bras, l'épée au poing.

En dépit des protestations de Caï, s'élevant avec véhémence contre une telle intrusion, leur rappelant vertement l'interdiction de porter des armes devant le trône du Haut Roi en ce jour de la Pentecôte, rien ne parut d'abord entamer la détermination des étrangers. Coiffés de casques romains, revêtus de courtes tuniques militaires et d'une armure recouverte d'une cape rouge, ils paraissaient des vétérans farouches subitement surgis d'un très lointain passé.

— Arthur, Duc de Grande Bretagne, cria l'un d'eux en s'adressant au roi, nous sommes porteurs d'un message de Lucius, empereur de Rome !

— Je ne suis pas Duc, mais Haut Roi de Grande Bretagne, répliqua Arthur faisant un pas en direction de son interlocuteur. Qui est l'empereur Lucius ? Rome serait-elle tombée aux mains des barbares, ou dans celles d'un imposteur ? Vous avez de la chance, car je n'ai pas l'habitude de tuer un chien en dépit de l'impertinence de son maître. Ainsi puis-je vous autoriser à délivrer votre message.

— Seigneur, je suis Castor, centurion de la légion Valeria Victrix, reprit l'homme. Les légions se sont rassemblées de nouveau en Gaule, sous la bannière de Lucius Valerius, empereur de Rome, qui m'a chargé de vous dire ceci.

Le légionnaire déroula alors un parchemin et lut d'une voix monocorde : « Arthur, Duc de Grande Bretagne, est autorisé à continuer à gouverner sous ce titre, à condition de faire parvenir à l'empereur de Rome dans un délai de six semaines un tribut impérial déterminé comme suit : quarante onces d'or, deux douzaines de belles et grosses perles, trois chariots de minerais de fer, de plomb et d'étain, cent mesures de la meilleure laine, cent esclaves... »

— Roi Arthur ! clama alors Lancelot interrompant l'insolente injonction, laisse-moi imposer silence à cet impudent messager et le renvoyer comme il convient à son maître pour lui dire que s'il veut ce tribut, il lui faudra lui-même venir le chercher !

— Gardons notre sang-froid, Lancelot ! ordonna calmement le roi, sans quitter des yeux le légionnaire qui venait de tirer son épée du fourreau. Laisse-moi faire comme je l'entends...

Puis il se tourna vers l'homme et lui dit :

— Aucune arme n'est autorisée à ma cour en ce jour saint. Je n'attends d'ailleurs nullement d'un barbare venu de Gaule, qu'il connaisse les règles d'un pays civilisé. Néanmoins je vous engage à rentrer cette épée sur-le-champ, sinon Lancelot et tous mes chevaliers vont s'en charger séance tenante ! Il me déplairait de voir le sang éclabousser mon trône en ce grand jour de fête.

Comprenant que toute résistance était inutile, le messager remit son épée au fourreau en serrant les dents, et continua plus calmement :

— Duc Arthur, j'ai moi aussi reçu l'ordre de ne pas verser inutilement le sang. C'est pourquoi je vous demande simplement votre réponse.

— Vous n'en aurez aucune si vous vous obstinez, sur mes propres terres, à ne pas me donner mon véritable titre. Mais trêve de discours ! Dites donc à Lucius qu'Uther Pendragon a succédé à Ambrosius Aurélianus, alors qu'aucun Romain ne se souciait de venir à notre aide dans la lutte sanglante qui nous opposait aux Saxons. Dites-lui que moi, Arthur, j'ai succédé à mon père Uther, et que mon neveu Galaad sera après moi Haut Roi de Grande Bretagne. Personne n'a plus le droit de prétendre désormais à la pourpre impériale. Aux yeux de mon pays, l'Empire romain n'existe plus. Si Lucius désire gouverner dans sa Gaule natale, et si son peuple l'accepte comme roi, peu m'importe, qu'il agisse à sa guise. Mais ici je suis le maître ! Malheur à celui qui oserait fouler la moindre parcelle de la Grande Bretagne ou de l'Armorique. Son seul tribut serait alors quelques milliers de flèches pour clouer au sol tous envahisseurs présomptueux.

— L'empereur s'attendait à votre aveuglement, maugréa le soldat en baissant le ton, aussi m'a-t-il chargé d'ajouter cette dernière mise en garde : la majeure partie de l'Armorique est déjà entre ses mains, et Bors, le fils du roi Ban de Benoïc, est prisonnier en son propre château. Lorsqu'il aura entièrement soumis ses terres, l'empereur Lucius cinglera vers les îles de la Grande Bretagne pour la réduire par la force, comme l'a fait jadis l'empereur Claude avant lui. Nous verrons bien alors si tous vos chevaliers, roitelets et vassaux barbouillés de guède seront capables de défendre leur royaume et vous-même !

— C'en est assez ! Allez dire à celui qui vous envoie que la pointe de mon épée l'atteindra au cœur s'il ose aborder mes rivages. Dites-lui aussi qu'il se garde de toucher à un seul cheveu de la tête de Bors. Lancelot et Lionel, ses propres frères, vont partir à la tête d'une armée, ils écraseront ses troupes et le mettront à mort avant d'accrocher sa dépouille à la plus haute branche d'un arbre. Disparaissez de ma vue maintenant, et qu'autour de moi, chacun reste à sa place. La vie d'un messager est sacrée !

Un silence consterné suivit le départ des légionnaires qui quittèrent la salle dans un cliquetis d'armes et un sourd martèlement de bottes. Arthur leva alors la main pour contenir l'indignation de ses guerriers :

— Les tournois prévus pour les fêtes de Pentecôte sont annulés, dit-il calmement. Mes compagnons, aux armes ! Des joutes beaucoup plus grandes nous attendent. Soyez prêts à partir demain à l'aube ! Que Caï se charge des vivres. Quant à toi, Lancelot, plutôt que de garder Camelot et la reine, puisque ton frère est prisonnier en Armorique, je pense que tu préfères combattre à nos côtés. Avant notre départ sera célébrée une messe pour tous ceux d'entre vous qui désirent être absous de leurs péchés avant d'affronter l'ennemi. Pour toi, Uvain, voici donc, bien plus tôt que prévu, l'occasion de marcher au-devant de la gloire. Il ne s'agit plus de lices maintenant mais d'un véritable champ de bataille. Tu chevaucheras à mes côtés sans jamais me quitter, prêt à faire face à toute éventuelle trahison, surtout à celles qui vous frappent dans le dos !

Cramoisi de fierté, les yeux étincelants d'orgueil et d'enthousiasme, Uvain s'inclina en silence devant le roi qui, imperturbable, continuait à donner ses ordres :

— Uriens, mon beau-frère, je vous confie la reine... Demeurez à Camelot et veillez bien sur elle jusqu'à notre retour. Guenièvre, ma très chère épouse, acheva-t-il enfin en s'adressant à la souveraine, veuillez me pardonner de vous quitter si promptement. Hélas ! de nouveau, la guerre est à nos portes !

Au bord des larmes, très pâle, Guenièvre se contenta de murmurer d'une voix tremblante :

— Mon seigneur et mon roi, que Dieu vous garde en sa sainte protection !

— Gauvain, Lionel, Gareth, à moi mes valeureux amis ! Que vive par vous et tous nos combattants la terre invincible et éternelle de nos aïeux !

Alors Lancelot gravement s'approcha de Guenièvre, et lui demanda de le bénir. Un instant, cherchant à maîtriser son émotion, la reine resta de marbre, puis soudain comme si le sol se dérobait sous elle, indifférente aux regards de toute l'assemblée qui convergeaient sur elle, elle s'effondra en larmes dans ses bras. Longtemps, le visage enfoui dans l'épaule de Lancelot, elle donna libre cours à son désarroi, et nul, jamais, ne sut ce qu'ils se chuchotèrent à voix basse.

Enfin, s'arrachant à son étreinte, Lancelot se tourna vers Morgane :

— Je me réjouis de savoir que vous serez bientôt auprès d'Élaine. Dites-lui, dites-lui bien ma tendresse. Expliquez-lui aussi que j'ai dû voler au secours de mon frère en danger. Que le Seigneur la protège, elle et mes enfants ! Qu'Il vous bénisse aussi, Morgane, même s'il vous arrive parfois de refuser sa bénédiction !

Effleurant alors sa joue du bout des lèvres, Lancelot se redressa d'un air décidé, et comme s'il craignait de voir s'évanouir soudain ses forces et sa résolution en regardant la reine, il quitta précipitamment la salle sans se retourner et se perdit aussitôt dans les rangs de plus en plus compacts des hommes d'armes.

IX

XI

Morgane ralentit sa monture. Il fallait en effet la ménager si elle désirait parvenir sans encombre au terme du long voyage qui l'attendait. C'est donc d'une allure paisible qu'elle prit la route du Nord en empruntant la vieille voie romaine.

Quatre jours plus tard, le château de Pellinore était en vue. Ne restait qu'à longer les rives marécageuses du lac qui n'était plus hanté par la présence menaçante d'aucun dragon, pour parvenir à la demeure seigneuriale que Pellinore avait offerte à Élaine en cadeau de mariage. En fait, celle-ci ressemblait davantage à une grande villa qu'à un véritable château. De vastes prairies l'entouraient, gardées par d'imposants troupeaux d'oies qui se dandinaient à l'envi, revêches et jacassantes. Face à de telles sentinelles il était donc tout à fait futile d'imaginer une approche discrète et de surprendre ses hôtes.

— Je suis Dame Morgane, femme du roi Uriens des Galles du Nord, annonça-t-elle à plusieurs serviteurs venus à sa rencontre. J'ai pour ma cousine un message à transmettre de la part de votre maître Lancelot !

Ayant été courtoisement invitée à se rafraîchir quelques

instants dans une antichambre pour se remettre des fatigues de la route, Morgane parfaitement reposée gagna la grande salle où brûlait un feu vif dans l'âtre. Sur une table avaient été préparés à son intention quelques galettes d'avoine, du miel et du vin, auxquels elle fit très largement honneur. Comme elle achevait de se restaurer en attendant Élaine, un petit garçon fit son entrée. Il était blond, avec de grands yeux bleus, et une multitude de petites taches de rousseur sur un visage ouvert et rieur. Elle le reconnut aussitôt : c'était Galaad.

— Êtes-vous Dame Morgane, celle que l'on appelle Morgane la Fée ? demanda-t-il aussitôt après s'être assuré qu'ils étaient seuls.

— Oui, c'est moi, et je suis aussi ta cousine, Galaad !

— Êtes-vous vraiment sorcière pour connaître mon nom ? questionna-t-il d'un air comique et soupçonneux.

— Non, pas tout à fait. Si on m'appelle parfois ainsi, c'est uniquement parce que j'appartiens à l'ancienne lignée royale d'Avalon. Oui, j'ai été élevée là-bas, dans l'Ile Sacrée. Quant à ton nom, je le connais, depuis longtemps, et je savais que c'était toi car tu ressembles beaucoup à ta mère, qui est ma cousine.

— Mon père aussi s'appelle Galaad ! claironna fièrement le petit homme et les Saxons le nomment « Flèche-des-Fées » !

— Je suis justement venue pour vous apporter de ses nouvelles, reprit Morgane amusée par la vivacité de son jeune interlocuteur, et...

Mais la conversation s'interrompit. Élaine en effet venait d'entrer et tendait les bras à la nouvelle venue. Sa taille s'était quelque peu alourdie à la suite de ses trois maternités, mais elle avait toujours les mêmes cheveux d'or, la même expression de douceur. Elle embrassa Morgane avec naturel et grâce comme si elle l'avait quittée la veille.

— Je vois que vous avez déjà fait connaissance avec mon fils ! dit-elle affectueusement. Nimue est dans sa chambre. Elle est punie car elle a été très impertinente avec son précepteur, le père Griffin. Quant à Guenièvre, la petite dernière, elle dort pour le moment. Mais, dites-moi, Morgane, vous arrivez bien de Camelot ? Pourquoi Lancelot ne vous accompagne-t-il pas ?

— Il est parti en Armorique avec Arthur et son armée pour délivrer son frère Bors assiégé dans sa propre forteresse par les légions d'un aventurier qui se prétend empereur de Rome

Toute remuée par la nouvelle, les yeux d'Élaine s'embuèrent de larmes, ceux de son fils Galaad s'animant d'une fiévreuse excitation.

— Quand je serai grand, s'écria-t-il, moi aussi, je galoperai avec les chevaliers du roi Arthur, et je tuerai tous les Saxons, et l'empereur aussi...

Désirant davantage d'explications, Élaine mit rapidement un terme à l'exaltation du bambin, lui rappelant que le père Griffin l'attendait pour sa leçon quotidienne. Restée seule à seule avec Morgane, elle se tourna vers elle avec anxiété.

— Morgane, comment allait mon cher seigneur lorsque vous l'avez quitté ? Pour la première fois depuis notre mariage, il était resté avec moi plus de huit jours avant de rejoindre Camelot pour la Pentecôte.

— Mais, Élaine, maintenant vous n'êtes plus enceinte.

— Heureusement, non ! Guenièvre est née quelques jours avant son départ... Morgane, pardonnez-moi, mais je voudrais aujourd'hui vous poser une question. Dites-moi... dites-moi, je vous en prie, Lancelot a-t-il été autrefois votre amant et vous êtes-vous tous les deux aimés ?

— Mais non, Élaine ! la rassura Morgane d'une voix douce. Il fut un temps, c'est vrai, où je l'ai désiré, mais rien ne s'est finalement passé entre nous. Ainsi nous ne nous sommes jamais aimés au sens où vous l'entendez.

Retenant sa respiration, les yeux fixés sur un très bel éclat de verre bleu enchâssé dans la muraille probablement depuis l'époque romaine, Élaine écoutait sa cousine. Son aveu terminé, elle tourna son visage vers Morgane et demanda dans un souffle :

— Dites-moi encore... A Camelot, à l'occasion des fêtes de la Pentecôte, a-t-il vu la reine ?

— Bien sûr, comme tous les invités, répondit évasivement Morgane.

— Je vous en prie, Morgane, vous savez parfaitement ce que je veux dire...

Ainsi, malgré son mariage, malgré ses trois enfants, malgré l'attitude irréprochable de Lancelot, sa jalousie n'était pas éteinte, son inquiétude toujours présente.

— Élaine, que faut-il donc vous dire ? Lancelot, il est vrai, a parlé avec la reine, il l'a même embrassée avant de partir au combat. Mais devant toute la cour réunie, je vous jure qu'il l'a tenue dans ses bras comme l'aurait fait n'importe quel parent, et non comme un amant. Ils se connaissent depuis si longtemps, et ne peuvent oublier si vite qu'ils se sont autrefois aimés. Faut-il leur en vouloir ? Une chose en tout cas est certaine. Je puis vous assurer qu'aujourd'hui c'est vous, vous seule, Élaine, que Lancelot honore et respecte.

— Rassurez-vous, Morgane, n'ai-je pas juré de ne jamais me plaindre si je devenais sa femme un jour ? murmura bravement la jeune femme. Puis, elle ajouta pensivement : vous qui avez connu beaucoup d'hommes dans votre vie, Morgane, avez-vous réellement rencontré l'amour ?

Ne pouvant esquiver une si pressante interrogation, Morgane, à ces mots, sentit remonter en elle de très anciennes et violentes tempêtes : celle qui l'avait si ardemment jetée dans les bras de Lancelot, un jour, au sommet du Tor, toutes celles qui l'avaient irrésistiblement attirée dans des bras, vers des corps, comme celui d'Accolon qui venait de lui faire recouvrer sa vraie féminité, elle qui se croyait définitivement perdue aux forces primordiales de la vie...

— Oui, Élaine, oui, j'ai connu l'amour, j'ai connu ses vertiges et ses désespérances... lui souffla-t-elle d'une voix presque inaudible.

Mais pouvait-elle, avait-elle le droit, de lui en confier les affres et les transports ? Le secret, le silence, n'étaient-ils pas la loi suprême imposée à toutes les prêtresses de l'île d'Avalon. Changeant donc délibérément le cours de leur conversation,

Morgane préféra, au risque de brusquer un peu la jeune femme, en venir tout de suite au véritable but de son voyage :

— Élaine, il y a une chose importante qu'il nous faut avant tout évoquer. Rappelez-vous le jour où vous m'avez promis que si je vous aidais à conquérir Lancelot, vous me donneriez en échange pour Avalon votre première fille. Or, Nimue a maintenant cinq ans, elle est en âge donc d'être élevée à l'Ile Sacrée... Je pars demain. Le moment est venu pour vous de me la confier.

— Non ! cria Élaine, d'une voix étranglée. Non ! Morgane, vous ne pouvez pas ! C'est impossible !

— Élaine... vous m'avez juré ! répliqua fermement Morgane, un serment ne peut se renier.

— Je ne savais pas ce que je disais... Je n'imaginais pas ! Oh, je vous en supplie, Morgane, ne faites pas cela, ne m'arrachez pas mon enfant. C'est ma fille... elle est encore si jeune !

— Élaine, il n'est plus temps ! Vous avez juré.

— Et si je refuse ? s'insurgea-t-elle, toutes griffes dehors, telle une chatte défendant férocement sa portée de chatons en péril.

— Si vous refusez, Élaine, je dirai tout à Lancelot dès son retour : comment s'est fait votre mariage, comment vous m'avez suppliée de lui jeter un sort pour qu'il se détourne de Guenièvre... Alors, lui qui vous croit jusqu'à maintenant l'innocente victime de mes sortilèges et ne blâme que moi, saura la vérité !

— Non ! Vous ne pouvez pas, supplia Élaine, devenue livide.

— Élaine, poursuivit Morgane implacable, j'ignore ce que représente un serment aux yeux des chrétiens, mais pour une prêtresse d'Avalon c'est un irréversible engagement. J'ai bien voulu attendre que vous ayez une autre fille avant de vous rappeler votre parole, mais maintenant Nimue est mienne, par la foi donnée.

— Mais justement, elle est... c'est une enfant chrétienne... Elle ne peut pas. Comment pourrai-je la laisser partir vers un monde sacrilège et païen ?

— Depuis que vous me connaissez, Élaine, m'avez-vous vue,

une seule fois, agir de manière répréhensible ? Je ne vais pas aller la jeter toute crue dans la gueule d'un dragon !

— Mais, Morgane, que va-t-il lui arriver là-bas ? Comment sera-t-elle traitée ? interrogea Élaine avec tant de crainte que Morgane réalisa à quel point sa cousine ignorait tout des prêtresses, des druides, de la vie sur l'Ile Sacrée.

— Elle y sera élevée en prêtresse et initiée à la sagesse d'Avalon pour pouvoir un jour lire dans les étoiles et connaître les secrets de l'univers, expliqua sereinement Morgane. Ne craignez rien : là-bas, à Avalon, la vie sera douce pour elle, bien plus douce et plus vraie que celle d'un couvent à laquelle vous l'auriez peut-être destinée !

— Mais, que dirai-je à Lancelot ?

— La vérité. Que vous l'avez envoyée pour être élevée sous ma protection à Avalon, là où une place l'attend depuis toujours.

— Et que vont dire les prêtres lorsqu'ils sauront que j'ai laissé partir ma fille pour être élevée dans une île qu'ils maudissent ?

— Peu importe ce qu'ils diront ! Élaine, vous avez juré de me donner Nimue, vous ne pouvez plus revenir en arrière sous peine d'encourir la malédiction d'Avalon !

— Morgane, êtes-vous sans pitié ? Donnez-moi au moins quelques jours de répit pour nous préparer l'une et l'autre.

— Il n'est pas nécessaire. Je me charge de tout. Seuls quelques vêtements chauds pour le voyage suffiront. Là-bas, elle n'aura besoin de rien. Nous pourvoirons à tout. Mais ne craignez rien, Élaine, votre inquiétude est sans objet, je vous le jure, ajouta-t-elle affectueusement. Votre fille sera traitée avec amour et respect comme doit l'être et le sera toujours la petite-fille de la Haute Prêtresse Viviane. Vous pouvez vous en remettre à moi. Elle sera heureuse, très heureuse sur la terre sacrée d'Avalon.

— Heureuse ? Avec des sorcières, avec le diable...

— Élaine, je vous en prie, ne prononcez pas des paroles vides de signification. Moi-même, je vous le dis, ai été comblée à Avalon. Depuis que j'ai quitté l'Ile Sacrée, il ne s'est pas passé un jour sans que je souhaite ardemment y retourner. M'avez-vous jamais entendue mentir ? Allons, Élaine, faites-moi confiance et appelez l'enfant !

Un peu rassérénée, Élaine comprit qu'elle ne pouvait se dérober davantage. Elle tenta néanmoins une dernière esquive.

— Je lui ai défendu de quitter sa chambre jusqu'à ce soir en raison de son insolence avec le prêtre qui la fait travailler...

— Qu'à cela ne tienne ! Je lève la punition en l'honneur de son départ, décréta Morgane d'un ton sans réplique. C'est à moi maintenant de veiller sur la conduite de Nimue.

Dès le soleil levant elles se mirent en route le lendemain. Nimue avait sangloté en quittant sa mère, mais ses pleurs cessèrent bientôt et elle ne tarda pas à prêter une vive attention à la route et au paysage. Elle était grande pour son âge, et ressemblait moins à Viviane qu'à Morgause dont elle avait les cheveux d'or cuivré qui vireraient sans doute avec l'âge au roux. Quant à ses yeux pétillants d'intelligence, ils avaient la couleur des violettes des bois.

Toutes deux n'avaient mangé que très légèrement avant de partir ; aussi, vers midi, Morgane proposa-t-elle à la petite fille de faire halte pour se restaurer un peu. A peine la gamine avait-elle mis pied à terre qu'elle se tourna vers sa tante l'air tout confus :

— Est-ce que je peux ?... J'ai très très envie...

— Évidemment ! Cours derrière cet arbre, Nimue. Il n'y a pas lieu de s'embarrasser des choses naturelles.

— Le père Griffin dit qu'il ne faut jamais parler de cela...

— Ne me parle jamais plus de ce que le père Griffin a pu te dire, ou non ; tout ceci appartient désormais au passé, répondit Morgane avec toute la douceur possible à l'enfant pressée avant tout d'aller s'isoler.

— Je viens de voir quelqu'un de tout petit qui me regardait à travers les arbres ! s'exclama la fillette tout étonnée en revenant vers elle. Était-ce une fée ?

— Non ! C'est sûrement un être du Vieux Peuple aussi réel que toi et moi. Mais il vaut mieux n'y pas faire trop allusion devant eux, Nimue, car ils sont très timides, et ont peur des hommes qui vivent dans les villages.

— Où habitent-ils alors ?

— Dans les collines et les forêts. Ils ne supportent pas de voir la terre, leur Mère nourricière, blessée par la charrue et contrainte de leur livrer autre chose que ce qu'ils peuvent trouver à portée de leurs mains sur le sol et dans les bois.

— Mais, comment vivre sans labourer et moissonner ?

— En mangeant tout ce que la nature offre en toutes saisons : racines, baies, plantes, fruits sauvages, champignons, graines, fèves, pousses de toutes sortes, viandes et gibiers uniquement pour les grandes occasions. Mais, comme je viens de te le dire, n'insistons pas trop en leur présence. Ils nous épient sans doute et sont tellement farouches ! En revanche, laisse-leur, si tu veux, un peu de pain au bord de la clairière. Nous en avons largement pour nous deux.

Prenant des mains de sa tante une large tranche de pain, Nimue alla la déposer bien en évidence en bordure de la forêt. Élaine, en effet, leur avait donné des vivres pour dix jours au moins, et le voyage serait beaucoup plus bref. Puis la petite fille croqua à pleines dents deux énormes tartines de miel d'un pain croustillant dont elle raffolait.

Il sera toujours temps de lui apprendre à dominer son appétit lorsqu'elle sera à l'Ile Sacrée, pensa Morgane s'amusant de sa gourmande voracité. Ne lui imposons pas trop tôt un régime qui risque d'entraver sa croissance.

— Vous ne mangez pas beaucoup, questionna l'enfant, paraissant déjà tout à fait à l'aise avec sa tante. Est-ce votre jour de jeûne ?

La voyant si curieuse de tout, Morgane se remémora soudain la façon dont elle-même avait harcelé Viviane en arrivant à Avalon. Aussi expliqua-t-elle avec la plus grande complaisance les raisons de sa frugalité :

— Je mange très peu. Les prêtresses doivent savoir subsister avec très peu de choses. Mais toi, à ton âge, tu peux manger ce que tu veux.

— Le père Griffin dit que les hommes et les femmes doivent jeûner pour se faire pardonner leurs péchés.

— Le peuple d'Avalon, lui aussi, jeûne parfois, mais pour d'autres raisons. Pour apprendre surtout au corps à obéir à la volonté de l'esprit. Il n'est pas possible, en effet, de méditer, d'entrer en communication avec les grandes forces de la nature, d'essayer de comprendre les mystères de l'univers, avec un corps esclave des nourritures terrestres. Il faut lui apprendre à se taire, à respecter les exigences de l'esprit. Me comprends-tu ?

— Non, pas très bien ! avoua Nimue en fronçant le nez comiquement.

— Ce n'est pas grave, pour l'instant. Tu auras très bientôt le temps d'apprendre et de comprendre... En attendant, finis vite ta tartine et en route !

— Savez-vous pourquoi le père Griffin m'a punie ? demanda-t-elle la bouche pleine. Parce que je ne suis pas sage. Il dit que je fais tout le temps des péchés !

— Oublie tout cela, Nimue. C'est désormais sans importance. Les enfants ne font pas de péchés. Nous en reparlerons plus tard lorsque tu sauras faire la différence entre le bien et le mal.

— Si, je fais des péchés ! C'est pour ça que ma mère s'est séparée de moi et m'a envoyée dans un endroit terrible : parce que je suis terrible...

A ces mots, comprenant le poids de sa propre responsabilité, Morgane sentit son cœur se serrer et, au lieu de se hisser sur son cheval comme elle était sur le point de le faire, elle s'approcha du poney de l'enfant et la prit dans ses bras :

— Ne répète jamais ces mots, Nimue, murmura-t-elle, jamais. Ce n'est pas vrai ! Je te jure que ta mère n'a pas cherché à se débarrasser de toi. Avalon n'est pas du tout l'endroit terrible que tu crois.

— Pourquoi alors vais-je là-bas ? insista la petite fille au bord des larmes.

— Parce que tu as été promise à Avalon avant même ta naissance, répondit Morgane la serrant à nouveau affectueusement contre elle. Parce que la mère de ton père était Haute Prêtresse de l'Ile Sacrée et que je n'ai pas eu la fille que je destinais à la Déesse. Mon enfant, tu vas à Avalon pour y apprendre l'ancienne sagesse du Vieux Peuple, et servir celle qui est notre Mère à tous. Mais, qui donc a pu te faire croire que tu partais par punition ?

— J'ai entendu une suivante de ma mère qui préparait mes affaires dire avant notre départ qu'il était honteux de me laisser partir dans cet endroit horrible... et comme le père Griffin n'arrête pas de me répéter que je suis horrible...

— Non, ma Nimue, non, tu n'es pas horrible ! la rassura Morgane en embrassant le petit front inquiet. Peut-être es-tu parfois un peu gourmande, paresseuse, ou désobéissante, mais ce n'est pas un péché grave... C'est seulement la preuve que tu es trop jeune encore pour savoir reconnaître le bien du mal. En attendant, acheva-t-elle, car la conversation prenait à son goût un tour vraiment trop rébarbatif pour des oreilles si neuves, en attendant, regarde plutôt cet extraordinaire papillon : en as-tu jamais vu de semblable ?

L'enfant, comme elle l'avait prévu, concentra dès lors toute son attention sur la faune bigarrée et les innombrables insectes qui virevoltaient sur leur chemin, et il ne fut pas question d'autre chose jusqu'au moment où elles s'arrêtèrent de nouveau, à la tombée de la nuit. Nimue, qui n'avait jamais dormi hors de sa chambre, jeta, l'ombre venue, des regards si craintifs au-delà du cercle de lumière dessiné par le feu que Morgane avait allumé, que cette dernière lui proposa aussitôt de venir s'allonger auprès d'elle et de s'endormir en essayant de compter les étoiles.

Quelques minutes plus tard, en effet, l'enfant ayant sombré dans un sommeil profond, Morgane se retrouva seule au cœur de la nuit, songeant non sans angoisse aux multiples difficultés qui l'attendaient maintenant. Kevin lui avait bien proposé de l'accompagner, et elle avait été tentée d'accepter tant était grande sa crainte de ne pas retrouver la route secrète d'Avalon... Allait-elle savoir appeler la barge, n'allait-elle pas se perdre à nouveau, et peut-être cette fois irrémédiablement, au Pays des Fées ? En fait, elle avait décliné l'offre du barde, uniquement parce qu'elle savait qu'il lui fallait tenter seule l'épreuve, la même qu'elle avait dû subir jadis pour revenir par ses propres moyens dans l'Ile.

Sa faute impardonnable avait été de demeurer si longtemps absente. Que n'était-elle revenue après la mort de Viviane, même au risque qu'on ne l'accepte pas ? Allait-on d'ailleurs davantage l'accueillir maintenant que les années avaient passé, alors qu'elle était de plus en plus lasse et usée, abandonnée par le Don ? Grâce aux dieux, elle ne venait heureusement pas seule, et peut-être la présence de la petite-fille de Viviane allait-elle enfin favoriser son retour et son destin.

Tard dans la nuit elle s'endormit et quand elle s'éveilla aux premiers rayons d'un soleil blafard qui perçaient difficilement la brume, elle frissonna de froid bien que l'on fût encore en plein été. Nimue s'éveilla à son tour et commença à pleurer en réclamant sa mère. Morgane un instant eut envie de la prendre dans ses bras, mais elle retint son geste cette fois : l'enfant devait peu à peu commencer son apprentissage de prêtresse, et la première étape avait pour nom « solitude ». Elle pleurerait donc, puis cesserait de pleurer, comme l'avaient, avant elle, fait toutes les pensionnaires de la Maison des Vierges. L'ayant distraite par l'absorption d'une rapide collation, toutes deux reprirent sans tarder la route serpentant dans une bruine qui commençait à tomber avec entêtement.

A la mi-journée le ciel était toujours aussi chargé et l'horizon tristement noyé dans une écharpe de brume. Mais les jours étant longs à cette époque de l'année, Morgane, qui ne voulait pas passer une seconde nuit à la belle étoile, décida de forcer l'allure. Nimue, d'ailleurs, avait retrouvé son insouciance enfantine, et s'intéressait de nouveau à chaque détail du paysage. Cependant, sur le soir, sa voix ayant faibli, puis s'étant tue complètement, s'étant endormie, affaissée sur le pommeau de sa selle, Morgane l'installa délicatement devant elle sur son propre cheval. Libéré de sa légère cavalière, le poney se mit docilement à trottiner derrière elle et elle termina ainsi le voyage, chevauchant calmement dans la nuit, le petit être fragile qu'elle allait remettre à la Déesse blotti contre son cœur.

— Nous sommes arrivées ? demanda Nimue ouvrant les yeux dans un demi-sommeil, lorsqu'elles eurent atteint les rives du lac.

— Pas tout à fait. Mais bientôt, si tout va bien, tu seras dans ton lit !

« Mais tout va-t-il bien se passer ? s'interrogea en elle-même Morgane en proie à une anxiété grandissante. Malgré tous mes efforts, vais-je pouvoir pénétrer de nouveau en Avalon ? Mes pouvoirs magiques ne m'ont-ils pas abandonnée ? »

— Où sommes-nous ? Je ne vois rien, s'inquiéta Nimue, cette fois tout à fait éveillée, en regardant craintivement les touffes de roseaux dégoulinant de pluie.

— Ne t'inquiète pas, enfant. Une barge va venir nous prendre, affirma Morgane d'une voix volontairement assurée.

Mais le doute s'insinuait de plus en plus en elle. N'allait-il pas l'empêcher d'appeler l'embarcation et de franchir les brouillards ?

— Comment vont-ils savoir que nous sommes là ? Comment vont-ils nous voir avec la pluie ? insista la petite.

— Reste tranquille, Nimue, fais-moi confiance et surtout ne parle plus maintenant...

Alors Morgane pencha la tête légèrement, remua les lèvres en formulant la prière la plus fervente de toute son existence. Puis elle prit une profonde inspiration et leva les bras dans un geste d'invocation...

D'abord, elle ne ressentit rien, sinon une impression de vide proche de l'éblouissement et de vertige qui l'attirait irrésistiblement vers les eaux du lac. Puis il lui sembla qu'un rayon de lumière l'effleurait, la pénétrait lentement, tandis qu'à ses côtés, Nimue émettait un long soupir d'admiration. Soudain une grande joie l'envahit. Elle sentit son corps devenir une arche illuminée reliant le ciel à la terre. Peut-être ne fut-elle pas même consciente dès lors de prononcer le mot magique, mais il résonna tout à coup en elle comme un véritable coup de tonnerre... Oui, les eaux grisâtres du lac frissonnaient sous l'effet d'un souffle imperceptible, oui, elles se mêlaient à la brume suspendue au ras des flots... De cette étrange et surnaturelle fusion émergeait comme par miracle l'ombre tant attendue de la barge d'Avalon. Alors seulement Morgane osa expirer en abaissant très lentement les bras.

La barge d'Avalon... Elle glissait en silence, fantôme irréel et vivant fendant les roseaux verts gorgés de pluie. Mais déjà le raclement léger des cailloux sous la coque atteignant le rivage était, lui, bien réel. Deux petits hommes bruns sautaient sur la terre ferme et, après avoir salué Morgane, prenaient les chevaux par la bride et disparaissaient dans la nuit floconneuse. Une main cependant se tendait vers Morgane pour l'aider à prendre place dans la barque, de même pour Nimue, sans qu'une parole fût prononcée, et la barge s'éloignait, silencieuse, vers le large.

Les rameurs en cadence effleuraient l'onde opaque, inconscients du trouble de leurs passagères. Or, pour Morgane, l'épreuve était loin d'être achevée. Certes, ceux d'Avalon n'étaient pas restés sourds à son appel, mais allait-elle pouvoir faire se lever la brume et se frayer l'ultime chemin jusqu'à l'Ile Sacrée ? La barge maintenant se trouvait exactement au centre du lac. Si son appel demeurait sans effet, elle serait entraînée par le courant vers Glastonbury. Face à un pareil échec, il ne lui resterait plus d'autre choix que la mort...

Morgane se mit debout. Fermant les yeux, une nouvelle fois elle éleva les bras très lentement, et visionna, en une seule et fulgurante image, les innombrables occasions où elle avait minutieusement accompli le même geste en prononçant la formule magique, sûre alors de ses pouvoirs.

Un cri de Nimue, à côté d'elle, l'obligea à ouvrir les yeux. C'était un cri où se mêlaient la crainte et l'émerveillement. Là, en effet, sous ses yeux, verte, douce et vibrante dans la tiédeur du soleil couchant, surgissait de la brume l'île d'Avalon... Une lumière diaphane dorait les pierres levées, et là-haut, sur le Tor, la colline ombragée où serpentait le chemin des processions rituelles. Elle avait retrouvé son île... Elle était chez elle, enfin ! Elle était de nouveau Morgane d'Avalon, prêtresse de la Grande Déesse, fille de la très ancienne et royale lignée...

Lorsque la barge s'immobilisa, le nez dans l'herbe tendre de la rive, au comble d'une indicible émotion, Morgane, le cœur battant, posa le pied sur le sol de l'Ile. Sur la berge attendaient en silence alignés en ordre parfait, serviteurs et servantes précédés des prêtresses en robes sombres venues pour l'accueillir. Une femme très grande aux cheveux d'or nattés bas sur le front se détacha du groupe et vint s'incliner devant elle :

— Bienvenue, Morgane, bienvenue sur l'île de la Déesse ! dit-elle doucement.

Tout naturellement Morgane alors s'entendit répondre à la jeune femme en prononçant le nom qu'elle n'avait entendu qu'en rêve jusqu'au jour où Kevin le lui avait appris :

— Je vous salue, Niniane. Voici Nimue, la petite-fille de Viviane qui vient pour être élevée ici.

— Oui, intervint tout à coup la fillette qui n'avait pas prononcé une parole depuis qu'elle était montée dans la barge. J'aimerais apprendre à lire, à écrire, à jouer de la harpe, à lire aussi dans les étoiles, comme ma tante Morgane.

— C'est bien, Nimue, nous verrons tout cela demain, acquiesça Niniane en souriant. Tu as fait un long voyage et il se fait tard. Si tu as faim et soif, nous allons te donner ce qu'il faut. Puis il faudra aller rapidement te coucher. Lheanna va te conduire à la Maison des Vierges. Dis au revoir à Morgane !

A ces mots, une lueur d'inquiétude s'alluma dans les yeux de l'enfant :

— Non, je ne veux pas quitter ma tante. Je veux qu'elle reste avec moi jusqu'à demain et qu'elle...

— C'est impossible, Nimue, coupa fermement Morgane. Fais raisonnablement ce qu'on te dit : cours vite à la Maison des Vierges ! Et embrassant la petite joue plus douce qu'un pétale de rose, elle ajouta : Que la Déesse te bénisse et veille sur toi !

Dès que Nimue se fut éloignée, Niniane prit Morgane par

le bras et la conduisit avec sollicitude jusqu'à la maison qui avait été autrefois celle de Viviane. Dans la petite antichambre réservée à la prêtresse qui servait la Dame du Lac, Morgane trouva de quoi se restaurer et du vin épicé, mais elle préféra boire l'eau fraîche et pure du Puits Sacré contenue dans une haute jarre de pierre. Sentant en elle se dissiper les fatigues du voyage, elle s'étendit sur le lit, ferma les yeux, et s'endormit sereinement en écoutant les mille bruissements d'Avalon dont la mémoire n'avait jamais quitté son cœur...

Au milieu de la nuit, un léger bruit de pas la réveilla. Morgane se dressa sur sa couche et entrevit une silhouette traverser le rayon de lune qui éclairait la chambre. Elle crut d'abord que Niniane était revenue, puis reconnaissant l'abondante chevelure sombre et le beau visage grave, elle s'écria :

— Raven !...

Raven, car c'était elle, posa un doigt sur ses lèvres pour lui recommander le silence. Puis, sans un mot, elle s'approcha du lit, laissa glisser sa longue robe et s'allongea près de Morgane. Cette dernière ne devait pas, en effet, prononcer une seule parole au cours de la cérémonie qui allait suivre. Dans la pénombre qui voilait formes et apparences, le monde des humains s'était arrêté, et toutes deux, dans les bras l'une de l'autre, entrèrent imperceptiblement au Royaume des Fées.

Raven avait posé sa main doucement sur la cuisse de Morgane et prononçait les paroles sacrées, celles de l'ancienne bénédiction d'Avalon :

— Bénis soient les pieds qui t'ont ramenée en ces lieux. Bénis soient les genoux qui te permettront de te prosterner devant l'autel de la Déesse. Bénie soit la porte de la vie...

Morgane subjuguée écoutait chanter les mots à son oreille, respirait avec enivrement le parfum d'herbes sauvages que le corps de Raven exhalait contre le sien. Enfin, après avoir déposé un dernier et très tendre baiser sur la joue de Morgane, Raven se leva. Elle fit quelques pas dans la pièce, et revint vers le lit tenant à la main un mince croissant d'argent, l'ornement rituel des prêtresses. Lentement elle l'éleva au-dessus d'elle et Morgane, retenant son souffle, le reconnut :

c'était celui qu'elle avait abandonné lorsqu'elle s'était enfuie d'Avalon, portant l'enfant d'Arthur dans son sein !

Mais déjà Raven se penchait sur elle, agrafait le croissant autour de son cou, se relevait, lui désignant du doigt le petit couteau suspendu entre ses seins, éclairé faiblement par le rayon de lune, le sien peut-être, celui qu'elle avait également renié en fuyant l'Ile Sacrée ?

Toujours dans le plus grand silence, Raven alors détacha le coutelas, l'éleva à hauteur de ses yeux et en tourna brusquement la pointe vers sa propre poitrine. Puis, rapide comme l'éclair, elle cueillit sur sa peau une goutte de sang avant de tendre la lame à Morgane. Sans hésitation aucune, celle-ci s'en saisit, puis, à son tour, se fit au niveau du cœur une légère entaille d'où perla une petite tache rouge que Raven vint boire aussitôt en fermant les yeux. Morgane d'un même geste, dans le même temps, avait posé ses lèvres sur la petite blessure à la naissance des seins de sa compagne. Ainsi se trouvaient de nouveau scellés les vœux très anciens prononcés lorsqu'elles étaient devenues femmes. Raven maintenant pouvait la reprendre dans ses bras...

Lorsque Morgane s'éveilla, elle était seule dans la petite chambre qu'inondait la lumière tamisée d'Avalon. Avait-elle rêvé ? Non, car sur sa poitrine, au niveau de son cœur, finissait de sécher une infime blessure, et tout près d'elle, sur le lit, reposait le précieux croissant d'argent, qu'elle ne quitterait jamais plus désormais. Mais il y avait encore beaucoup plus étonnant : là, effleurant son visage, un bouton de rose se métamorphosait sous ses yeux en rose épanouie, sa corolle largement offerte. Morgane voulut s'en saisir, mais en accomplissant son geste, brusquement la fleur se transforma cette fois en grosse baie cramoisie, ronde et brillante, fruit de l'églantier. Interdite, Morgane n'arrivait pas à en détacher son regard, lorsque soudain elle vit le fruit se flétrir, se racornir et devenir, au creux de sa paume, une petite graine sèche... Alors, elle comprit le message : fleurs et fruits n'étaient que le commencement, dans la graine reposaient la vie et toute promesse d'avenir...

Morgane poussa un long soupir, enveloppa la graine dans un morceau de soie. Elle savait maintenant le chemin qu'elle allait devoir suivre. Une fois encore, il lui fallait quitter Avalon, car son œuvre n'était pas achevée. N'avait-elle pas elle-même choisi de l'accomplir dans le monde extérieur, le jour où elle s'était enfuie de l'île ? Plus tard, peut-être, si telle était la volonté de la Déesse, y reviendrait-elle enfin, mais le temps n'en était pas encore venu. Et son œuvre, comme la rose reposant invisible au cœur de la graine, son œuvre devait rester secrète !

S'étant levée et apprêtée, Morgane pénétra dans la pièce principale si pleine encore de l'ombre de Viviane, qu'un court instant, le temps sembla suspendu autour d'elle. D'ailleurs, n'était-ce pas Viviane qui là, sous ses yeux même, frêle et si imposante silhouette occupant le haut siège de la Grande Prêtresse, emplissait toute la salle de sa seule présence ?

Morgane, prise d'un bref éblouissement, cligna des yeux, et s'aperçut alors que c'était bien Niniane, la grande, la svelte et blonde Niniane qui était devant elle. Pourquoi, et de quel droit, avait-elle pris la place de Viviane ? Ne savait-elle pas qu'en l'occurrence elle-même, Morgane, avait seule le droit de la remplacer ? Et, si elle le savait, voulait-elle ainsi lui signifier sans détour le mépris qu'elle ressentait à son égard depuis qu'elle avait fui ses responsabilités ?

Les deux prêtresses s'affrontèrent du regard pendant quelques instants, l'une et l'autre parfaitement conscientes de leurs pensées mutuelles. Puis Morgane rompant leur duel silencieux s'avança délibérément, prit dans les siennes les mains de Niniane et déclara d'une voix apaisante :

— Je suis sincèrement navrée ! Je donnerais ma vie pour revenir ici, pour y rester, pour vous décharger du poids qui pèse sur vos jeunes épaules... Mais je ne peux hélas ! abandonner l'œuvre que j'ai entreprise dans les terres de l'Ouest... Ainsi, puisque vous ne pouvez prendre ma place là-bas, il vous faut l'assumer ici. Ni vous, ni moi, ne pouvons changer le cours du destin. Nous sommes entre les mains de la Déesse. Il est trop tard pour revenir en arrière.

Niniane, dans un premier temps, resta impassible. Droite, les yeux perdus dans le vide, elle semblait à peine avoir entendu les paroles de Morgane. Enfin elle dit dans un murmure :

— Je croyais vous haïr...

— Moi aussi, Niniane... Mais la Déesse en a décidé autrement. Devant elle, nous sommes et demeurons deux sœurs indissolublement unies !

Niniane inclina la tête en signe d'assentiment, puis demanda d'une voix affable :

— Morgane, venez près de moi. Parlez-moi de l'œuvre que vous accomplissez là-bas à l'Ouest.

Un long moment, Morgane expliqua donc tout ce qu'elle avait entrepris, et espérait faire, pour étendre et maintenir dans les Galles du Nord l'influence de la Déesse Mère et de l'ancienne sagesse.

— Et Arthur ? intervint Niniane. Porte-t-il encore l'épée sacrée des druides ? Va-t-il se décider enfin à ne pas renoncer à son serment ou faudra-t-il l'y contraindre ?

— J'ignore quelles sont les intentions d'Arthur, poursuivit Morgane amèrement, en se disant au fond d'elle-même : « J'avais tout pouvoir sur lui, mais j'ai manqué de courage et de foi pour en user. Tout ce qui arrive est de ma faute ! »

— Arthur doit jurer à nouveau de respecter ses engagements, sinon... il vous faudra lui reprendre l'épée, affirma Niniane, avec une sourde détermination. Morgane, vous êtes la seule qui puissiez accomplir cette mission : Excalibur ne peut rester aux mains d'un homme qui a choisi de ne suivre que le Christ !

Comme Morgane s'abstenait de répondre, étonnée malgré elle d'entendre des paroles si assurées dans la bouche de la jeune fille, un long silence s'installa entre les deux prêtresses. Puis Niniane reprit, avec l'autorité reconnue à la Dame du Lac :

— Arthur a un fils, et bien que son heure ne soit pas venue, il est un royaume qu'il peut prendre... une place d'où il pourra se lancer à la reconquête de cette terre dans l'intérêt suprême d'Avalon... Dans les temps très anciens, le fils d'un roi était bien peu de choses, mais celui de la Dame était tout. Le fils de la sœur d'un roi pouvait donc être son héritier... Comprenez-vous mes paroles, Morgane ?

« Accolon doit être roi sur le trône des Galles du Nord... pensa Morgane, et mon fils est le fils du roi Arthur... » Ainsi tout maintenant prenait un sens, même sa propre stérilité après la naissance de Gwydion. Mais que devenait alors l'héritier désigné : le fils de Lancelot ?

Elle posa la question à Niniane qui fut aussitôt prise d'un long frisson. Était-il prévu que Nimue ait sur son frère Galaad la même emprise qu'elle-même avait eue sur la conscience d'Arthur ?

— Je ne sais, répondit prudemment Niniane. Si Arthur honore son serment envers Avalon et conserve Excalibur, nous aviserons en conséquence. Dans le cas contraire, une autre voie sera choisie, selon la volonté de la Déesse, et à la réalisation de laquelle chacun d'entre nous devra contribuer. Quoi qu'il en soit, Accolon peut régner sur ses terres, ceci est votre affaire. Quoi qu'il en soit aussi, le prochain Haut Roi ne peut appartenir qu'à la lignée royale d'Avalon : lorsqu'Arthur ne sera plus — mais on sait que les étoiles ont dit qu'il vivrait vieux — alors le grand roi d'Avalon se lèvera. Sinon, disent encore les étoiles, les ténèbres recouvriront la terre et l'engloutiront tout entière ! Quoi qu'il arrive, lorsque le nouveau roi prendra le pouvoir, Avalon retrouvera sa place dans le cycle éternel du temps et de l'histoire. Alors sans doute un roi vassal étendra ses mains sur les contrées de l'Ouest et les peuples des Tribus... Accolon, je vous le dis, trouvera bientôt la place qui lui revient à vos côtés, et son étoile montera haut dans le ciel de notre destinée. Mais c'est à vous, à vous seule, qu'incombe l'immense tâche de préparer la terre de Grande Bretagne à accueillir un jour le grand roi qui viendra d'Avalon !

Morgane baissa la tête avec soumission :

— J'obéirai. Je suis entre vos mains...

— Morgane, il vous faut maintenant repartir. Mais, auparavant, vous avez encore une rencontre à faire.

Elle leva la main, et la porte s'ouvrit sur un jeune garçon, grand et mince. A sa vue, Morgane interdite vacilla : l'adolescent qui venait d'entrer c'était Lancelot, le Lancelot d'autrefois, jeune, élancé, plein de flamme, des boucles brunes dansant sur le front, un sourire éclairant le visage aux traits fins. Lancelot tel qu'elle se le rappelait en ce jour si lointain où ils s'étaient tous les deux étendus, les doigts entrelacés à l'ombre protectrice du cercle de pierres levées.

Mais Morgane retrouvant le sens des réalités réalisa tout aussi vite que ce n'était nullement Lancelot qui s'inclinait devant elle pour la saluer. Le jeune homme en effet portait la robe des bardes, un signe en forme de gland marquait son front et, à ses poignets, s'enroulaient les serpents familiers d'Avalon. L'émotion pourtant l'étreignait toujours et bouleversée elle ne parvint qu'à balbutier :

— Gwydion, vous ne ressemblez pas à votre père...

— Est-ce bien étonnant ? En moi coule le sang royal d'Avalon ! répondit le jeune homme un sourire ironique aux lèvres. Je n'ai vu Arthur qu'une fois, alors qu'il se rendait en pèlerinage à Glastonbury. Je portais moi-même la robe des prêtres et il ne m'a pas remarqué. J'ai vu seulement qu'il s'inclinait avec beaucoup de complaisance devant les prêtres...

— Vous devez aimer d'un amour égal vos parents, intervint Morgane.

Mais, alors qu'elle allait tendre la main vers lui, elle surprit dans son regard une lueur si proche de la haine qu'elle suspendit son geste. Mais déjà son visage reprenait le masque impassible des druides.

— Mes parents m'ont donné le meilleur d'eux-mêmes, reprit Gwydion, le sang royal d'Avalon. Mais, j'ai une demande précise à vous faire, Dame Morgane.

Ainsi refusait-il, ne serait-ce qu'une fois, de l'appeler « ma mère », comme elle l'espérait tant.

— Demandez-moi tout ce que vous voulez, fit-elle résignée. Si je le peux, je vous le donnerai !

— Je n'en demande pas tant. Reine Morgane, je voudrais simplement que dans les cinq années qui viennent vous me mettiez en présence du roi Arthur et lui fassiez savoir qui je suis. Je sais qu'il ne peut me reconnaître comme son héritier, mais je désire néanmoins qu'il voie alors le visage de son fils. C'est là mon unique souhait !

– Votre vœu sera exaucé, Gwydion, je vous le promets. Un jour, vous serez face à face avec Arthur... Je le jure par l'eau du Puits Sacré.

Non, ce n'était pas possible ! Tout cela n'était pas vrai ! Elle n'était que la proie d'un songe affreusement cruel. Gwydion, ce bel adolescent à la peau sombre, ne pouvait être son fils, un fils confronté pour la première fois de sa vie à sa mère ! Mais la réalité était là : il était prêtre, voilà tout, et elle une prêtresse, l'un et l'autre uniquement liés par un seul devoir : servir aveuglément les desseins de la Grande Déesse !

Alors, comme s'il avait deviné ses pensées, impénétrable, le jeune homme recula d'un pas et s'inclina devant elle.

Déchirée, Morgane étendit les mains vers lui, et ne put que murmurer ces deux mots : « Soyez béni ! »

DEUXIÈME PARTIE

Le Prisonnier du Chêne

X

La pluie ne cessait pas de tomber sur les lointaines collines des Galles du Nord. Noyé dans un océan de nuages, le château du roi Uriens ressemblait à un étrange vaisseau voguant à la dérive sur des flots incertains. Les chemins étaient de véritables bourbiers, et les gués avaient disparu sous le déferlement furieux des eaux.

« Décidément l'hiver dans ce pays n'apporte qu'humidité, tristesse et solitude », pensa Morgane, transie de froid malgré son châle épais, ses doigts engourdis maniant péniblement la navette. Mais soudain elle sursauta, lâcha le petit morceau d'os qui roula à terre, manifestement attentive à un signe ou à un événement imminent qu'elle venait de percevoir.

— Que se passe-t-il ? interrogea Maline, épouse d'Avalloch, que le bruit avait tirée de sa torpeur.

— Un cavalier arrive sur la route, nous devons nous apprêter à l'accueillir, répondit Morgane, contrariée de s'être laissée aller à cet état de demi-transe où la jetait toujours, au bout d'un certain temps, tout travail de filage ou de tissage. Prévenez le père Eian que son élève Uvain sera là pour l'heure du souper, ajouta-t-elle en se levant pour quitter la pièce, sans répondre à l'interrogation muette qui se lisait dans le regard de Maline.

A pas lents, se réjouissant à l'idée de revoir Uvain, Morgane se dirigea vers les cuisines. Ainsi allait-elle avoir enfin des nouvelles de la cour de Camelot, après des mois de silence. Il faut dire qu'en cette saison, dans une contrée battue par les tempêtes, on ne pouvait guère s'attendre à la visite inopinée d'un voyageur. Elle-même avait dû interrompre ses longues errances à travers monts et collines, la cueillette des herbes sauvages s'avérant totalement infructueuse.

Il y avait bientôt trois ans qu'Accolon était parti rejoindre Arthur, et elle souffrait cruellement de son absence. Près de lui, elle se sentait déesse-femme, aimée et admirée, prêtresse glorieuse et triomphante. Sans lui, elle n'était plus qu'une souveraine solitaire et vieillissante dans son âme et dans son corps, se desséchant sans espoir à l'ombre d'un monarque déjà un pied dans la tombe.

Ne pouvant se confier à aucune des femmes de son entourage — toutes aussi ignares et bornées que Maline — ne pouvant non plus rester à longueur de journée confinée près de son rouet ou de sa harpe, elle s'était consacrée avec toute l'ardeur dont elle était capable à son foyer et à son peuple. On venait d'ailleurs la consulter de tous les coins du royaume en quête d'un conseil ou d'une parole de sagesse. « La reine est avisée, disait-on en tous lieux, elle connaît les choses de la vie, elle est prudente et réfléchie, et le roi, lui-même, ne fait rien sans son consentement... » Bref ceux des Tribus et les Anciens lui vouaient un véritable culte.

Toute à ses réflexions, Morgane, l'air absente, vaquait dans la cuisine, s'employant néanmoins à imaginer un repas de fête en l'honneur du retour d'Uvain. Tâche malaisée en cette saison de frimas où la plupart des provisions étaient épuisées... Avisant un grand coffre, elle sortit cependant avec détermination les dernières réserves de fruits secs et d'épices qui s'y trouvaient. Mélangées à du jambon fumé, elles composeraient un menu tout à fait convenable.

Uriens, qui ne quittait pratiquement plus sa chambre depuis plusieurs mois, partagerait ce soir le repas familial. Pour le lui annoncer, elle monta à son chevet et le trouva installé sur son lit à jouer aux dés avec l'un de ses sergents. Le vieillard avait mauvaise mine et semblait épuisé par la lutte éreintante qu'il menait contre la fièvre depuis le début de l'hiver. Lutte dans laquelle elle l'avait secondé de toutes ses forces, non seulement en raison de l'affection réelle qu'elle éprouvait pour lui, mais aussi parce qu'elle craignait par-dessus tout de voir Avalloch lui succéder.

— Ah, ma mie, vous voici ! Je m'ennuyais de vous. Je ne vous ai pas vue de la journée, et je vous l'avoue, le temps me semblait long, s'exclama-t-il en s'arrêtant de jouer. Ainsi, vous aussi vous me laissez tomber ?

Lui répondant par une boutade, elle l'embrassa avec un indulgent sourire, comme l'aurait fait une mère pour un enfant gâté, et ajouta :

— J'ai une bonne nouvelle pour vous : Uvain approche et sera bientôt là !

— Dieu soit loué ! soupira le vieillard. J'ai eu si peur, cet hiver, de partir sans le revoir !

Huw, son serviteur, l'ayant aidé à s'habiller, Morgane coiffa alors soigneusement les cheveux blancs de son époux, puis en ayant terminé, appela deux gardes qui, habitués à le soutenir dans ses déplacements, le conduisirent à petits pas dans la grande salle où ils l'installèrent à sa place habituelle.

A peine était-il attablé que retentirent dans la grande galerie reliant le vestibule à la pièce les pas décidés d'un cavalier et des éclats de voix. Entouré par quelques sergents d'armes, Uvain, car c'était lui, fit une entrée bruyante et fougueuse. Le jeune garçon remuant et gracile était devenu un solide gaillard aux épaules larges, mais il avait toujours le même regard clair et affectueux qui avait, dans ses jeunes années, fait la joie de Morgane. Comme il s'inclinait devant elle après avoir chaleureusement salué son père, celle-ci remarqua que sa joue gauche portait une vilaine cicatrice.

— Comme c'est bon de vous retrouver ici parmi nous, Uvain... commença-t-elle.

Mais, sur le point de poursuivre, elle s'arrêta net. Une autre silhouette venait de s'encadrer dans l'embrasure de la porte... Incrédule, se croyant victime de son imagination ou de ses rêves, Morgane restait interloquée. Était-ce là un fantôme ou un être de chair et si c'était lui, vraiment, pourquoi n'avait-elle ni vu, ni pressenti son retour ?

Accolon, ce n'était pas un songe, plus mince que son frère, et de taille moins élevée, s'agenouillait déjà devant Uriens, puis se relevant saluait courtoisement Morgane en murmurant :

— Ma Dame, comme je suis heureux de vous revoir.

Transpercée par l'intensité de son regard, Morgane, l'espace d'un instant, sentit la tête lui tourner, mais elle se reprit aussitôt et répondit d'une voix volontairement pondérée :

— Moi aussi, Accolon, je suis très heureuse de vous accueillir ce soir ainsi que votre frère. Mais, Uvain, dites-moi, quelle est donc cette cicatrice sur votre joue ? Je croyais que depuis la défaite de l'empereur Lucius aucun combat n'était venu troubler la paix dans le royaume !

— Vous dites vrai, répondit Uvain d'un ton qui se voulait désinvolte. Mais un trublion qui jouait au petit roi dans une forteresse abandonnée et s'amusait à dévaster les alentours, m'a gratifié de ce modeste souvenir. Gauvain, venu à la rescousse m'a permis d'avoir rapidement raison du gredin, mais j'ai reçu ce petit coup de griffe. Gauvain, lui, y a gagné une femme, une riche veuve possédant de vastes et de belles terres. Point de jaloux entre nous ! Chacun a eu droit à son petit cadeau !

Morgane s'approchant en souriant du jeune homme passa alors délicatement son doigt sur la meurtrissure anormalement gonflée.

— Je pourrais certainement faire quelque chose pour soigner cette plaie qui s'est sans doute infectée. Elle doit vous faire souffrir, ajouta-t-elle, pleine de sollicitude. J'y appliquerai tout à l'heure des herbes et des pommades.

— Vous me rassurez tout à fait. Ainsi pourrai-je, à la cour d'Arthur, revoir une gente damoiselle à laquelle je préférerais ne pas faire trop peur...

Le repas s'engagea alors avec animation, et Uvain, tout aussi volubile, ne cessa de conter les faits et gestes de la cour à Camelot. Silencieux quant à lui, Accolon écoutait, parlait peu, mais ne quittait guère des yeux Morgane alarmée quelque peu qu'on surprenne son manège. Voulant de son côté paraître tout à fait naturelle, elle s'appliquait à parler beaucoup avec Uvain, tout en étant consciente qu'un feu s'allumait en elle, embrasant insidieusement peu à peu tout son corps.

A la fin du dîner, Uriens ayant fait part de sa fatigue extrême, on le remonta dans sa chambre où tous se retrouvèrent bientôt autour de son lit. Morgane en profita pour préparer une compresse à base d'herbes composées qu'elle appliqua, bouillante, sur la joue enflammée du jeune homme qui, presque instantanément, en ressentit un grand bienfait :

— Cela me fait grand bien, ma chère mère ! s'exclama-t-il, à demi allongé sur un siège en soupirant de soulagement. Même la jeune damoiselle qui se languit de moi à la cour d'Arthur n'aurait su m'apporter tant de douceur et de réconfort. Si je l'épouse un jour, promettez-moi de lui apprendre quelques-uns de vos secrets ! Elle s'appelle Shana, et vient de Cornouailles. Elle est dame d'honneur d'Isotta... Sa fortune n'est pas considérable, mais j'ai suffisamment de biens en Armorique, où j'ai pu amasser un confortable butin...

S'interrompant un instant, il laissa Morgane renouveler la compresse qui avait refroidi et ajouta :

— Lorsque mon père sera mieux, vous devriez vous rendre en Cornouailles afin de bien montrer que vous êtes là-bas la seule souveraine. Il y a trop longtemps que vous êtes absente à Tintagel où tout le monde semble avoir oublié qu'ils ont une véritable reine !

— Tu as raison, mon fils. Lorsque je me rendrai à Camelot pour la Pentecôte, intervint Uriens, il faudra que je parle sérieusement avec Arthur des droits légitimes de Morgane.

— Si Uvain se marie en Cornouailles, approuva celle-ci, le

mieux ne serait-il pas en effet qu'il m'y représente légalement ? Mais pour l'instant buvez ceci, c'est un breuvage grâce auquel vous passerez une très bonne nuit !

— Je ne sens déjà presque plus ma joue, s'exclama Uvain avec reconnaissance. Ma mère, vous êtes vraiment la meilleure des fées !

A peine Uvain avait-il pris congé de son père qu'Accolon s'inquiéta de savoir si un lit était également prêt pour lui.

— J'ai demandé à mes femmes de veiller à votre installation, répondit Morgane, et je vais monter moi-même vérifier qu'il ne vous manque rien.

Se penchant au-dessus de la couche du vieillard, Morgane déposa sur son front un furtif baiser mais seul un ronflement sonore lui répondit, le vieux roi ayant déjà sombré dans un profond sommeil. Le laissant à la garde de son dévoué serviteur Huw, Morgane et Accolon s'éclipsèrent sur la pointe des pieds.

— Si j'avais su que vous deviez coucher ici ce soir, j'aurais fait mettre de la paille fraîche dans la pièce ! lui confia à voix basse Morgane en poussant la porte d'une petite chambre visiblement inoccupée depuis longtemps.

— Au diable la paille fraîche, mon ange ! C'est de vous dont j'ai besoin ce soir, vous le savez, chuchota Accolon en mettant bas ses armes et sa tunique. J'irai tout à l'heure vous rejoindre, n'est-ce pas ?

— Non, c'est moi qui viendrai. Votre père est malade et il arrive qu'on vienne me chercher dans ma chambre. En aucun cas il ne faut qu'on vous y trouve !

Lui pressant la main avec passion, elle sortit rapidement pour faire, comme à l'accoutumée, sa ronde et vérifier la fermeture des portes. Tout étant en ordre, rassurée elle traversa alors la grande salle, où s'étaient assoupis plusieurs hommes d'armes, puis remonta aussi silencieusement que possible les escaliers.

Passant par sa propre chambre, elle défit son lit pour donner le change et enfila ses vêtements de nuit, Ruach, sa vieille servante, ne devant pas s'apercevoir de son absence. Bien sûr, elle n'éprouvait elle-même aucune honte de sa conduite, mais il était indispensable d'éviter un scandale qui risquait de compromettre dangereusement tous ses plans.

Retenant sa respiration, aussi souple et silencieuse qu'une ombre fugitive, elle se glissa dans le couloir obscur, le cœur battant, le désir chevillé au corps, jusqu'à la chambre de son amant. A peine en avait-elle franchi le seuil qu'elle se sentit happée par deux mains tièdes et puissantes, allongée, dénudée, couverte de baisers et de caresses brûlantes, emportée dans un ouragan de plaisirs et de voluptés, dont elle n'avait pas même osé imaginer l'intensité.

S'échappant aux premières lueurs de l'aube de l'alcôve, Morgane regagna silencieusement sa chambre, mais au moment où elle allait l'atteindre, une poigne solide l'immobilisa brutalement tandis qu'une voix rauque lui soufflait à l'oreille :

— Eh bien, ma chatte, est-ce une heure pour errer en pareille tenue dans les corridors du château ?

C'était la voix d'Avalloch. A n'en point douter, il ne la prenait pas pour l'une des servantes, dont certaines pouvaient dans la pénombre lui ressembler.

— Bas les pattes, Avalloch ! siffla-t-elle entre ses dents tout en essayant d'échapper à son étreinte. Lâchez-moi ou j'appelle !

— Veuillez me pardonner, ma chère Dame et mère, bien entendu je vous libère. Je voulais seulement savoir pour quelle raison vous vous trouviez ainsi à la pointe du jour hors de votre lit ?

— Aurais-je maintenant des comptes à vous rendre, Avalloch ? répliqua Morgane la bouche sèche. Je suis ici chez moi, je vais où bon me semble, quand je veux et où je veux !

— Inutile de vous mettre en un pareil émoi, railla l'homme en plissant vilainement ses petits yeux porcins. Imaginez-vous vraiment que j'ignore quels bras vous venez de quitter ?

— Ah, parce que vous aussi avez reçu le don de seconde vue ? persifla Morgane hors d'elle.

— Tout doux, la belle ! rétorqua l'air apparemment conciliant Avalloch. J'admets volontiers qu'il est tout à fait regrettable pour une femme comme vous d'être l'épouse d'un mari dont vous pourriez être la fille et me garderai bien de faire souffrir mon père en lui révélant votre infidélité. Un seul petit effort de votre part pourrait arranger les choses... Ne le croyez-vous pas ? gloussa-t-il, en s'approchant d'un pas, l'œil lubrique.

Reculant de dégoût, Morgane le repoussa, ne pensant qu'à sortir par la ruse de sa délicate situation, en adoptant le ton de la plaisanterie :

— Allons, Avalloch ! Pourquoi poursuivre de vos flatteuses assiduités votre vieille belle-mère, alors que les Vierges du Printemps n'attendent qu'un geste de vous pour tomber dans vos bras !

— Mais, ma mère, je vous ai toujours considérée comme une très séduisante créature, insista Avalloch baissant la main vers la gorge palpitante de Morgane. Ne jouez pas avec moi la vierge effarouchée et racontez-moi plutôt la nuit que vous venez de passer avec Accolon ou Uvain, ou... les deux à la fois !

— Je considère Uvain comme mon fils, lança-t-elle avec une exaspération croissante et je vous interdis...

— Cela vous arrêterait-il vraiment ? revint à la charge le goujat, tout fier apparemment de son insinuation. Personne ne se prive à la cour d'Arthur de raconter que vous avez été la maîtresse de Lancelot, que vous avez ensuite partagé la couche de Kevin... après avoir goûté celle de votre propre frère ! Pourquoi donc aujourd'hui vous indigner quand je vous parle de partager la couche des enfants de votre mari ? Pauvre père ! Sait-il seulement le genre de femelle qu'il a prise pour épouse... une franche coquine familière de l'inceste ?

— Uriens sait de moi tout ce qu'il doit savoir, répliqua Morgane ne cherchant plus à masquer son mépris devant un tel chantage. S'il désire me poser des questions sur ma conduite, à lui je répondrai. A vous je n'ai rien à dire, Avalloch ! Maintenant, il suffit, laissez-moi !

Comme il tentait de la retenir, ne pouvant davantage contenir son indignation, Morgane, rapide comme l'éclair, le frappa au bas-ventre avec une force décuplée par la colère. Étouffant un hurlement, Avalloch, la bave aux lèvres, poussa un affreux juron. Mais Morgane, sûre d'elle-même, avait repris l'initiative :

— Avalloch, menaça-t-elle avec rage et détermination, Avalloch, si vous dites un mot, un seul, à Uriens, je lui révélerai, moi, comment vous avez osé, vous, porter la main sur moi et de quelle manière !

— Dites-lui donc tout ce que vous voudrez, éructa le malotru avec hargne. Mais n'oubliez pas qu'il est près de la tombe et que bientôt, c'est moi qui dicterai ma loi à sa place. Pensez-y bien, ma belle, je vous ferai alors, je vous le jure, changer de langage.

Tournant les talons, sur cette menace non voilée, il regagna ses appartements, non sans lui avoir lancé un ultime regard de haine qui en disait long pour l'avenir.

Un soleil tout rouge se levait maintenant à l'horizon et dans quelques instants, la maison entière serait sur pied. Morgane, après avoir remis de l'ordre dans sa toilette, se hâta donc vers les cuisines où mijotait, depuis la veille au soir, une décoction subtilement dosée pour guérir la blessure d'Uvain, qui en fin de compte avait également une dent cassée, dont il allait falloir extraire la racine. Uvain..., autant dire son fils, plus encore que Gwydion. Ne lui avait-elle d'ailleurs pas tenu lieu de mère, en l'élevant avec tendresse, bien qu'ils n'eussent pas une goutte de sang commun. Or le jeune homme connaissait-il les rumeurs qu'on colportait sur elle à la cour d'Arthur ? Savait-il qu'elle avait partagé la couche du Haut Roi, et dans quelles circonstances ? Quoi qu'il en soit, il fallait à tout prix qu'il ignore sa liaison avec Accolon.

Parvenue à ce point de ses réflexions, elle s'aperçut qu'après le repas de la veille, il ne restait pratiquement plus rien dans les réserves du château : plus de fruits secs, ni de jambons, ou de viandes séchées, plus de châtaignes ni de glands, plus le moindre morceau de gibier... Il fallait donc, de toute urgence, envoyer les hommes à la chasse. Et pourquoi pas Avalloch ?

Voyant entrer Maline à cet instant précis venue faire chauffer le vin et le lait nécessaires pour la première collation de son époux, prise d'une subite inspiration, elle déclara d'un air apparemment préoccupé :

— Il n'y a vraiment plus rien à manger cette fois, Maline. Ne pensez-vous pas qu'un chasseur aussi expérimenté qu'Avalloch devrait sans attendre organiser une grande battue aux sangliers ? Sinon ce sera la famine...

Mais Morgane n'acheva pas sa phrase. Soudain revenait en elle la prédiction formulée par Niniane : « C'est Accolon qui doit succéder à son père... » Sa tâche était donc tracée : Accolon devait après son père, monter sur le trône, non pour sa propre sécurité après les menaces d'Avalloch ou par simple souci de vengeance, mais pour que vivent à travers lui et sa propre influence, les rites sacrés de l'ancien peuple, œuvre qu'elle avait déjà entreprise dans les Galles du Nord. Uriens était âgé, et maintenant que son fils aîné connaissait la vérité sur son compte, il ne manquerait pas de comploter avec le père Eian pour réduire à néant ses efforts dans le pays. Il fallait donc agir et vite ! Mais, comment ?

En maniant le poison, les risques étaient très graves. Soupçonnée et accusée de sorcellerie, la mort serait bientôt sa seule récompense. Quant à Accolon, il fallait surtout éviter de le compromettre en le mettant dans la confidence. Troublée, au plus haut point, incapable d'élaborer un plan précis, Morgane rejoignit la chambre d'Uriens où se trouvait déjà son amant. A l'instant même où elle allait entrer dans la pièce, elle entendit la voix de ce dernier annoncer à son père :

— Avalloch part chasser tout à l'heure le sanglier. Je vais l'accompagner. Il me tarde de galoper à nouveau dans nos ravins et nos forêts.

Le cœur de Morgane bondit dans sa poitrine :

— Non ! lança-t-elle brièvement en pénétrant dans la chambre. Mieux vaut rester auprès de votre père aujourd'hui, Accolon. La blessure d'Uvain me préoccupe et je n'aurai guère le temps de rester à ses côtés comme je le fais d'habitude...

Voulez-vous bien me remplacer aujourd'hui, je vous en serai très reconnaissante.

Ne pouvant refuser cette faveur à celle qu'il avait, cette nuit, tenue si ardemment dans ses bras, Accolon acquiesça sans protester.

— Si tel est votre bon plaisir, ma Dame, je m'acquitterai avec joie de cette douce obligation. Je n'ai pas vu mon père depuis longtemps et serai heureux de lui tenir compagnie.

Le remerciant d'un sourire, Morgane ressentit avec une effrayante certitude que cette fois le destin d'Accolon était sur le point de se jouer. Ainsi allait donc se réaliser en grande partie son œuvre à elle, l'œuvre la plus secrète à laquelle elle ait jamais participé.

Avalloch, de fait, monta en selle en fin de matinée, accompagné d'un petit groupe de chasseurs. Dès qu'ils eurent disparu à la lisière des bois, Morgane, profitant de ce que Maline était encore dans les cuisines, courut jusqu'à la chambre du couple. Là, ayant rapidement fouillé la pièce, elle mit la main sur un petit bracelet de cuivre qu'Avalloch portait souvent au bras. Puis l'ayant dissimulé dans un pli de sa robe, elle s'éloigna, pressée de terminer les besognes qui l'attendaient afin de se retrouver seule pour accomplir ses desseins.

Elle alla donc s'occuper d'Uvain, dont elle réussit à extraire, non sans mal, la dent cassée. Le jeune homme ayant supporté la douloureuse opération avec une grande fermeté, elle l'envoya aussitôt se reposer avec deux compresses imbibées d'une forte macération pour calmer la douleur et une potion destinée à le faire dormir, du moins l'espérait-elle. Ainsi resterait-il totalement étranger aux événements dramatiques qui n'allaient pas manquer de se produire. Avec la bonne conscience du devoir accompli, elle rejoignit alors Maline dans la grande salle.

— Si nous voulons terminer nos robes nouvelles pour la Pentecôte ainsi que la cape d'Avalloch, lui fit remarquer la jeune femme, il faut nous mettre au travail sans tarder. Et puisque vous aimez mieux tisser que filer, prenez donc si vous préférez le manteau d'Avalloch !

Satisfaite d'avoir entre les mains, outre le bracelet de cuivre, le vêtement destiné à son ennemi, Morgane se mit immédiatement à l'ouvrage. S'obligeant à faire le vide dans son esprit, elle s'absorba tout entière dans le lancinant va-et-vient de la navette. Le tissu se présentait sous forme de carreaux bruns et verts, qu'il fallait assembler les uns aux autres, ce qui n'était pas très difficile et ne demandait pas d'attention excessive.

La navette glissait régulièrement : vert, brun, vert, brun... Vert des feuilles nouvelles jaillissant au printemps, brun comme la terre et les feuilles mortes en automne, quand le sanglier fouit dans le sol à la recherche des glands. Les mains de Morgane allaient et venaient automatiquement, faisaient glisser la planchette de bois, reprenaient la navette d'un côté puis de l'autre... vert, brun, vert, brun, vert, brun.

Le cheval d'Avalloch allait peut-être trébucher et jeter à terre son cavalier... Ce dernier alors se romprait le cou, la dégageant de toute responsabilité... Le froid s'insinuant en elle, elle frissonnait, mais elle n'arrivait pas à détacher ses yeux de la navette qui paraissait de plus en plus animée par une force qu'elle ne contrôlait plus, composant à son intention une étrange symphonie d'images : Accolon jouant aux dames dans la chambre d'Uriens, Uvain se tournant et se retournant, la joue en feu, sur son lit, un énorme sanglier blessé faisant volte-face et chargeant Avalloch...

Elle avait dit à Niniane qu'elle refusait de tuer... Mais était-il possible d'affirmer que l'on ne boirait jamais l'eau d'un puits ? La navette quant à elle courait, dansait d'un carreau de couleur à l'autre, comme le soleil jouant au travers des feuilles au-dessus de l'humus, riche des forces vives et mystérieuses de la nature, bouillante de la sève toute-puissante, génératrice d'espoir et d'avenir...

« Ô Déesse-Mère ! Infatigable chasseresse hantant les bois et les vallons, source éternelle de vie et de recommencements ! Tous les hommes sont dans vos mains, toutes les bêtes de la création aussi ! ».

La navette de plus en plus vite dansait, virevoltait, vert, brun, vert, brun, vert, brun, comme les feuilles et les branches entrelacées des bois au cœur des halliers, refuge du monstre noir soufflant et grattant de son horrible groin, asile aussi de la laie ombrageuse suivie de ses petits... La navette maintenant courait un train d'enfer entre les mains de Morgane qui ne discernait plus qu'un groin énorme fouillant rageusement le sol et les taillis...

« Ceridwen, Déesse-Mère, Femme-la-Mort, Grand Corbeau, Dame de Vie, Grande Truie, je vous appelle ! Que votre volonté universelle s'accomplisse... »

Le temps n'existait plus... Derrière ses paupières baissées, Morgane ne voyait plus les fils s'entrelacer, mais la forêt immense, océan de verdure et de boue mélangées, où trépignaient frénétiquement des fauves en furie. Soudain, emportée, brassée par cette tempête sauvage, il lui sembla même que la vie de la truie qui fouissait la terre brune avec frénésie entrait en elle... Oui, brun, vert, brun, vert, brun, vert... elle venait de charger ! Qui ? Elle, Morgane, ou la femelle furibonde ? Autour d'elle une âcre odeur de sang imprégnait l'atmosphère. Dans le château immobile ou le lacis des arbres gigantesques ? Cette fois le sang jaillissait à grands flots, rouge, de la blessure que portait au côté l'énorme masse noire. Ainsi, comme le Roi-Cerf, allait-elle mourir à son tour, et son sang éclabousser toute la terre ?

De sa démarche titubante, la laie, rendue furieuse par l'odeur du sang chaud, s'acharnait inexorablement... Vole, volait toujours la navette, libérée cette fois de toute contrainte, tissant dans une danse folle la trame inéluctable de la mort... L'homme et la bête se heurtaient, s'affrontaient avec une brutalité hallucinante. Rouge le sang, verte la forêt, brune la terre, la ronde infernale s'accélérait, se diluait dans un vertigineux tourbillon. Puis soudain tout s'estompa, tout disparut et ce fut le silence, un silence immense, le sang partout engloutissant formes et sons dans une chape pourpre et écœurante...

— Gwyneth... Morag... au secours ! Venez vite, Morgane vient de tomber. On dirait qu'elle est morte !

Alors, à travers les cris de Maline et un bourdonnement de voix au-dessus d'elle, Morgane, à demi inconsciente derrière les battements assourdissants de son cœur, sentit qu'on la soutenait et l'emportait jusqu'à un lit.

Au plus profond d'elle-même commençaient seulement à se dissiper la fureur et la brutalité du duel à mort qu'elle venait de vivre. Plus tard viendrait pour elle la fin de l'épreuve, le grand apaisement, mais il fallait encore subir, souffrir, supporter les affres d'une véritable agonie.

Apparemment, Morgane reposait immobile, sourde, muette, aveugle. Elle entendait en effet parfaitement résonner dans la cour, les sabots des chevaux, des cris, le déchirant appel d'une trompe de chasse... Ainsi ramenait-on déjà le corps d'Avalloch éventré par la laie rendue furieuse par la mort de son mâle. La bête l'avait chargé et dans un dernier sursaut, Avalloch avait eu la force de lever une ultime fois son arme et de la transpercer. Homme et animal s'étaient alors effondrés ensemble sur le sol. Mort, sang, naissance et renaissance, cycle éternel de tout renouvellement, tel le mouvement sans fin de la navette tissant irrémédiablement la trame du destin.

Tard dans l'après-midi, Morgane reprit ses esprits et accueillit avec un très faible sourire la visite d'Accolon. Maintenant elle se sentait libérée, déchargée d'un poids très ancien. D'autant plus libérée que, si elle-même avait dans les événements de la journée une secrète responsabilité, Accolon, lui, avait gardé les mains intactes.

— Il faut que je retourne près de mon père, murmura-t-il à son oreille. Il ne cesse de gémir et de répéter que, si j'avais accompagné mon frère, il ne serait pas mort : il m'en voudra toute sa vie ! C'est vous qui m'avez empêché de partir avec lui : votre don de seconde vue vous avait-il avertie ?

— Accolon, telle était la volonté de la Déesse, répondit Morgane, nous ne pouvions rien y changer. Avalloch ne devait pas détruire ce que vous et moi réaliserons ensemble.

— Morgane ! insista le jeune homme, apparemment très alarmé, Morgane, jurez-moi que vous n'avez aucune part dans tout ceci !

— Moi ?... Mais comment ? J'ai passé toute la journée à tisser dans la grande salle près de Maline. Non, Accolon, telle était la volonté de la Déesse, non la mienne ! C'est Elle qui a agi, pas moi !

— Mais vous saviez... vous saviez, j'en suis sûr !

Alors, n'ayant plus la force de répondre, elle se contenta d'acquiescer doucement de la tête. Accolon la regarda longuement puis, sans ajouter un mot, il sortit précipitamment, la laissant s'interroger en vain sur la façon dont il aurait réagi s'il avait pressenti les événements. Elle venait en tout cas de lui donner une preuve irréfutable de son amour. Mais cela, il l'ignorerait sûrement toujours...

Il existait dans la forêt un lieu reculé et sauvage où la rivière s'élargissait en une vaste et paisible mare. C'est là que Morgane vint s'asseoir, en compagnie d'Accolon, sur une roche plate qui surplombait la surface argentée de l'eau. A l'exception du Petit Peuple dont ils n'avaient rien à craindre, personne, en cette retraite, ne viendrait les surprendre.

— Voici des années, Accolon, que nos chemins se sont croisés, mais savez-vous réellement quel but nous poursuivons ? lui demanda-t-elle gravement.

— Je sais, Morgane, que vous tissez une toile, mais laquelle ? répondit-il sans se dévoiler davantage. Nous nous aimons, bien sûr, infiniment, mais j'imagine que ce n'est pas seulement pour cette raison que vous m'avez entraîné aujourd'hui jusqu'ici.

Accolon un instant garda le silence, jouant distraitement à retenir entre ses doigts une poignée de sable. Puis il poursuivit :

— Je pense, bien sûr, qu'il y a entre nous autre chose...

Accolon se tut à nouveau et baissa les yeux sur ses poignets où s'enroulaient deux fines lignes bleuâtres. Il les suivit du doigt avec application et dit alors comme pour lui-même :

— Je suis, me semble-t-il, indissolublement lié à cette terre, et j'imagine parfois qu'il me faudra souffrir à cause d'elle, peut-être même mourir un jour...

A l'écoute du murmure apaisant de la rivière qui musardait entre les rochers non loin d'eux, ils se gardèrent l'un et l'autre d'en dire davantage pendant un long moment.

— Le sacrifice du sang n'a pas été demandé depuis de très nombreuses années, reprit enfin Accolon, et je ne peux m'empêcher de penser que je serai, peut-être, celui que la Déesse appellera à donner sa vie...

Immobile, Morgane continuait à garder le silence. Même si Accolon avait peur, il devait, seul, parcourir cette voie, comment elle l'avait elle-même parcourue, comme la parcouraient toujours tous ceux qui affrontaient l'épreuve.

— Me sera-t-il demandé de mourir ? s'interrogea-t-il encore d'une voix anxieuse. Un sacrifice de sang sera-t-il exigé en dépit de la mort d'Avalloch ?

Il serra les dents pour dissimuler un imperceptible tremblement de ses mâchoires. « Il a réellement peur, constata Morgane, prise de pitié. Mais, il faut résister à ce penchant. Arthur n'était-il pas encore plus jeune lorsqu'il avait été couronné roi sur l'île du Dragon ? Certes, le sang d'Avalloch avait été offert en sacrifice à la Déesse, mais la mort de l'un ne pouvait nullement libérer l'autre des obligations qu'il devait assumer seul et en toute conscience. »

— Qu'il en soit fait selon la volonté de la Déesse ! conclut Accolon dans un profond soupir. J'ai tant de fois côtoyé la mort sur les champs de bataille...

— Je ne crois pas que le sacrifice suprême vous sera demandé, le rassura Morgane. Il est cependant nécessaire que vous subissiez une épreuve, et la mort rôde toujours autour de nous en de telles occasions. Mais dites-moi, Accolon : êtes-vous réellement lié à Arthur par un serment de fidélité ?

— Non, je ne suis nullement l'un de ses compagnons. J'ai pourtant combattu longtemps parmi les siens.

— Alors, écoutez-moi : vous savez que seul un roi issu d'Avalon peut régner sur cette terre. Mais Arthur a, par deux fois déjà, trahi l'Ile Sacrée. J'ai tenté à maintes reprises de lui rappeler son serment, mais en vain. Il ne m'écoute pas, et s'obstine à conserver Excalibur et son fourreau magique que j'ai jadis confectionné pour lui...

— Ainsi voulez-vous vraiment me laisser entendre que vous avez l'intention de destituer Arthur ?

— S'il persiste à renier sa foi, sans aucun doute, car alors, il n'y aura plus d'autre solution. Or son fils est encore trop jeune pour lui succéder... Vous, en revanche, Accolon des Galles du Nord, dites-moi si vous accepteriez d'être le champion d'Avalon le moment venu ? Dites-moi si vous accepteriez d'arracher au traître l'épée sacrée Excalibur !

— Arracher Excalibur à Arthur ? Autant me condamner à mort, Morgane ! Mais vous me parlez par énigmes : Arthur a-t-il vraiment un fils ? Je l'ignorais.

— Ce fils est celui d'Avalon et des Feux de Beltane...

Un instant Morgane hésita à poursuivre, puis brusquement, comprenant qu'elle lui devait la vérité, évitant soigneusement son regard, elle déclara :

— Écoutez-moi. Il faut que je vous parle. Vous saurez tout.

Alors elle ne lui cacha rien : sa rencontre avec Arthur sur l'île du Dragon, sa fuite d'Avalon, la naissance de Gwydion...

— Cet enfant a déjà fait ses preuves, acheva-t-elle, mais il est encore très jeune et inexpérimenté. Pour l'heure, l'étoile d'Arthur est à son zénith, et si grande est sa renommée, que même avec l'aide de toutes les forces d'Avalon réunies, Gwydion ne parviendrait pas à ébranler son trône !

— Et vous pensez que moi, j'en serais capable ? Comment pourrais-je reprendre Excalibur à Arthur sans être aussitôt transpercé par ses preux ?

— Sans doute, admit Morgane, mais peut-être n'est-ce pas en ce monde que vous la reprendrez. Il existe d'autres voies, d'autres frontières... Une fois désarmé, Arthur redeviendra comme tous les autres hommes. Sans Excalibur et son fourreau sacré, le Haut Roi, je vous le dis, perdra tout son pouvoir. Quand il sera mort, je serai la plus proche du trône puisque je suis sa sœur. Je deviendrai donc reine et vous mon époux et mon glaive. Alors viendra un temps où l'on vous provoquera, où les armes s'uniront contre vous, où l'on vous piétinera comme tout Roi Cerf. Mais vous serez auparavant roi à mes côtés.

— Moi roi, un jour ?... soupira Accolon. Si tel est donc votre désir, et celui de la Déesse...

— Ayez confiance en moi, Accolon, et écoutez ma voix. Obéissez ! conclut Morgane se levant pour regagner paisiblement la lisière des bois. Existe-t-il des noisetiers dans la forêt, Accolon ? demanda-t-elle d'un ton étrange en tournant la tête vers lui.

Ayant acquiescé en silence, il l'emmena vers un bosquet touffu qui n'était encore que fleurs et jeunes pousses. Un peu partout, pointaient les feuilles nouvelles tournées vers la lumière du ciel. Bientôt, arbres et arbrisseaux porteraient des noisettes, puis elles tomberaient sur le sol et les coquilles brisées par les rongeurs joncheraient les sous-bois. La marche du temps était sans fin. Entre ciel et terre, entre la vie et la mort, ténèbres et lumières prolongeaient à l'infini le grand dessein de la Mère Suprême.

Non loin d'eux se trouvait une nappe d'eau obscurcie çà et là par une sombre végétation. Ailleurs pourtant, l'eau était limpide et Morgane en s'approchant du bord constata qu'elle reflétait fidèlement son visage. Puis, brusquement, l'eau s'agita sous l'effet d'un léger tourbillon, et apparurent distinctement les traits d'une femme étrange n'appartenant pas à ce monde. Morgane tressaillit. La terre d'où elle venait ne se situait pas aux frontières d'Avalon, mais dans les lointaines solitudes des Galles du Nord ! Le monde des humains s'était-il subitement évanoui autour d'elle, ou bien avait-elle été transportée instantanément ailleurs ? Une voix intérieure lui répondit : « Je suis partout. Je suis donc là aussi, là où le noisetier se reflète dans le bassin sacré... »

A cet instant, Accolon poussa une exclamation de surprise mêlée d'émerveillement qui la fit se retourner d'un bloc. Debout à côté de lui, droite et fière dans son vêtement étincelant, se tenait la silhouette d'une femme venue du Royaume des Fées, couronnée de lauriers et de baies écarlates :

— Il existe une autre épreuve que celle du cerf s'enfuyant

à travers la forêt... dit-elle alors d'une voix étrangement musicale.

Au même instant, une fanfare aux accords d'une indicible nostalgie enveloppa le grand bosquet de noisetiers. Les feuilles se mirent à frissonner comme elles le font parfois avant l'orage, et d'un seul coup une violente tornade s'abattit sur les arbres comme si elle allait les arracher du sol. Prises dans des tourbillons convulsifs, les branches écartelées s'entrechoquaient tels des squelettes désarticulés, et Morgane, luttant de toutes ses forces pour ne pas perdre l'équilibre, cheveux et robe volant dans la bourrasque, sentit alors monter en elle l'attente angoissée et fiévreuse de toute la nature vibrant à l'unisson.

— Le voici ! clama la voix profonde de la Dame.

En effet, ils n'étaient plus seuls. A l'ombre des noisetiers, courbés et gémissants, à la frontière indistincte des deux mondes, une haute ramure se déplaçait dans le feuillage, deux grands yeux étincelants aussi... Mais cette fois, le cerf ne venait pas pour elle, et ce n'était pas à elle, Morgane, d'aller à sa rencontre.

Comme poussé par une force irrésistible, Accolon cependant s'était mis en marche vers les profondeurs des taillis. S'enfonçant sous la voûte végétale, il s'avançait à pas aériens et comptés et déjà la ramure rituelle se dessinait au-dessus de sa tête, son corps entier, comme par enchantement, se couvrait de feuillages, entouré d'un halo de lumière surnaturel. Le vent, une fois encore, coucha les noisetiers et derrière eux apparurent de multiples visages, s'élevèrent d'innombrables voix. Le son triste de la corne résonna de nouveau, puis des sabots martelèrent à plusieurs reprises les sous-bois avant de s'éloigner.

Accolon avait maintenant disparu. Morgane, brusquement épuisée, s'appuya chancelante au tronc d'un jeune noisetier. Non, elle ne saurait jamais, et elle n'avait d'ailleurs nullement à savoir, de quelle manière Accolon allait être fait roi. Son pouvoir même, ni son état, ne lui permettaient pas de percer ce mystère. Elle avait invoqué toutes les forces, toute la souveraineté du Grand Cornu par l'intermédiaire de la Dame, son rôle s'arrêtait là. L'homme était désormais parti seul là où son véritable destin l'appelait...

Morgane ne sut pas davantage combien de temps dura l'absence d'Accolon. Aussi soudainement qu'elle s'était levée, la tornade décrût puis s'apaisa, et il fut là, de nouveau, devant elle. Immobiles, tous deux figés dans un recueillement intense, ils écoutèrent le long roulement de tonnerre qui résonnait sous la voûte céleste pourtant sans nuages. Derrière eux le soleil n'était plus qu'un mince croissant en fusion, flamboyant derrière le disque noir de la lune.

— L'éclipse... chuchota Morgane à l'oreille d'Accolon secoué d'irrépressibles frissons.

Un silence incommensurable régnait autour d'eux ; tout semblait pétrifié. Seules glissaient, à la surface du bassin, quelques feuilles emportées par le vent, à peine visibles dans l'obscurité des bois. C'est alors qu'un oiseau chanta. Aussitôt toute la forêt sembla sortir de son envoûtement. Dans le ciel, les deux astres s'écartèrent l'un de l'autre, et donnèrent naissance à une éblouissante lumière.

— Il n'est plus là... tout est fini... balbutia Accolon semblant sortir d'un rêve. Il m'a semblé que je m'élevais très haut au-dessus de ce monde, que je voyais soudain toutes choses sous un angle jamais perçu par les hommes...

Un long frisson parcourut tout son corps et il s'approcha d'elle, les mains tendues. Morgane l'attendait, et son seul geste fut de cueillir sur sa chevelure une fleur sauvage que le vent avait fichée dans une boucle l'instant d'avant. Alors, presque sauvagement, il la prit dans ses bras et l'allongea sur la mousse. La force qui le poussait vers elle, sur elle, en elle, était totalement étrangère à sa volonté. Sans opposer la moindre résistance, elle s'y abandonna, avec dévotion et griserie, absorbée dans la contemplation éblouie de l'azur du ciel. En cet instant, Morgane n'était plus que la Terre, la terre dépouillée et nue sous la caresse voluptueuse d'une brise légère, de l'astre resplendissant au-dessus de leurs têtes. La lumière, après les ténèbres, se faisait en elle, explosait en elle, à travers elle, pénétrait la terre jusque dans ses profondeurs les plus inaccessibles.

Lorsque joyeux et apaisés Morgane et Accolon ouvrirent de nouveau les yeux sur le monde, le soleil déclinait à l'horizon. Alors, sans échanger le moindre mot, ils se levèrent et quittèrent le bosquet sacré.

Accolon venait de sortir vainqueur de la première épreuve. Il venait d'être accepté, mais cette victoire ne signifiait en rien qu'il allait triompher des difficultés à venir. Car, Morgane ne l'ignorait pas, à la prochaine étape, c'était la mort elle-même qu'il devrait affronter...

XI

Comme chaque année, en cette veille de Pentecôte, le roi Arthur avait convié à Camelot ses plus proches parents et ses meilleurs amis. Comparée au grand banquet traditionnel du lendemain qui devait réunir ses fidèles compagnons et ses vassaux au grand complet, la réception tout à l'heure serait presque intime. Aussi Guenièvre s'apprêtait-elle sans déplaisir, en compagnie de son époux, pour cette soirée tout en songeant qu'il en serait bien autrement le lendemain.

En effet, c'est au cours du banquet officiel de la Pentecôte que le Haut Roi devait rendre public le nom de son héritier. En fait, celui-ci était déjà connu de tous, mais on ne le prononçait encore qu'à voix basse. Or, demain, Galaad, fils de Lancelot, serait fait chevalier et compagnon de la Table Ronde, demain, il serait présenté à la cour et désigné officiellement comme le successeur du trône !

Bien sûr, la reine savait depuis longtemps que ce jour fatal viendrait inévitablement. Mais, jusqu'alors, Galaad n'avait été pour elle qu'un petit garçon blond grandissant discrètement au loin sur les terres du roi Pellinore, et dont l'existence lui paraissait de ce fait presque irréelle. Mais c'en était fini. Demain, il serait là, vivant reproche, insupportable insulte à sa stérilité, exposé aux regards de toute la cour assemblée.

— Guenièvre, mon cœur, plaida le roi en l'embrassant, ne devinant que trop les tourments de sa femme, ne m'en veuillez pas trop si j'ai choisi de présenter officiellement mon successeur demain. C'est simplement parce que les fêtes en fournissent une bonne occasion. Si, néanmoins, vous ne souhaitez pas assister à la cérémonie, nous trouverons bien sûr quelque prétexte...

— Non, puisque vous en avez décidé ainsi, répondit Guenièvre le visage fermé, autant demain que plus tard !

N'insistant pas sur le sujet, Arthur cependant aborda une question tout aussi délicate :

— À propos... ajouta-t-il d'un ton mal assuré, le fils de Morgane, m'a-t-on dit, se trouverait à Avalon ?

— Ah, non, je vous en prie, épargnez-moi ! explosa Guenièvre au bord des larmes.

— Ma reine, mon ange, ne craignez rien. Je ferai tout pour que vous n'ayez pas à le rencontrer. Mais il est de sang royal. Je me dois de l'aider, même si je sais pertinemment qu'il ne montera jamais sur mon trône : les prêtres ne l'accepteraient pas et...

— Ainsi, à vous entendre, reprit Guenièvre hors d'elle, il aurait donc suffi du bon vouloir de quelques-uns pour que vous désigniez vous-même le fils de Morgane comme votre héritier ?

— Certains, vous le savez, ne manqueront pas de s'étonner qu'il n'en soit pas ainsi, répliqua patiemment Arthur. Il est et restera le fils de ma sœur, personne n'y peut rien.

— C'est justement pour cette raison que vous devez le tenir éloigné de la cour ! D'ailleurs, je ne vois pas quelle place pourrait avoir ici un homme qui a été élevé par les druides.

— Kevin, comme autrefois Merlin, fait partie de mes conseillers, rétorqua non sans agacement le roi, et il en a toujours été ainsi. Ceux qui continuent à croire en la Grande Déesse sont mes sujets au même titre que les autres, et ils le resteront ! Allons, Guenièvre, ma douce, reprit Arthur changeant délibérément de ton, parents et amis nous attendent. Nous ne pouvons les faire languir. Vous êtes ce soir plus belle, plus jeune que jamais !

La prenant par la main, il l'empêcha de répliquer et la conduisit fermement dans la pièce réservée aux réunions intimes — la grande salle où se trouvait la Table Ronde faisant l'objet d'ultimes préparatifs pour les fêtes du lendemain. Comme ils faisaient leur entrée, un serviteur remit un message à Arthur qui, en ayant pris connaissance, déclara à voix haute :

— Mes amis, nous serons plus nombreux que prévu. Gauvain me dit que sa mère vient d'arriver. Morgause, veuve du roi Loth des Orcades, est donc la bienvenue parmi nous !

Guenièvre aimait cette salle, aux proportions intimes et chaleureuses. Décorée de tentures qu'elle avait tout exprès fait venir de Gaule, et qui égayaient harmonieusement les murailles, elle se sentait vraiment chez elle. Cependant, légèrement éblouie par la flamme des torches, elle ne vit d'abord rien d'autre que les tables étincelantes et colorées, l'éclat de la vaisselle et des habits de fête rehaussés d'or et de pierreries.

Puis, elle reçut l'hommage des invités : Gauvain, toujours rieur, Gareth, plus discret, que Caï s'obstinait à appeler « Beau Sire », Lancelot, aux boucles, lui sembla-t-il, un peu plus argentées, Morgause, encore en tenue de voyage, l'air plus jeune que jamais, le roi Uriens, paraissant, lui, avoir cent ans, Morgane enfin, qu'elle embrassa distraitement, se bornant à remarquer sa simple robe sombre tranchant curieusement parmi les toilettes d'apparat.

À la haute table, on plaça Galaad entre Arthur et elle-même, ainsi qu'il convenait à l'héritier du royaume. À la gauche du Haut Roi, vinrent s'asseoir Morgause et Lamorak, puis Gauvain et son protégé Uvain qui le suivait comme son ombre. À sa droite, Guenièvre regarda avec émoi s'installer Lancelot. Il était veuf maintenant, car contre toute attente, Élaine venait de le quitter en mettant au monde son quatrième enfant. Uriens et Morgane, et d'autres personnages dont elle ne distinguait pas les visages, s'installaient à leur tour à côté de lui.

Depuis peu, en effet, sa vue était moins bonne et elle se demandait une nouvelle fois si ses craintes d'enfant face aux vastes horizons n'avaient pas eu pour origine ce défaut de vision, ayant toujours eu peur de ce qu'elle ne pouvait nettement distinguer.

Après les volailles et le bœuf rôti, un peu étonnée de ne pas entendre de musique, elle demanda à Arthur, par-dessus l'épaule de Galaad, qui dévorait d'un bon appétit tout ce qui se présentait devant lui :

— Kevin n'est-il pas là, ce soir ?

— Non, je l'avais invité, mais il m'a fait répondre qu'il ne pourrait venir. Peut-être célèbre-t-il à sa manière les fêtes en Avalon. Mais, Morgane peut le remplacer à la harpe, si elle le veut bien.

Morgane déclina l'invite, prétextant la trop grande abondance des mets et des boissons auxquels elle avait fait honneur. Arthur renouvela donc sa demande en se tournant vers Lancelot qui, lui, accepta, sans se dérober, en expliquant à l'assemblée qu'il allait interpréter un poème saxon transcrit par ses soins dans la langue du pays.

— J'ai pourtant dit un jour ne pouvoir supporter leurs ballades. Mais, l'année dernière, ayant vécu parmi eux, j'en ai entendu une qui m'a touché au cœur. C'est elle que vous allez entendre.

Se tournant alors vers le roi, il se leva et poursuivit :

— Mon roi, je vous dédie cette ballade, car elle parle d'une nostalgie qui fut mienne quand j'étais loin de vous et de la cour...

Un grand silence se fit dans toute l'assemblée, et Lancelot commença à chanter une très douce et émouvante mélodie. Peut-être ses doigts étaient-ils moins habiles que ceux de Kevin, mais sa voix profonde, voilée, exerça instantanément une véritable fascination sur l'auditoire :

> Combien est triste et malheureux celui
> qui se retrouve seul,
> Existe-t-il pour lui infortune plus grande ?

Je vivais autrefois près d'un roi que j'aimais,
Le bras lourd
Des bracelets qu'il m'avait donnés,
Le cœur lourd
De l'or de son amour.
Pour tous ceux qui l'entourent,
Le visage d'un roi est un astre bienveillant.
Ce soir aussi, mon cœur est vide
Et j'erre solitaire de par le monde.
Tous les visages m'indiffèrent
Hors celui de mon seigneur et roi,
Toutes les terres m'indiffèrent
Hors les prés et les bois qui cernent sa demeure.
Aussi, vais-je partir au loin, très loin,
Bien au-delà des mers que hante la baleine,
Sans ami, sans soutien,
Hormis le souvenir de celui que j'aimais,
Hormis le souvenir de celui que toujours j'aimerai...

Guenièvre baissait les yeux pour ne pas fondre en larmes. Arthur voilait ses yeux derrière sa main. Seule Morgane, le visage levé, ne cherchait nullement à masquer son émotion.

— Qui aurait cru les Saxons capables de composer une si prenante complainte ? murmura-t-elle dans un silence qui se prolongeait, ne quittant pas des yeux Lancelot.

Guenièvre, elle, le visage toujours baissé, souffrait le martyre : qui Lancelot en fin de compte avait-il aimé le plus ? Elle ou Arthur ? L'amour qu'il lui avait porté n'était-il rien d'autre que l'écho d'une dévorante passion vouée tout entière à son roi ?

C'est alors qu'une voix s'éleva avec force dans l'auditoire :

— Les Saxons, vous le voyez, ne sont pas tous des guerriers sanguinaires et incultes. Il existe parmi eux d'authentiques poètes et de bons musiciens !

— Qui parle ? Qui ose ainsi troubler ma table ? s'exclama

alors Arthur. J'avais pourtant bien précisé ce soir le caractère familial et intime de notre réunion.

— J'ai moi-même amené ce jeune homme, intervint à son tour Morgause. Je voulais vous le présenter avant le début du repas, mais vous étiez si entouré que je n'ai pu le faire. C'est le fils de Morgane, que j'ai moi-même élevé à ma cour... Son nom est Gwydion !

Droit et grave, le jeune homme se leva et s'avança vers Arthur. La taille élancée, le teint mat, les cheveux ondulés, la démarche souple, il ressemblait si étonnamment à Lancelot que Guenièvre douta un instant qu'il puisse être le fils de son époux. Même sa voix chaude et prenante était celle de Lancelot.

— Mon roi... dit-il simplement en s'inclinant avec respect.

— Le fils de ma sœur bien-aimée... sera accueilli sous mon toit comme mon propre fils. Gwydion !... articula difficilement Arthur cherchant à dissimuler son émotion. Venez là vous asseoir, près de moi.

« Ce jeune homme sait-il qu'il est son père ? se demanda Guenièvre, ou croit-il, comme tout le monde sûrement l'imagine, être le fils de Lancelot, tant il lui ressemble ? Quel âge peut-il avoir ? Vingt-cinq ans, peut-être... Et Galaad qui lui tend la main dans un geste si spontané, pense-t-il lui aussi qu'il a en face de lui un bâtard de son père, un fils tenu secret jusqu'à ce jour ? »

— Vous êtes plus proche parent du roi que moi, Gwydion ! déclarait en effet Galaad avec courtoisie. C'est à vous que revient la place d'honneur à la droite d'Arthur. Merci de ne pas me tenir rigueur de l'avoir occupée jusqu'à présent !

— Pensez-vous vraiment que je ne vous en veux pas, mon cousin ? répondit Gwydion avec un sourire ambigu.

Guenièvre sursauta : voulait-il simplement plaisanter ou bien était-ce déjà l'amorce d'un conflit ? Et dans ce cas que savait-il au juste de sa naissance ? Quant à Galaad, il semblait profondément décontenancé par cette réplique. Ne pouvant ignorer la ressemblance frappante entre son père et Gwydion, imaginait-il soudain se trouver en face d'un fils bâtard de Lancelot ?

Mais Gwydion ne laissa à personne le temps de s'interroger davantage.

— Non, mon cousin, reprit-il, ce que vous êtes en train de penser ne correspond nullement à la vérité !

— Quelle vérité ? Je n'ai, ce me semble, rien dit !

— En effet, mais vous avez pensé, et ce que chacun pense ici, m'apparaît clairement.

S'arrêtant un instant, il sembla réfléchir, prit une profonde inspiration comme s'il allait se lancer dans un long monologue :

— Voyez-vous, mon cousin, commença-t-il, en pesant ses mots, le sang maternel prime sur tout autre lignage. Or, il se trouve que j'appartiens à l'ancienne lignée royale de l'Île Sacrée, et cela me suffit. J'aimerais toutefois, comme chacun ici-bas, savoir de qui je suis le fils ! Ce que vous pensez, ainsi que beaucoup d'autres, quant à ma prétendue filiation avec Lancelot, on me l'a souvent dit à cause de notre ressemblance. Même les Saxons, parmi lesquels j'ai passé plus de trois années comme druide-soldat, le pensaient également. Mais je les ai détrompés. Cette ressemblance entre le seigneur Lancelot et moi-même n'est due qu'à notre parenté : je suis votre cousin, Galaad, et non votre frère !

À ces mots, l'embarras de Lancelot et le malaise général parurent encore s'amplifier. Seul Gwydion semblait prendre un malin plaisir à semer le trouble dans les esprits.

— Pour ma part, intervint Morgane, tournée vers Guenièvre, je bénis cette soirée qui me donne l'occasion de retrouver un fils que je connais si peu ! Imaginez mon émotion s'il m'était brusquement apparu demain à l'improviste, devant toute la cour.

— Toute femme serait fière d'avoir un fils tel que lui, s'exclama à son tour le vieil Uriens. Quant à votre père, jeune homme, quel qu'il soit, il est bien regrettable qu'il ne vienne pas revendiquer ses droits légitimes !

— Je crains qu'il ne veuille jamais se manifester dans ce

sens, répliqua Gwydion en jetant à la dérobée un imperceptible coup d'œil en direction du Haut Roi.

« Sait-il vraiment ou ruse-t-il ? s'interrogea derechef Guenièvre. Et que se passerait-il si, brutalement, il demandait à Arthur la raison pour laquelle il n'était pas désigné comme son héritier ? »

Se sentant cette fois tout à fait mal à l'aise, elle maudit en elle-même le suppôt de sorcières qu'était devenu Avalon. Comme elle aurait voulu voir l'île damnée disparaître sous les flots, telle jadis la légendaire cité d'Ys !

— Mais, poursuivait déjà Gwydion, cette nuit est celle de Galaad. Je ne veux en aucun cas le distraire de la veillée d'armes qui l'attend !

En effet, un prêtre en robe blanche, suivi de deux enfants également de blanc vêtus, venait de pénétrer dans la salle et cherchait Galaad des yeux. Les ayant aperçus, celui-ci se leva aussitôt, et l'émotion colorant ses pommettes, s'inclina devant Arthur qui le bénit, puis devant son père et Guenièvre enfin qui, l'un et l'autre, firent le même geste au-dessus de son front rayonnant. Se redressant alors, il sortit à la suite du prêtre, en direction de l'église.

Tard dans la soirée, les invités du roi prirent congé à leur tour et l'assemblée entière alla rejoindre le jeune homme en prières. Morgane en profita pour retenir son fils quelques instants :

— Je ne m'attendais pas à vous voir en la circonstance, Gwydion. Qui donc vous a poussé à vous manifester publiquement avant que le temps ne soit venu ?

— Je voulais simplement connaître mon rival. Je sais maintenant que je n'ai aucune raison de le redouter : il ne vivra pas assez longtemps pour régner !

— Est-ce le Don qui vous permet ainsi de prédire l'avenir ?

— Point n'est besoin du Don, répondit Gwydion à voix basse, pour comprendre qu'il faudrait quelqu'un de beaucoup plus armé pour prendre place sur le trône des Pendragon ! Mais, si cela peut vous rassurer, ma Dame, ne craignez rien ! Je vous jure par l'eau du Puits Sacré que Galaad ne mourra nullement de ma main... Ni de la vôtre... Venez maintenant, ajouta-t-il impassible, en la prenant par le bras, allons rejoindre Galaad et ses amis. Notre absence pourrait être mal interprétée. Or rien ne doit venir troubler l'élan et la ferveur de ce grand moment de son existence. Peut-être n'en connaîtra-t-il guère d'autres !...

Morgause appréciait toujours vivement le faste des réceptions de Camelot. Elle l'appréciait d'autant plus qu'étant mère de trois des plus anciens compagnons du Haut Roi, elle y était traitée avec une faveur toute particulière. Ainsi se trouvait-elle placée à côté de Morgane pour cette messe solennelle de Pentecôte célébrée par l'évêque Patricius, venu tout exprès de Glastonbury pour officier personnellement. Abandonnant quelques instants son attitude de circonstance recueillie, elle regarda Galaad, abîmé non loin d'elle dans ses oraisons, grave et pâle comme un archange tombé du ciel.

Attendant avec impatience la fin de la cérémonie, Morgause porta discrètement la main à sa bouche pour étouffer un bâillement : comme ces offices interminables lui pesaient ! Décidément, ils n'avaient ni l'attrait, ni le charme des rites d'Avalon où elle avait passé son enfance, et de toute façon, elle en était intimement persuadée, depuis longtemps, toutes ces démonstrations religieuses, simulacres artificiels, ne correspondaient en rien à la réalité tangible de la vie ! Néanmoins, il fallait accepter certaines conventions. Étant l'invitée d'Arthur, elle se devait d'assister jusqu'au bout et dignement à cette messe, et tout à l'heure, de s'approcher avec toute la famille de la sainte table. Morgane, seule, comme d'habitude, s'en abstiendrait, et elle l'en blâmait. Comment s'étonner après qu'on la traite de sorcière ou de diablesse ? Le vieil Uriens, lui, était beaucoup plus diplomate et, les serpents d'Avalon autour des poignets, il ne répugnait nullement à recevoir le pain bénit comme tout le monde, son fils Accolon ayant adopté quant à lui une même attitude.

Un mouvement dans la foule incita Morgause à interrompre ses réflexions. Galaad, en effet, venait de s'agenouiller devant le Haut Roi, qui prenant des mains de Gauvain une épée magnifique la remettait au jeune garçon en prononçant d'une voix haute et claire, légèrement voilée par l'émotion, les paroles désormais célèbres :

— Je te reçois parmi mes compagnons, Galaad, et te confère l'ordre de chevalerie. Sois pour toujours loyal et juste. Sers jusqu'à la mort le trône et le bon droit !

Tout en disant ces mots, Arthur avait posé sa main sur l'épaule du jeune homme agenouillé à ses pieds, la tête baissée. Alors le roi releva le nouveau chevalier, le serra dans ses bras et l'embrassa.

La cérémonie achevée, l'église se vida dans un bourdonnement joyeux, et chacun s'empressa de gagner la lice entourée de pieux enrubannés et de banderoles, où devaient se dérouler les tournois.

— Lancelot combattra-t-il aujourd'hui ? demanda Morgause entourée de Morgane, de Gwydion et de la famille d'Uriens.

— C'est peu probable, avança Accolon Il a été si souvent vainqueur qu'il doit maintenant laisser la place aux jeunes. Gareth et même Lamorak l'ont d'ailleurs surpassé plusieurs fois. Un jour ou l'autre, il devra donc abandonner son titre de champion de la reine.

— Gareth l'a déjà mis à terre, c'est vrai, enchaîna Uvain, et Gauvain pourrait lui aussi en avoir raison. Cependant, ils se refuseront, l'un et l'autre, à l'affronter un jour de Pentecôte devant tous les grands du royaume. Quant à moi, reste à savoir si je serais capable de le vaincre en combat singulier, malgré mon désir de lui ravir son titre.

— Qui sait ? lança Accolon en riant. J'ai moi-même essayé, mais en moins de temps qu'il ne faut pour le dire, Lancelot a balayé toutes mes prétentions ! Il prend de l'âge certes, mais il possède encore une puissance et une habileté foudroyantes ! Allons, mes amis, allons sur le terrain voir les concurrents !

Il était temps. L'ouverture des jeux commençait.

Fous et nains se livraient à des parodies de combats à grand renfort de cabrioles et de grimaces, brandissant des épées de bois et des vessies de porc grossièrement peintes en guise d'écus. Leur numéro terminé, ils venaient déjà quémander récompense et Guenièvre, du haut de sa tribune leur jetait en riant des poignées de gâteaux et de bonbons, occasion nouvelle pour eux de s'adonner à mille pitreries.

La lice à peine dégagée, on annonça le premier combat opposant le champion de la reine, Lancelot du Lac, à celui du roi, Gauvain du Lothian et des Îles. Un tonnerre d'applaudissements salua leur entrée, particulièrement celle de Lancelot qui traînait toujours tous les cœurs après lui.

D'emblée, leur duel prit les allures d'un très savant ballet, chacun provoquant l'autre avec une si parfaite maîtrise qu'ils semblaient avoir tous deux souscrit d'avance à un cérémonial obéissant aux règles les plus hautes et les plus nobles de la chevalerie. Aussi, lorsqu'enfin ils abaissèrent leurs armes, aucun combattant n'ayant surclassé l'autre, le roi les embrassa avec une égale et fervente admiration.

Vinrent ensuite des jeux équestres où de jeunes cavaliers tentèrent de se maintenir en selle sur des chevaux sauvages, et plusieurs affrontements avec des lances aux pointes émoussées faisant culbuter les cavaliers désarçonnés dans le pré sans pour autant les exposer à des blessures graves. Ainsi n'eut-on à déplorer qu'une jambe cassée, quelques chevilles et poignets malmenés.

Guenièvre, aidée de Morgane, remit alors les prix aux vainqueurs. Parmi eux figurait Accolon qui avait réussi une démonstration très brillante sur un cheval à peine dompté. Mais au moment où il s'agenouillait devant Morgane pour recevoir de sa main la récompense de son courage, retentirent dans la foule des sifflements, suivis de cris : « Sorcière ! Catin ! Diablesse !... »

Sous l'injure, Morgane rougit mais ne broncha pas, attendant que la reine achève sa remise de prix. Puis elle regagna sa place dignement sans toutefois parvenir à masquer complètement son émoi.

— Ne vous inquiétez pas, lui souffla Morgause. Quels noms

pensez-vous que l'on me donne, à moi, en Lothian, les années de mauvaises récoltes, ou lorsque je rends un jugement qui déplaît ?

— Je n'ai que faire de cette populace ! siffla Morgane entre ses dents. Chez moi, dans mon pays, on m'aime suffisamment...

Mais derrière ce mépris et cette indifférence feinte, Morgause savait que Morgane venait d'être profondément atteinte par cette haine spontanée, qu'en dépit des recherches aussitôt entreprises par Arthur, on ne pourrait sûrement totalement expliquer.

L'incident cependant n'avait pas empêché la deuxième partie des joutes de débuter. D'énormes Saxons velus de la tête aux pieds s'exhibaient maintenant. À moitié nus, grognant et haletant, laissant échapper de temps à autre de véritables rugissements de fauves, ils s'agrippaient à bras-le-corps tentant, avec une brutalité inouïe, de se précipiter à terre mutuellement, à la grande satisfaction de Morgause, ne pouvant rester insensible à un tel spectacle, Morgane, elle, détournant en revanche les yeux avec répulsion.

— Deviendriez-vous aussi ridiculement pudique que notre reine ? lui lança la belle veuve tout excitée.

Mais comme elle reportait son attention vers le champ clos où prenaient fin les corps à corps, soudain, au comble de l'étonnement, elle s'exclama :

— Mais regardez !... c'est Gwydion ! Que fait-il là ?

Gwydion venait en effet de sauter dans la lice et se tournant vers la tribune royale s'écriait d'une voix si forte qu'on l'entendit d'une extrémité à l'autre de l'enceinte :

— Roi Arthur !

Morgause vit alors Morgane devenir pâle comme la mort, portant dans un mouvement d'effroi les mains à son visage. Pensait-elle que son fils allait, aux yeux de tous, interpeller le roi, le sommer de clamer la vérité sur sa naissance au grand jour ? Avait-il subitement perdu l'entendement ou cherchait-il sciemment le scandale public ?

Tout aussi blême que sa sœur, Arthur s'était levé. Mais c'est pourtant d'une voix claire qu'il apostropha le jeune homme :

— Je vous écoute, mon neveu !

— Seigneur, j'ai ouï dire qu'il était de coutume, au cours de ces joutes, de défier un chevalier en combat singulier. J'aimerais donc, si vous le voulez bien, lancer un défi personnel à Lancelot du Lac !

— C'est la coutume, je n'en disconviens pas, admit Arthur d'une voix grave. Je ne peux cependant répondre pour Lancelot. S'il accepte, je ne m'y opposerai pas.

À peine le roi avait-il achevé de parler qu'un brusque tourbillon de poussière enveloppa Gwydion, le dissimulant complètement aux regards des spectateurs. Mais ce fut de courte durée. De nouveau visible, on put le voir se diriger vers l'extrémité de l'enceinte où se tenait Lancelot, assis sur un banc. Nul n'entendit ce qu'ils se dirent alors, mais Gwydion se retourna presque aussitôt, le visage assombri :

— Nobles dames et seigneurs, cria-t-il. Vous savez tous qu'un champion, selon la tradition, se doit de relever le gant qu'on lui jette. J'insiste donc pour que Lancelot du Lac accepte d'en découdre loyalement avec moi. S'il refuse, qu'il abandonne en ma faveur son titre prestigieux de champion de la reine. L'a-t-il d'ailleurs, mon Roi, obtenu grâce à son habileté aux armes, ou pour son adresse émérite dans l'art d'un tout autre talent, ce que j'avoue ignorer complètement. Or donc, je renouvelle publiquement mon défi et...

Gwydion ne put terminer sa phrase. Lancelot, se levant d'un bond, l'avait violemment frappé en travers de la bouche :

— Que Dieu m'en soit témoin, je ne souhaitais nullement engager le fer avec vous, mais vous venez de me donner une juste occasion de châtier votre insolence, jeune homme ! s'exclama-t-il d'une voix blanche, regardant couler un mince filet de sang entre les lèvres de Gwydion. Ainsi donc, puisque je vous ai provoqué, vidons notre querelle sans plus attendre !

Aussitôt dit, aussitôt fait. Un murmure parcourut les rangs des spectateurs tandis que les deux adversaires dégainaient leur épée, en s'inclinant devant le roi pour le salut rituel. Leurs silhouettes, leurs traits, leurs attitudes, leurs tailles, leur même façon de s'incliner, leur regard, tout en eux était si semblable que les commentaires reprirent de plus belle.

Alors, le visage maintenant entièrement protégé par le heaume, les deux hommes se firent face l'épée haute. S'étant observés un bref instant, ils se ruèrent brusquement l'un sur l'autre, l'arme au clair, attaquant et esquivant les assauts avec une telle rapidité qu'il était pratiquement impossible de déceler à qui revenait l'avantage. Un instant cependant, Gwydion perdit l'équilibre, chancelant sous la violence d'un coup asséné par Lancelot qui lui arracha son bouclier. Mais il venait de se relever aussitôt, une très légère blessure à la main, et c'était désormais au tour de Lancelot d'être atteint à l'avant-bras... Profitant du choc porté à l'adversaire, Gwydion abaissa alors son épée et, pointant son doigt sur la tache de sang qui maculait la manche droite de Lancelot, il haleta à voix haute :

— La première goutte de sang était de votre fait, la seconde est du mien. Ne serait-il en conséquence pas légitime qu'un ultime assaut nous départage ?

Un murmure de désapprobation parcourut l'assemblée. En effet, selon la règle, dans ce genre d'affrontements, la première blessure, même légère, devait mettre fin au combat.

— Nous sommes réunis ici pour applaudir l'adresse et la maîtrise de nos chevaliers, non pour assister à un duel effréné ! intervint alors le roi Arthur en se levant de son siège. Si l'un de vous deux blesse l'autre sérieusement, sachez qu'il encourra ma colère.

S'étant inclinés en signe d'assentiment, Lancelot et Gwydion se préparèrent à l'épreuve finale. Prêts à bondir, chacun guettant chez l'adversaire la moindre défaillance, ils s'affrontèrent du regard un long moment avant de s'élancer l'un contre l'autre avec une violence qui surprit tous les spectateurs. Les épées s'entrechoquèrent, les boucliers montèrent et s'abaissèrent pour amortir les chocs, les deux silhouettes, méconnaissables sous le heaume, se rapprochèrent et s'éloignèrent, tournoyant sur elles-mêmes pour revenir se heurter avec une impétuosité grandissante. Mais soudain l'un des deux combattants tomba sur les genoux et, lentement, s'écroula sur le sol.

— C'en est trop maintenant ! s'écria Arthur, la voix trahissant une angoisse très vive. Qu'on arrête ! Je l'ordonne.

Mais l'appel ne mit pas aussitôt fin au combat, et il fallut que le prévôt responsable des jeux s'interpose en personne pour séparer les deux hommes et aider celui qui était à terre à se relever. C'était Lancelot. Il avait enlevé son casque et respirait difficilement, essuyant de sa manche le sang et la transpiration qui ruisselaient sur son visage. Lui faisant face, Gwydion, l'air harassé mais triomphant, reprenait ses esprits en le toisant de toute sa hauteur, savourant fièrement sa victoire. N'abusant pas outre mesure de la situation, le jeune homme cependant s'inclina presque aussitôt devant son aîné et lui dit avec une grande courtoisie :

— Sire Lancelot, je vous remercie. Vous venez de m'accorder une très belle leçon dans l'art du maniement des armes !

— Vous vous êtes, vous-même, comporté en maître, Gwydion, et je vous en suis redevable ! lui renvoya Lancelot en souriant. J'accepte ma défaite sans conteste.

— Puisqu'il en est ainsi, reprit Gwydion en s'agenouillant à même la poussière, j'ai une très grande faveur à vous demander : accueillez-moi sur l'heure parmi vos chevaliers !

À ces mots, Lancelot se tourna vers Arthur. Pâle et muet, le monarque demeurait immobile. Se décidant enfin à donner sa réponse, il acquiesça lentement de la tête et fit signe à l'un de ses barons de porter une épée à Lancelot. S'en étant saisi presque religieusement, Lancelot contempla longuement l'arme, puis d'un geste grave et solennel, la présenta à Gwydion :

— Par la grâce de notre Roi, Gwydion, je vous accepte parmi nous, chevaliers de la Table Ronde. Servez notre souverain votre vie durant et restez-lui à jamais fidèle. Puisqu'enfin vous avez conquis cet honneur à la force de votre poignet et de votre habileté, je vous décerne, quant à moi, le nom de Mordred. Ce nom, vous le porterez désormais parmi nous.

Levez-vous, seigneur Mordred, vous êtes pour toujours chevalier de la Table Ronde.

Ainsi fut fait. L'attribution d'un nouveau nom, rite jalousement observé pour les compagnons du roi Arthur nouvellement admis, bouleversa particulièrement l'heureux élu. Mordred donc remercia Lancelot avec effusion, puis embrassa chaleureusement son parrain.

La suite du spectacle après cet intermède parut presque fade, et tout se déroula dans une indifférence à peine voilée. Joutes et combats singuliers s'enchaînèrent à un rythme accéléré, palmes et récompenses furent attribuées avec une semblable diligence, chacun ayant hâte avant tout d'aller se préparer pour les festivités du soir.

Morgane et Morgause gagnèrent les premières l'antichambre mise à la disposition des dames, pour qu'elles puissent, en toute commodité, mettre de l'ordre à leur toilette.

— Pensez-vous que Lancelot, malgré les apparences, se soit définitivement fait un ennemi de Gwydion ? interrogea Morgause.

— Non... je ne pense pas. Leur attitude mutuelle m'a semblé très sincère. Avez-vous vu comme ils s'embrassaient ?

— Gwydion a fait preuve d'une subtilité hors pair ! Grâce à son audacieux stratagème, il a obtenu la place qu'Arthur lui aurait sûrement accordée en raison de leur parenté, mais en s'abstenant de la lui demander directement. Il n'en faut point douter, il est le grand vainqueur de la journée ! Tout le monde désormais se souviendra de son double triomphe. N'était-ce pas ce qu'il cherchait ?

Lorsque les deux femmes, fraîches et pimpantes pour la soirée, en compagnie de plusieurs autres invités, se présentèrent à l'entrée de la salle d'apparat où devait se dérouler le banquet, les portes en étaient encore closes.

— Sans doute Caï met-il la main aux tout derniers préparatifs, supposa Morgane, et n'ouvrira-t-il les portes qu'à l'arrivée d'Arthur.

— C'est probable. Notre Haut Roi semble décidément apprécier de plus en plus un cérémonial pompeux, fit remarquer Morgause. Faudra-t-il bientôt que l'on pénètre ici dans un ordre arrêté à l'avance ?

— Ce n'est pas impossible, renchérit Morgane d'un même ton. Maintenant qu'il n'y a plus de guerres, ne faut-il pas trouver un autre moyen d'exciter l'imagination de ses sujets ? C'est Kevin qui le conseille, paraît-il. Or pour l'organisation des fêtes, les druides en savent long depuis les premiers Feux de Beltane ! Guenièvre, de son côté, s'est d'ailleurs également donné beaucoup de mal pour faire de cette journée une réussite totale à la gloire de toute la chrétienté. Le peuple aime les spectacles, et nos barons aussi... Arthur a fort bien compris qu'une messe ne suffisait pas à satisfaire ses sujets, qu'il fallait, en plus, beaucoup de merveilleux...

L'arrivée du roi et de la reine, magnifiquement vêtus de blanc, interrompit provisoirement les conversations, et aussitôt un cortège impromptu se forma à leur suite en direction de la haute salle dont les portes venaient de s'ouvrir. Arthur et Guenièvre d'abord, suivis de Morgane, d'Uriens et de leurs fils, puis de Morgause et de sa maison, de Lancelot et des siens, des chevaliers d'Arthur enfin, gagnèrent successivement leurs places autour de la Table Ronde ou à proximité.

Morgause remarqua alors que le plus proche siège à côté de celui du roi, réservé de tout temps à son héritier, portait en lettres d'or le nom de Galaad. Mais ce qu'elle vit ensuite lui arracha un cri : les deux hauts dossiers des fauteuils réservés aux souverains avaient été recouverts chacun d'une banderole. Sur la première figurait de grossière manière la caricature maladroite d'un chevalier chevauchant deux têtes couronnées, ressemblant d'une façon diabolique à Arthur et Guenièvre ; l'autre, peinte à grands traits, d'une obscénité qui fit rougir Morgause — pourtant peu farouche en la matière — représentait une femme petite, aux cheveux sombres, entièrement nue, enlaçant un monstrueux démon cornu sous les regards goguenards d'hommes également dévêtus.

Livide, Guenièvre à son tour venait d'apercevoir l'horrible barbouillage. D'un seul mouvement, la cour entière, frappée de stupeur, s'immobilisa derrière Arthur dont la voix retentit comme un coup de tonnerre :

— Quelle est cette infamie ? Qui a osé ?

— Sire..., bégaya l'un des chambellans, rien de tout cela, nous le jurons, n'était en place à la fin de nos préparatifs...

— Qui a quitté la salle le dernier ? hurla le roi derechef.

— Moi, mon seigneur, clama Caï, mais, par Dieu qui nous protège, ces... ces monstruosités n'étaient pas là, je vous le jure ! Si je mets la main sur le porc qui a...

Terrassée par la honte et l'émotion, Guenièvre venait de s'effondrer dans les bras de ses suivantes et répétait l'air hagard :

— Comment a-t-on pu... comment ont-ils pu... comment peut-on me haïr à ce point ?

— Guenièvre, je vous en prie, gardez votre sang-froid ! intervint Morgane avec une froide détermination. Ce dessin-là, le démon... c'est à moi qu'il était destiné ! Je méprise si basse vilenie et me garderai bien de m'en offenser.

— Qu'on enlève sur-le-champ ces ignominies de mes yeux, ordonna Arthur, luttant de toute son énergie pour recouvrer son calme. Qu'on les brûle, et qu'on encense ces lieux pour les purifier.

— C'est là, il n'en faut point douter, l'œuvre d'un fou ou de quelque serviteur éconduit, hasarda Caï. C'est lui faire trop d'honneur que de semer le trouble pour de si misérables insanités. Et voyant que chacun l'approuvait, il ajouta : Honte éternelle au coupable dans l'attente de son châtiment suprême ! Que le vin et la bière coulent maintenant et effacent à jamais de nos mémoires un si odieux et lamentable sacrilège ! Longue et heureuse vie à notre roi Arthur et sa bien-aimée souveraine !

Chacun levant son verre avec ferveur, les conversations reprirent dans une atmosphère détendue. Morgause, elle, essayait cependant de trouver un sens à l'incident : la caricature qui visait Morgane était, certes, grossière, mais bien moins redoutable que celle représentant Lancelot chevauchant les portraits d'Arthur et de Guenièvre ! Quelqu'un, c'était certain, le détestait, quelqu'un cherchait à l'humilier, quelqu'un voulait le châtier publiquement, peut-être en raison même de son attitude magnanime envers Gwydion.

Mais elle n'eut pas le loisir de s'interroger plus longuement car, au même instant, les trompettes du roi sonnèrent dans la cour, et les portes s'ouvrirent toutes grandes sur trois géants saxons. D'une démarche fière et assurée, ils s'avancèrent vers la Table Ronde face au siège du Haut Roi. Portant des torques d'or autour du cou et des bracelets aux bras, des tuniques de fourrure et de cuir, de longues épées et des casques à cornes, ils ressemblaient davantage à des fauves inquiétants qu'à des hommes.

— Roi Arthur ! tonna l'un d'eux d'une voix caverneuse, je suis Adelric, roi des Angles, et voici mes frères, rois aussi. Nous sommes venus te proposer un pacte définitif de paix et, pour preuve de notre bonne foi, te payer tribut.

« Loth doit se retourner dans sa tombe ! » songea Morgause en l'écoutant tandis que l'évêque Patricius se levant, les bras ouverts, s'exclamait joyeusement :

— Accueillez-les parmi vos vassaux, seigneur Arthur, et acceptez leur offre en vertu du principe chrétien que tous les rois doivent être frères.

À ces mots, Morgane voulut s'interposer, mais Uriens lui jeta un tel regard de réprobation, qu'impressionnée au plus haut point, elle se rassit aussitôt. Morgause en profita pour prendre la parole :

— Je me souviens de l'époque où l'Église refusait d'envoyer ses prêtres pour christianiser les envahisseurs ! Loth m'avait juré qu'il n'accepterait jamais, même au ciel, de serrer la main à l'un d'entre eux ! Mais, c'était il y a trente ans...

— J'ai moi-même espéré ce jour dès l'instant où je suis monté sur le trône, enchaîna le roi avec autorité. J'ai toujours su que c'était le seul moyen de mettre un terme aux guerres qui ravageaient notre pays. Je suis donc heureux de vous accueillir ici, mes seigneurs, surtout en ce jour saint de la Pentecôte !

— Il est dans nos coutumes de prêter serment sur une arme, reprit Adelric, et nous souhaiterions le faire aujourd'hui sur la garde de ton épée, car c'est en rois chrétiens que nous sommes venus à toi.

Approuvant de la tête, Arthur, quittant sa place, fit alors un pas dans leur direction, puis tira Excalibur de son fourreau. D'un geste noble et majestueux, il éleva lentement la lourde épée dont l'ombre immense et redoutable se projeta sur toute la hauteur de la muraille, tandis que l'assemblée entière s'agenouillait.

Guenièvre contemplait son époux avec extase. Galaad lui souriait avec bonheur, imité par tous les chevaliers présents. Seule, Morgane restait de marbre. Très pâle, les lèvres serrées, elle semblait vivre un insoutenable cauchemar.

— Il a osé tendre l'épée sacrée d'Avalon à ces sauvages, souffla-t-elle en courroux à l'oreille de son mari. Il a osé !... Je refuse, après un tel outrage, au nom de la Déesse-Mère, de garder le silence !

Elle voulut se lever, mais Uriens, d'un geste ferme, l'immobilisa d'une poigne encore solide et l'obligea à rester assise. Provisoirement neutralisée, elle ne put donc que regarder, désespérée et impuissante, Arthur donner l'accolade à ses nouveaux vassaux avant de leur désigner, d'un air affable, des places proches du trône.

— Vos fils, s'ils s'en montrent dignes, seront aussi les bienvenus parmi mes compagnons, ajouta-t-il à leur adresse.

Puis il leur fit porter divers présents rituels : bracelets, poignards, pierreries, et un somptueux manteau pour Adelric.

Morgane ayant recouvré la maîtrise d'elle-même, son mari desserra son étreinte. Très calme, elle s'adressa d'abord à lui en détachant distinctement ses mots :

— Ne vous inquiétez pas, Uriens bien-aimé, rien ne sera dit qui puisse vous porter préjudice. Puis, se tournant vers Arthur, elle ajouta : à vous, mon seigneur et mon frère, j'ai une grande faveur à demander. Une seule.

— Ma sœur, épouse d'un de mes plus loyaux compagnons, peut s'exprimer sans crainte, répondit celui-ci en s'inclinant.

— Le plus humble de vos sujets a le droit de solliciter une audience, Arthur. À mon tour, je revendique ce droit.

Le roi leva un sourcil étonné. Puis, imperturbable, il accéda à sa demande :

— Ce soir, dès le souper fini, je vous attendrai dans ma chambre. Uriens, votre époux, peut vous accompagner s'il le désire.

À l'heure dite, Arthur les accueillit avec prévenance. Sachant que si elle ne parlait pas tout de suite, elle ne parlerait jamais, Morgane, ayant accepté la coupe qu'on lui tendait, entra sans plus attendre dans le vif du sujet :

— Arthur, ce que j'ai à vous dire est grave. Je suis consternée par la manière dont vous avez reçu les rois saxons ! Je suis reine des Galles du Nord, duchesse de Cornouailles, et à ce titre tout ce qui touche le royaume me concerne.

— Je vous entends fort bien et suis par conséquent certain que vous êtes heureuse de voir notre pays en paix, répliqua le roi, la regardant droit dans les yeux. Depuis le jour où j'ai pu tenir une épée dans ma main, je n'ai eu de cesse de mettre un terme à la guerre contre les Saxons. Ayant longtemps pensé que je n'y arriverais qu'en les rejetant à la mer, je ne peux aujourd'hui que me féliciter d'obtenir le même résultat en signant un traité avec eux ! Il existe plusieurs façons d'utiliser un taureau. On peut le faire rôtir pour s'en nourrir, on peut aussi le châtrer et lui faire tirer la charrue...

— On peut aussi lui faire couvrir ses génisses ! Allez-vous demander à vos vassaux de donner leurs filles en mariage aux Saxons, Arthur ? interrogea Morgane avec une ironie cinglante.

— Pourquoi non ? Les Saxons sont des hommes comme les autres, Morgane : eux aussi désirent la paix, ils ont souffert, comme nous, des ravages du feu et de la mort. Me reprochez-vous maintenant de ne pas les avoir exterminés jusqu'au dernier ? Je croyais que les femmes chérissaient la paix.

— Arthur, j'aime la paix et je la souhaite, même avec les Saxons. Je ne vous reproche nullement votre désir de négocier avec eux. Ce dont je vous fais hautement grief, c'est de leur avoir fait prêter serment sur la croix et d'avoir pour cela utilisé la poignée et la garde de la sainte épée d'Avalon, Excalibur ! Il s'agit là d'un terrible blasphème !

— Morgane, je vous en prie, modérez vos propos ! reprit Arthur en faisant des efforts sur lui-même pour garder son calme. Laissez-moi seulement vous dire qu'il n'a jamais été dans mes intentions de profaner la religion des druides. Si d'ailleurs mon épée parvient à rallier nos adversaires au trône, n'est-ce pas grâce à la puissance d'Avalon qui m'aide et soutient mon action pour le bien du pays tout entier ?

— Cette épée n'est pas vôtre, Arthur ! Excalibur est l'épée sacrée des druides et vous n'en êtes que le dépositaire ! s'insurgea Morgane, frémissante de colère. Lorsque Viviane, souvenez-vous, est venue à Camelot, avant sa fin tragique, c'était déjà dans l'unique dessein de vous rappeler votre serment, d'exiger son respect, ou de vous demander de restituer Excalibur. Hélas, elle est morte avant d'avoir pu accomplir sa mission. C'est donc moi, ce soir, qui viens vous demander, en son nom, de rendre cette épée à Avalon. En l'utilisant exclusivement pour le service du Christ, vous venez de vous en montrer à jamais indigne !

— Morgane, prenez garde ! Le fait que vous soyez ma sœur ne vous autorise en rien à donner des ordres au Haut Roi de Grande Bretagne !

Arthur s'était littéralement arraché à son siège, et sa voix avait retenti dans la pièce comme un coup de tonnerre.

Mais insensible aux menaces, Morgane revint à la charge avec un regain de passion :

— Ce n'est pas votre sœur qui parle, Arthur, c'est la prêtresse d'Avalon qui s'adresse au roi, sacré jadis sur l'île du Dragon !

— Morgane, je vous en prie, reprenez vos esprits, intervint le vieil Uriens de plus en plus inquiet de la tournure que prenait l'affrontement. En faisant jurer les Saxons sur son épée, Arthur a simplement voulu accomplir un geste politique destiné à frapper l'imagination des foules.

— J'abonde dans ce sens, clama au même instant Kevin, subitement sorti de l'ombre et qui avait sans doute suivi tout l'entretien derrière une tenture. Qui, d'ailleurs, vous autorise, en la circonstance, à parler au nom de Viviane ?

Loin de calmer la prêtresse, cette nouvelle attaque fit sur elle l'effet d'un coup de fouet. Ainsi, au lieu de la soutenir, Uriens et maintenant Kevin se liguaient contre elle. Consciente pour la première fois d'être investie de la toute-puissance de la Déesse, se dressant alors de toute sa hauteur, elle tonna d'une voix qui semblait venir d'un autre monde :

— Arthur, Haut Roi de Grande Bretagne, écoutez-moi ! De même que la force et la toute-puissante volonté d'Avalon vous ont fait monter sur le trône, la force et la toute-puissante volonté d'Avalon pourront vous en faire descendre. Pour la dernière fois, puisque vous refusez de rester fidèle à votre serment, je vous somme, au nom de la Grande Déesse, de me remettre Excalibur, afin qu'elle soit restituée comme il se doit au Grand Lac Sacré !

— Morgane, désormais vous perdez la raison ! Cette épée est mienne. À jamais ! Si la Déesse désire vraiment me la reprendre, eh bien, qu'elle vienne elle-même me l'arracher des mains !

Puis, comme s'il voulait bien montrer que la cause était définitivement entendue, changeant soudain de ton, Arthur ajouta d'une voix radoucie :

— Pourquoi nous déchirer, Morgane ? Pourquoi vouloir donner aux dieux de multiples visages ? Ne m'avez-vous pas dit, vous-même, un jour, que les dieux ne sont qu'un ?

Se livrant en elle-même à un rapide calcul, Morgane comprit alors qu'il lui fallait pour l'instant composer. Arthur en avait appelé à la Déesse pour qu'elle vienne en personne lui reprendre son épée... Soit ! Il fallait le suivre sur ce terrain.

— C'est bon. La Déesse, en effet, agira comme bon lui semble, approuva-t-elle apparemment soumise. J'espère seulement pour vous, Arthur, mon frère, que vous n'aurez pas à regretter de ne m'avoir pas écoutée ce soir...

L'arrivée de Gwydion abrégea leur argumentation réciproque.

— Vous m'avez fait demander, mon seigneur ? interrogea-t-il sur le seuil de la porte.

— Oui, entre, Gwydion, ou plutôt Mordred, j'ai en effet à te parler. Explique-moi d'abord les raisons de ton défi à Lancelot. Si tu souhaitais faire partie de mes chevaliers, n'était-il pas plus simple de t'adresser à moi ?

— J'ai pensé, Seigneur, que si vous-même me nommiez chevalier sans raison apparente, vous vous exposeriez peut-être à quelques commentaires désobligeants. Aussi ai-je préféré montrer aux yeux de tous de quoi j'étais capable. Sire, me pardonnez-vous mon audace ?

— Lancelot t'a pardonné, Mordred. Je ne te garderai donc pas rancune. J'aurais pourtant aimé qu'il fût en mon pouvoir de te reconnaître comme mon fils, mais, il n'y a pas encore longtemps, j'ignorais tout de ton existence. Tu n'es pas sans savoir d'ailleurs que, pour les prêtres et leurs fidèles, le fait même de ton existence est synonyme de péché.

— Et vous-même, Sire, le pensez-vous aussi ?

— Parfois, je te l'avoue, je me pose la question... Mais mon sentiment importe peu en l'occurrence ; seuls comptent les faits : or ne pouvant te reconnaître devant tous — même si je le déplore — c'est donc Galaad qui doit hériter de mon trône. Il va de soi, Mordred, que j'ai la très ferme intention de te traiter selon ton rang et tes mérites. Fils de Morgane, et déjà chevalier de la Table Ronde, tu seras donc aussi duc de Cornouailles. Tu auras le droit de rendre la justice au nom du roi, de collecter subsides et impôts, et de garder pour toi ce qu'il te conviendra pour entretenir une maison digne de ton rang. Si tu le désires, enfin, je t'autoriserai à épouser la fille d'un de nos rois saxons qui, lui, te léguera un trône qui sera tien entièrement.

— Roi Arthur, je rends grâce à votre générosité ! remercia Gwydion en s'inclinant.

— Puisque vous vous montrez si généreux envers Mordred, Arthur, intervint Morgane ne pouvant qu'admirer l'habileté avec laquelle le roi venait d'écarter son fils du trône, j'ai bien envie aussi d'abuser de votre grande bonté !

— Si vous ne me demandez que choses raisonnables, ma sœur, d'avance elles sont accordées, répondit le roi restant plus que jamais sur ses gardes.

— Vous venez de faire mon fils duc de Cornouailles, l'honneur est grand, mais n'avez-vous pas ouï dire que le duc Marcus prétendait, lui aussi, avoir des droits sur ces terres ?

— Je ne l'ignore pas, reconnut Arthur soulagé de constater que Morgane avait abandonné son cheval de bataille. Ne m'étant pas rendu en Cornouailles depuis de très nombreuses années, je pense donc qu'il serait fort utile que nous allions ensemble à Tintagel afin d'éclaircir cette affaire.

Leur signifiant alors que l'entretien était terminé, prétextant la fatigue, il reconduisit ses hôtes jusqu'à la porte de sa chambre, et leur souhaita, sans doute non sans arrière-pensée, une très longue et profitable nuit.

Mais Morgane, quant à elle, dormit mal. Au sortir de leur entrevue, Uriens lui avait violemment reproché de s'être adressée à son frère et non à lui au sujet des prétentions du duc Marcus. Évidemment, ce n'était de sa part qu'un prétexte masquant la vive contrariété qu'il venait d'éprouver en apprenant brutalement que le roi était le père de Gwydion, ce qu'on lui avait soigneusement caché jusqu'à ce jour.

Elle avait donc longuement expliqué à son mari qu'elle avait agi ainsi uniquement par diplomatie, et que si elle avait accepté que son frère l'accompagne à Tintagel, c'était surtout pour lui faire oublier leur violente altercation, et lui faire croire qu'elle avait encore pleine confiance en lui. Acceptant ces explications et obligé de reconnaître la sagacité de sa femme, Uriens s'était finalement endormi bien avant elle.

Éveillée de bonne heure, non par la triste lumière qui filtrait péniblement dans la chambre, ni par le départ d'Uriens parti chasser quelques instants plus tôt avec Arthur, Morgane, à nouveau, sentit une violente douleur au niveau des seins. S'étant levée, au bord de la nausée, elle s'approcha de son miroir qui ne la quittait jamais et contempla ses mamelons anormalement gonflés. Frappée d'une subite révélation, ses jambes se dérobèrent sous elle et l'obligèrent à retourner s'allonger sur son lit.

Enceinte !... Elle était à nouveau enceinte ! En dépit de tout ce qu'on lui avait prédit, après les difficultés de la naissance de Gwydion, malgré ses quarante-neuf années, malgré tous les symptômes ayant pu lui faire croire que le temps d'enfanter était pour elle complètement révolu... elle attendait un enfant !

Sa première réaction d'angoisse passée — elle avait frôlé de si près la mort lorsque son fils était venu au monde ! — elle songea qu'Uriens allait accueillir la nouvelle, preuve éclatante de sa virilité, avec une immense fierté. Mais, en réfléchissant davantage, elle calcula que l'enfant avait dû être justement conçu au moment même où il était cloué au lit avec une forte fièvre, constatation qui réduisait à néant ses chances de paternité. Alors ? Si ce n'était pas lui, ne restait plus qu'un responsable : Accolon ! Accolon qui l'avait aimée avec une si fougueuse passion, le mémorable jour de l'éclipse !...

Ainsi l'enfant, garçon ou fille, était-il un indéniable présent de la Déesse-Mère. Garçon, monterait-il un jour sur le trône de Grande Bretagne ? Fille, serait-elle appelée à devenir prêtresse d'Avalon ? L'avenir à nouveau était entre les mains des dieux !

XII

Comme promis, dix jours plus tard, le roi Arthur se mettait en route pour Tintagel. Morgane, accompagnée d'Uriens et d'une petite escorte, le suivait. La veille, au soir, Morgane avait pu rencontrer discrètement Accolon et lui exposer son plan.

Il s'agissait de profiter de ce voyage pour entraîner Arthur, sans qu'il s'en doute, jusqu'au Pays des Fées. Là, sa méfiance endormie à l'aide de quelque sortilège, il serait facile de lui reprendre Excalibur. Alors, grâce à l'épée sacrée, grâce à l'appui d'Avalon, lui, Accolon, pourrait monter sur le trône à sa place. Même si Arthur réussissait ensuite à s'enfuir de la contrée magique plus tôt que prévu, il ne représenterait plus aucun danger.

En effet, n'y séjournerait-il que deux ou trois jours, à son retour dans le monde des humains, plusieurs années se seraient écoulées et son règne ne serait plus qu'un souvenir dans les mémoires. De plus, la Grande Bretagne étant alors de nouveau gouvernée par un roi dévoué à Avalon, les prêtres du Christ auraient de beaucoup perdu leur influence. Quant à Kevin, il prendrait devant le fait accompli, sans aucun doute, parti pour le nouveau monarque.

Profitant de la route, Morgane allait donc s'arranger pour égarer bientôt Arthur sur une voie pour longtemps sans retour, tandis qu'Accolon, lui, la rejoindrait sur les bords du Lac par ses propres moyens en évitant de se faire remarquer. Trahison !... pensa-t-elle non sans une égratignure au cœur, chevauchant dans la brume légère du petit matin blême. Trahison ! Mais, n'était-ce pas Arthur qui, le premier, avait failli ?

Au lieu de se lever, la brume, semblait-il, s'épaississait de plus en plus autour de la petite troupe, ce qui allait faciliter grandement sa tâche. Morgane frissonna, serra étroitement sa cape autour d'elle et éperonna son palefroi pour se donner du courage : c'est maintenant, tout de suite, qu'elle devait agir, pendant qu'ils contournaient le Lac, sinon ils prendraient bientôt la direction du Sud, vers la Cornouailles, et il serait alors trop tard.

Distinguant à peine les silhouettes qui chevauchaient devant elle, Morgane, se redressant sur sa selle, étendit les mains vers l'horizon en prononçant les paroles magiques qui s'imposaient avec toute la force et la conviction dont elle était capable. Quel brouillard ! Je n'en ai jamais vu de pareil ! entendit-elle bientôt Uriens s'exclamer d'une voix alarmée. Nous allons nous égarer, c'est certain. Ne serait-il pas plus prudent de faire halte au bord du Lac ?

— Vous avez raison. Peut-être pourrions-nous trouver refuge dans l'abbaye de Glastonbury, renchérit Arthur.

— Mais non ! Soyez sans inquiétude, affirma Morgane avec aplomb. Je connais chaque pierre du chemin. Suivez-moi et faites-moi confiance !

— Passez devant, Morgane. Nous vous suivons. Notre confiance en vous est totale, croyez-le bien, approuva Arthur ne se doutant de rien.

Certes, il avait confiance, se dit-elle, il avait toujours eu confiance en elle depuis le jour où Ygerne l'avait confié à ses bras de petite fille, confiance dès l'instant où elle avait essuyé ses premières larmes. Mais il n'était plus temps de s'abandonner aux tendres souvenirs : Arthur, lors du Grand Mariage, avait communié avec la terre, une terre qu'il avait juré solennellement de protéger. Pourquoi donc l'avait-il ensuite livrée aux mains irresponsables des prêtres ? La vengeance de la Déesse était en marche. Avalon l'avait hissé de sa toute-puissance sur le trône ; il allait maintenant l'en faire irrémédiablement descendre.

Oui, elle allait lui reprendre l'épée sacrée, la remettre en d'autres mains, dignes, elles, de servir la Déesse : tel était son devoir de prêtresse. Malgré elle, à l'encontre de ses propres et douloureux sentiments, elle devait abandonner son frère, son amant, et son roi, Arthur, aux seules lois de la nature.

Mais elle ne porterait jamais la main sur lui, sur le fils de sa mère, sur le père de son enfant : elle le priverait seulement d'Excalibur et de son fourreau magique, limitant son action à ses seules facultés humaines.

— Êtes-vous bien sûre que nous ne sommes pas tout à fait perdus, Morgane ? se plaignit Uriens d'une voix de plus en plus inquiète. Le brouillard est maintenant si dense que l'on n'y voit plus goutte !

— Mais non, soyez sans crainte, marchons ! cria-t-elle presque en riant en éperonnant sa monture.

Derrière elle, le cheval d'Uriens ayant fait un faux pas, elle entendit son maître étouffer un juron et Arthur encourager le sien d'une voix douce à poursuivre sa route. C'est alors qu'elle-même, sans s'inquiéter de savoir si on pouvait la suivre, força soudain l'allure : à quelques centaines de pas, une grande trouée lumineuse, clair-obscur vert et jaune, de la cime des arbres à un mètre du sol, déchirait totalement la brume.

Arthur poussa un cri et au même moment deux petits hommes sombres surgirent de la forêt, en criant joyeusement :

— Bienvenue, Arthur ! Bienvenue, notre seigneur !... Quel bonheur de vous accueillir parmi nous !

— Comment connaissez-vous mon nom et quel est donc ce lieu ? interrogea le roi ralentissant le pas de son coursier.

— Vous êtes au Château Chariot, répondit l'un d'eux avec la plus extrême déférence.

— J'ignorais l'existence de ce château, s'étonna le monarque. Sans doute avons-nous perdu notre chemin dans cet incroyable brouillard !

Quant à Uriens, visiblement très mal à l'aise, il jetait de tous côtés des regards de plus en plus soupçonneux. Morgane cependant se garda bien d'intervenir. Bientôt, elle le savait, les sortilèges du Pays des Fées allaient produire leurs effets salutaires, et ni l'un ni l'autre ne s'étonneraient plus de rien. Elle seule, en revanche, devait bien prendre garde de ne pas se laisser envelopper par la toile magique qui commençait à se tisser autour d'eux afin de ne pas perdre la notion du temps et des réalités humaines.

— Dame Morgane, l'interpella l'un des petits hommes, notre reine va être si heureuse de vous revoir ! Et vous, seigneur Arthur, suivez-moi, un grand festin a été préparé en votre honneur !

— Il sera le bienvenu après cet horrible voyage, marmonna Arthur. Puis, s'adressant à Morgane, il demanda : connaissez-vous vraiment la souveraine de ces lieux ?

— Oui, depuis très longtemps. J'étais alors une toute jeune fille.

— Comment se fait-il donc qu'elle ne soit jamais venue à Camelot prêter serment d'allégeance ? questionna le monarque dans un ultime sursaut de lucidité. Quoi qu'il en soit, transmettez-lui pour l'instant tous mes compliments, Morgane, et dites-lui que j'espère la rencontrer au cours du banquet.

Acquiesçant d'un bref mouvement de tête, Morgane, voyant que les charmes avaient commencé d'opérer, prit soudain ses distances. Piquant des deux, elle s'éloigna au galop, se répétant qu'il fallait maintenant s'appliquer à se repérer dans le temps aux seuls battements de son cœur. Il ne fallait pas davantage perdre sa route ou se laisser prendre au piège d'insinuants sortilèges régnant en maîtres, en ce Pays des Fées.

Tout à coup, plus vite qu'elle ne l'avait imaginé, la reine fut devant elle, inchangée dans son souvenir, mais ressemblant cette fois, de manière frappante, à Viviane.

— Quel bon vent vous amène jusqu'au Château Chariot,

Morgane des Fées ? demanda-t-elle, la serrant dans ses bras comme si elles ne s'étaient jamais quittées. Votre beau chevalier est déjà là. On l'a trouvé, errant dans les brouillards. Il avait perdu son chemin dans les roseaux du Lac.

Comme par enchantement Accolon apparut lui aussi, et s'étant avancé jusqu'au trône s'agenouilla devant la reine des Fées qui étendit d'un geste naturel ses deux mains ouvertes au-dessus de sa tête. Alors il leva ses deux poignets vers elle, et lentement les serpents bleus incrustés dans sa peau s'éveillant de leur sommeil artificiel se déroulèrent, glissèrent à terre, remontèrent le long du fauteuil de verre de la souveraine pour venir se lover dans ses paumes. Jouant distraitement avec leurs minuscules têtes, émeraude et saphir, la reine des Fées sourit et regarda Morgane :

— Vous avez fait un choix judicieux, ma fille : ce chevalier ne nous trahira pas ! Mais, regardez plutôt Arthur. Comme il a festoyé, et comme il repose béatement...

De la main, elle avait désigné à sa droite un grand espace ouvert, une inexplicable perspective, un vestibule sans murs aux colonnes immenses, troncs d'arbres gigantesques et inconnus. Se trouvaient-ils à l'intérieur du corridor ou au-dehors, et d'où venait cette étrange clarté qui inondait de sa pâleur le corps allongé d'Arthur couché sereinement un bras sous la tête, l'autre glissé sous le corps d'une nymphe aux longs cheveux couleur de nuit ?

— Évidemment, il croit que c'est vous qui dormez près de lui, expliqua la reine dont la voix aux tonalités caressantes, ressemblait à s'y méprendre à celle tant aimée de Viviane. Mais, que se passera-t-il lorsqu'il va s'éveiller ? Allez-vous lui prendre Excalibur et ensuite l'abandonner sans rien sur le rivage ?

— Non ! Pas cela, répondit Morgane en frissonnant, se rappelant soudain le squelette blanchi de son cheval retrouvé sous les arbres.

— Alors, il demeurera ici, reprit la reine des Fées. Mais s'il est vraiment aussi pieux que vous le prétendez, ses prières, peut-être, lui permettront de quitter notre monde. Il réclamera son cheval et son épée et alors que ferons-nous ?

Comme elle parlait, la jeune femme aux yeux couleur d'algues, qui reposait avec Arthur, se leva et prit à deux mains Excalibur dans son fourreau magique. Le roi ne bougea pas, ne fit pas un seul geste pour l'en empêcher.

Morgane s'étant saisie de l'arme passa doucement la main sur le fourreau. Fermant les yeux, revenaient à sa mémoire chaque formule, chaque détail des signes magiques qu'elle avait elle-même brodés sur le velours. Puis ses doigts glissèrent sur la garde de l'épée et, s'agenouillant, elle la passa religieusement à la ceinture d'Accolon.

— Elle est à toi maintenant, Accolon. Sois-en digne et utilise son pouvoir sacré mieux qu'il ne l'a été jusqu'à présent ! ajouta-t-elle d'une voix brisée par l'émotion.

— Je jure de ne jamais trahir ni la Déesse, ni la foi d'Avalon. S'il le faut, je suis prêt à mourir, pour rester fidèle à ma parole !

Morgane se pencha alors pour embrasser l'élu, lui-même très ému de la gravité de son pacte et la reine des Fées, un indéfinissable sourire aux lèvres, mit un terme à la cérémonie.

— Lorsque Arthur réclamera son épée, dit-elle, je lui en donnerai une autre, glissée dans un fourreau semblable au sien. Bien sûr, la nouvelle arme sera impuissante à le protéger au combat !

Cela dit, elle disparut, suivie de la jeune femme qui venait de ravir l'épée au dormeur, et Morgane se retrouva seule aux côtés d'Accolon dans un vaste bosquet autour duquel brillaient des feux. Ils étaient l'un et l'autre prêtre et prêtresse dans un monde où le temps venait de s'immobiliser. Mais, lorsqu'il la prit dans ses bras et posa ses lèvres au creux de son cou, ils ne furent soudain tous deux plus qu'un homme et une femme.

Elle était nue sous lui et au plus profond d'elle-même pointait une légère et familière douleur, comme s'il était en train, une nouvelle fois, de la dépouiller de la virginité jadis offerte au Grand Cornu. Comme si, pour lui, elle était toujours vierge, comme si n'existaient pas les années écoulées. Comme pour éterniser son illusion et la rendre encore plus perceptible, sur son front à lui, se dessinait maintenant, à la fois irréelle et précise, l'ombre chère et cruelle d'une ramure... Qui donc était cet homme entre ses bras ? Quelle était cette étreinte, si douce, si exaltante, et poignante à la fois ?

Mais, soudain, la voix d'Arthur arracha Morgane à son extase : le roi réclamait son épée à grands cris, s'en prenait vivement aux maudits sortilèges, exigeait sur-le-champ qu'on exécute ses ordres.

« Notre destinée à tous deux, pensa-t-elle, est désormais entre mes mains : si Arthur m'appelle et m'avoue qu'il n'a jamais aimé que moi, s'il accepte de reconnaître sa trahison... alors... alors Lancelot emmènera Guenièvre, et moi, Morgane, serai reine à ses côtés. Un seul mot de lui, un seul mot de tendresse et d'humilité, un mot de pardon et tout peut encore basculer... » Mais quelles paroles Arthur allait-il prononcer en émergeant de l'état de demi-conscience où il était encore plongé ?

Et soudain il parla, et le Pays des Fées tout entier parut trembler, se rétracter sur lui-même, osciller vers le néant.

— Jésus, Marie ! hurla-t-il, délivrez-moi du démon et de ses sortilèges ! Délivrez-moi de ma sœur la sorcière ! Rendez-moi mon épée Excalibur !

Une cloche au loin mit brusquement fin aux rêves et balaya les enchantements. Accolon se leva, son front toujours marqué par l'ombre de la ramure. A sa taille, scintillait doucement dans son fourreau magique brodé d'or et d'argent, l'épée sacrée.

— Va maintenant, va, mon bien-aimé, dit gravement Morgane, et accomplis ton devoir ! Je t'attendrai à Camelot où tu me rejoindras vainqueur et triomphant !

Elle leva ses deux mains pour le bénir et, immobile, le regarda s'éloigner d'un pas ferme. Arthur ou lui allait mourir : lui qu'elle venait de tenir dans ses bras dans le bosquet sacré, ou bien le roi parjure, celui qu'enfant, elle avait consolé, le père de son fils, le Grand Cornu, son frère et son premier amant...

Tous deux marchaient vers leur destin. Arthur avait en main

l'épée forgée par la reine des Fées, Accolon, celle dérobée au roi dans son sommeil, Excalibur, avec son fourreau enchanté.

Lorsque tout bientôt serait fini, lorsque Accolon serait vainqueur du roi-traître, alors la Grande Bretagne redeviendrait une terre libre, débarrassée à jamais de la dictature de l'Église et de ses prêtres. Enfin !

N'ayant en tête que l'arrivée prochaine d'Accolon à Camelot, Morgane pensa tout de même qu'il était temps de se soucier de son mari. Elle n'eut pas fort à faire pour le trouver. Mollement allongé sur des coussins de feuilles, dégustant des fruits inconnus en compagnie d'une jeune fille brune, Uriens souriait aux étoiles.

— Allons, mon ami, il nous faut partir maintenant. Arthur a déjà repris la route depuis longtemps, et nous allons devoir forcer l'allure pour le rejoindre !

Somnolant et docile, Uriens la suivit sans poser de questions. A peine s'étonna-t-il un instant devant l'épais brouillard qui les enveloppait lorsqu'ils atteignirent les rives du Lac. Ce n'est que lorsque les chevaux s'engagèrent sur le chemin caillouteux qui serpentait loin des roseaux et des eaux glauques, qu'il avoua à Morgane ressentir une extrême fatigue, tout juste comme s'il sortait après une fièvre maligne de quelque enchantement.

Mais Morgane resta muette. Chevauchant en silence, elle sentait de nouveau revenir, absente depuis son arrivée au Pays des Fées, la nausée, la peur de l'enfant dans son ventre. Mais peut-être n'était-il pas trop tard pour trouver les herbes qui la délivreraient. Combien de temps était-elle restée au royaume des Fées ? Un mois ? Le temps d'une lune ou le temps nécessaire pour aller à Tintagel et en revenir ? Leur absence avait-elle été trop courte pour intriguer Guenièvre, ou trop longue pour qu'elle-même puisse se débarrasser à temps de cet enfant dont la naissance, s'il venait à terme, avait toute chance de lui coûter la vie ?

Ils arrivèrent à Camelot au crépuscule. Ayant pris soin d'abord d'avertir Guenièvre que son époux avait été retenu à Tintagel, Morgane rejoignit Uriens dans sa chambre.

— Je ne comprends pas ce qui s'est passé ! l'apostropha-t-il l'air soupçonneux. Pourquoi n'avons-nous pas poursuivi notre route jusqu'à Tintagel et dans quel pays nous sommes-nous arrêtés, avec cette étrange lumière qui ne venait ni de la lune ni du soleil ?

— Vous avez rêvé, Uriens, c'est la fatigue ! Reposez-vous maintenant et mangeons quelque chose ensemble, nous l'avons bien mérité !

Mais, lorsqu'on leur eut apporté de quoi se restaurer, Morgane fut si malade qu'elle dut avouer à Uriens sa quasi-certitude d'attendre un enfant. A cette nouvelle, comme il fallait s'y attendre, le vieillard explosa de joie et de fierté.

— Vous oubliez mon âge ! l'interrompit Morgane. Jamais je ne pourrai porter cet enfant jusqu'à sa naissance, ou j'en mourrai !

— Morgane, ma mie, mais vous êtes si jeune ! bêla le vieil homme soudain ravigoté. Si vous vous sentez lasse, restez ici, à Camelot, vous serez bien soignée ! Je retournerai seul dans les Galles du Nord, et vous y attendrai tout le temps qu'il faudra.

Prétextant qu'elle avait d'urgence besoin d'une tisane, Morgane quitta la chambre en quête de l'une des suivantes de Guenièvre particulièrement digne de confiance qui détenait la clef de l'armoire aux herbes et aux épices. Dès qu'elle eut obtenu la plante qui lui manquait pour fabriquer sa décoction, Morgane gagna les cuisines où elle prépara soigneusement sa mixture au-dessus d'un grand feu. Aussitôt prête, elle l'avala mais dut s'y reprendre à trois fois tant était insupportable son amertume.

Trop écœurée pour retourner s'allonger auprès d'Uriens qui devait maintenant dormir d'un sommeil profond, trop anxieuse pour rester inactive en imaginant le drame qui devait se nouer, au moment même au Pays des Fées, elle décida d'occuper à tout prix son esprit en allant filer, en compagnie de Guenièvre et de Morgause, dans la salle des femmes. Elle détestait toujours autant cette occupation, mais dans l'état de transe où la plongeait invariablement le mouvement régulier de ses doigts, elle espérait, par la pensée, suivre et deviner l'issue du duel à mort que se livraient loin d'elle les deux irréductibles rivaux.

— Que brodez-vous là ? demanda-t-elle à Guenièvre, voulant par tous les moyens échapper à son obsession.

— C'est un linge d'autel ! répondit fièrement la reine élevant la longue nappe blanche à bout de bras. Regardez : voici la Vierge Marie et l'ange qui vient lui annoncer qu'elle portera bientôt le Fils de Dieu. A droite, c'est Joseph, tout stupéfait de la nouvelle ! Je l'ai brodé très vieux, avec une longue barbe.

— Si, à la place de Joseph, à son âge, j'avais appris que ma femme attendait un enfant après avoir rencontré un ange d'une telle beauté, je me serais, sans doute, posé quelques questions ! s'exclama Morgause irrévérencieusement. D'ailleurs, n'existe-t-il pas, dans toutes les religions, une vierge ayant conçu un enfant dans des conditions mystérieuses ?

Mais devant l'air exaspéré de Guenièvre, ne voulant pas envenimer les choses, elle s'absorba à nouveau dans son travail.

Pour Morgane épuisée, la pièce sentait de plus en plus le renfermé et le moisi, et la vue de ces femmes penchées sur leurs travaux l'horripilait au plus haut point. Baissant les yeux sur son fuseau, elle commença donc à tordre et à enrouler patiemment son fil. Tourne, tourne, fuseau, tandis que se dévide et s'amoncelle sur le sol le fil de la quenouille...

Que filait-elle là, sinon des vies, des vies d'hommes, de leur naissance jusqu'à leur mort, de leur premier vêtement à leur ultime linceul ? Tournait, tournait le fuseau dans ses mains engourdies... Glissait, glissait le fil qui s'accrochait aux arbres de l'immense forêt... Arthur y pénétrait dans un lacis de rets et de branches, se retournait soudain pour faire face à son adversaire, approchant, à pas comptés, Excalibur à la main...

Maintenant c'était l'affrontement. Le fuseau tournait, la quenouille se dévidait, le fil sifflait comme les serpents bleus, couvrant à peine le cliquetis des lames. Un coup de l'un, un coup de l'autre, un pas en avant, l'autre en arrière, le heurt et le fracas des boucliers, les pointes acérées des armes se dérobant, se croisant, s'éloignant, se retrouvant, s'entrechoquant... Ô Déesse Suprême, cette fois le sang, le sang coulait abondamment du bras d'Arthur et une grande tache rouge s'élargissait sur la terre. Arthur ensanglanté, stupéfait, regardait le flot s'échapper de sa blessure et ne sembler jamais devoir s'arrêter. Incrédule, il fixait alors son épée, puis la jetait à terre et se ruait sur Accolon qu'il empoignait à bras-le-corps.

Sous le choc, ce dernier vacillait, tentait de frapper à mort son ennemi, qui, plus rapide, esquivait le coup, se ruait à nouveau sur son adversaire désemparé tentant de s'agripper à d'invisibles murs avant de s'effondrer de tout son long. Arthur, alors, tel un fou sanguinaire, arrachait de ses mains Excalibur, la levait à bout de bras au-dessus de sa tête, la plongeait de toutes ses forces dans le cœur d'Accolon.

Le hurlement de Morgane fit sursauter ses compagnes qui, d'un seul mouvement, se précipitèrent à son aide. Mais déjà pour elle tout s'était brouillé, la vision s'était évanouie, et elle ne savait plus qui était mort, et qui était vivant...

— Regardez... il y a du sang, beaucoup de sang sur la robe de Morgane, cria une femme.

On se bouscula de nouveau et Morgane, pliée en deux par la douleur, les yeux voilés, rejetant la drogue qu'elle venait d'absorber en trop grande quantité, était allongée sur le sol. « Qui est mort ? Qui est vivant ? Arthur ou Accolon ? ne cessait-elle de répéter en geignant. Accolon mort, que lui importait maintenant la vie ? Elle irait le rejoindre au royaume des morts, avec l'âme de leur enfant vivante dans son sein.

Par-delà sa souffrance et les voiles de son inconscience, Morgane entendait des voix autour d'elle, s'interpeller, expliquer, s'étonner. Parmi elles, elle reconnut la voix douloureuse de son mari demander : « Est-ce un garçon ou bien une fille ? » Mais personne ne répondit, car l'enfant était mort.

Des bras solides soulevèrent alors Morgane et l'emportèrent sur un lit. Puis des mains secourables présentèrent à ses lèvres desséchées une tisane d'herbes et de miel qu'elle but docilement, les yeux fermés pour retenir le flot des larmes qui la submergeait, avant de sombrer dans une irrépressible léthargie.

Morgane n'émergea de sa torpeur que trois jours plus tard, sous les yeux de son vieil époux, le visage rendu méconnaissable par l'angoisse et le chagrin. A ses premiers battements de cils, annonciateurs de sa convalescence, il sourit avec un bonheur sans mélange.

— Reposez-vous encore, Morgane, vous êtes si faible et si pâle ! Il faut rester allongée quelques jours de plus.

— Non, répondit-elle brièvement. Il faut que je me lève, tout de suite, il le faut !

Sentant qu'il était inutile de lui résister, Uriens l'aida à sortir de son lit et la prit tendrement par la taille, pour la conduire à petits pas vers l'une des ouvertures de la chambre donnant sur la campagne. Au pied du château, plusieurs chevaliers s'entraînaient à des exercices guerriers qu'ils suivirent des yeux avec attention s'étant aperçus que l'un d'eux n'était autre qu'Uvain.

— Voyez... dit Uriens en désignant fièrement son fils, il est presque aussi bon cavalier que Gauvain ! Certes Galaad ne manque pas d'adresse lui non plus. Se tournant alors vers sa femme, il ajouta : ne vous tourmentez pas pour l'enfant que vous venez de perdre, Morgane. Je vous le jure, je ne vous reprocherai jamais de ne pas me donner d'héritier. J'ai encore deux fils, solides et séduisants. Certes un troisième eût été le bienvenu, mais je me réjouis surtout de vous voir vivante à côté de moi. J'ai eu si peur... si peur de vous perdre ! Mais regardez ! cria-t-il soudain en se tordant le cou pour mieux voir à travers l'étroite ouverture, qui arrive, là-bas ?

C'était, monté sur une mule, un moine en robe noire, qui tenait par la bride un cheval portant un corps.

— Allons voir, vite ! balbutia Morgane d'une voix blanche entraînant son mari, frappé lui aussi d'une subite angoisse.

Descendue à la hâte, avec son aide, pâle et tremblante, elle attendit debout, appuyée à son épaule, dans le monumental vestibule de Camelot. Une interrogation affreuse lui broyait le cœur : si le corps d'Accolon était sur le cheval, pourquoi Arthur ne l'accompagnait-il pas ? Et si c'était la dépouille d'Arthur, pourquoi le ramenait-on ainsi, sans la pompe due à son rang ?

Mais le moine déjà franchissait la grande porte et, rejetant son capuchon en arrière, s'inclinait devant Morgane :

— Êtes-vous bien la reine Morgane des Galles du Nord ?

— Oui, fit-elle simplement de la tête, la gorge trop serrée pour articuler une parole de plus.

— Je vous apporte une pénible nouvelle, reprit l'homme de Dieu. Votre frère Arthur gît, blessé, à Glastonbury. Des religieuses le soignent attentivement et il sera bientôt guéri. Suivez-moi maintenant ! On m'a chargé aussi de vous remettre un corps...

Lorsque dehors le moine souleva le coin de l'étoffe jetée en travers du cheval, dévoilant le visage d'Accolon couleur de cire, figé dans un éternel sommeil, les yeux grands ouverts, deux longs cris déchirèrent le silence. Celui de Morgane d'abord, suraigu puis rauque, qui s'acheva en un sanglot, celui d'Uriens ensuite, interminable lamentation entrecoupée de râles désespérés.

Des serviteurs, des hommes d'armes accoururent de toutes parts et Uvain arriva juste à temps pour recevoir dans ses bras le corps inerte de son père. Deux femmes de leur côté retenaient Morgane qui défaillait aussi.

C'est alors que Guenièvre avertie du drame, parut, droite, la tête haute. Elle regarda le corps d'Accolon, puis Uriens, enfin Morgane, et déclara assez fort pour que chacun puisse l'entendre :

— Accolon est mort en rébellion contre son roi ! Il ne pourra donc être enterré selon les rites chrétiens. Que son corps soit livré aux corbeaux et sa tête placée au bout d'une pique, comme celle d'un traître !

— Non !... Non ! c'est impossible ! cria le vieil Uriens s'arrachant des bras de son fils ; je vous en supplie, reine Guenièvre ! Ayez pitié de mon enfant qui a déjà si chèrement payé son crime ! Ayez pitié de lui, ayez pitié de moi, comme Jésus sur la croix a eu pitié des voleurs crucifiés avec lui.

— Le Roi Arthur va-t-il mieux ? demanda alors Guenièvre semblant ignorer le vieillard prosterné à ses pieds.

— Il a perdu beaucoup de sang, ma Dame, mais il sera bientôt sur pied, répondit le moine.

Comme abîmée dans une prière, les deux mains jointes, Guenièvre observa un instant de silence, puis elle regarda le vieillard en larmes et dit :

— Roi Uriens, en raison de votre fidélité au roi et de l'amitié que nous portons à votre fils, le noble chevalier Uvain, j'accède à votre prière : le corps d'Accolon reposera dans la chapelle devant l'autel.

— Non ! protesta Morgane, non, Guenièvre, n'enterrez pas Accolon comme un chrétien qu'il n'était pas. Uriens est bouleversé et ne sait plus ce qu'il dit !

— Ma mère, je vous en prie, laissez ! Respectez le souhait de mon père ! intervint Uvain avec une âpre dignité. Accolon n'était peut-être pas chrétien, mais il est mort en traître. Il a besoin des prières des hommes !

Le cœur glacé, vidée de toute son énergie vitale, Morgane resta prostrée. Hier encore, elle était étendue dans le bosquet sacré auprès du corps tiède et doux d'Accolon. Hier encore, elle accrochait Excalibur à sa ceinture et l'envoyait, heureux et fier, à la mort... Maintenant, elle n'était plus rien, plus qu'une épave désemparée, inutile dans un monde hostile, sous les regards accusateurs d'Uvain et de son père.

— C'est vous qui avez tout manigancé, je le sais ! s'exclama le jeune homme, l'apostrophant avec douleur. Mon frère, hélas, s'est laissé prendre à toutes vos ruses, à toutes vos perfidies ! Je vous interdis désormais d'approcher mon père, de le berner par de nouvelles aberrations.

— Mon fils, ne crains rien, je saurai me défendre de cette sorcière malfaisante ! Oui, elle a non seulement dressé mon fils contre son roi, mais elle a aussi contribué, j'en suis sûr maintenant, au trépas d'Avalloch ! Ne vient-elle pas enfin, par sa conduite criminelle, de condamner l'enfant, le dernier enfant que j'aurais pu avoir ? Oh, Morgane !... fille du diable..., vous voici donc responsable de la mort de trois êtres humains. Vous voudriez sans doute entraîner maintenant Uvain dans la mort, mais lui, grâce à Dieu, échappera à tous vos sortilèges.

Mais Morgane n'écoutait plus. Amère, désespérée, elle ne voyait plus rien. Elle aussi avait aimé Arthur, et, à sa manière, elle chérissait encore le vieux roi Uriens, comme elle aimait Uvain, son fils. Accolon lui avait redonné la vie, et en était sans doute mort... Elle avait tout perdu, tout gâché, tout compromis. Il ne lui restait rien.

D'un mouvement sec, rapide comme l'éclair, elle saisit sous sa robe le petit poignard en forme de faucille, l'éleva au-dessus de sa poitrine et l'abaissa en fermant les yeux.

— Non, mère !

Le cri arrêta son geste, tandis qu'une poigne de fer lui saisissait le bras, arrachait de sa main l'arme prête à frapper. La maîtrisant quelques instants encore, Uvain, la voyant s'effondrer, fit signe aux femmes qui l'entouraient :

— Emmenez-la, dit-il simplement.

Inerte, totalement passive, elle se laissa faire sans aucune résistance. On la déshabilla, on la coucha, on lui fit boire des tisanes sans qu'elle oppose le moindre refus. Poupée anéantie, désarticulée, elle n'avait plus d'âme. Tous ses plans avaient échoué : Arthur de nouveau détenait Excalibur et son fourreau magique qui le protégeraient désormais de la mort. Accolon en qui elle avait mis tous ses espoirs l'avait lui aussi abandonnée pour rejoindre l'au-delà. Pourtant, elle le savait, il fallait accomplir la tâche voulue par la Déesse : Arthur devait coûte que coûte descendre de son trône... Seule maintenant, comment pourrait-elle y parvenir ? Une chose était sûre : plus rien ne la retenait à Camelot, plus rien non plus ne l'attendait dans les Galles du Nord. Elle devait tout quitter et partir.

Se levant silencieusement au milieu de la nuit, elle s'habilla, passa dans sa ceinture son couteau. Elle n'emportait rien — ni bijoux ni robes, aucun cadeau offert par Uriens — rien qu'une épaisse tunique de laine brune qui l'enveloppait de la tête aux pieds et le petit sac d'herbes qui ne la quittait jamais.

En sortant de la chambre, elle prit au passage une vaste houppelande, non pas la sienne qu'elle trouva trop voyante, mais celle d'une servante, et quitta le château en direction des écuries. Là, elle eut toutes les peines du monde à monter sur son cheval et crut qu'elle ne parviendrait jamais à tenir en selle tant elle se sentait à bout de forces. Mais ne pouvant désormais plus compter que sur elle, il fallut bien y parvenir. Elle devait partir seule, agir seule, assumer seule la parole irrévocablement donnée jadis à Avalon.

Se retournant dans la nuit, elle jeta un dernier regard sur Camelot qu'elle ne reverrait peut-être plus. Alors, éperonnant sa monture, elle prit résolument la direction du Lac vers l'île de Glastonbury, là où Viviane reposait, là où Arthur, aujourd'hui, se remettait lentement de ses blessures. Ainsi le voulait son destin. En châtiment de ses coupables manquements, elle venait de payer à la Mère Éternelle un lourd tribut de larmes et de sang. Seul donc lui importait maintenant de réussir où elle avait échoué, de vaincre enfin pour être pardonnée.

XIII

L'air était rêche, presque froid, en cette heure qui précédait le lever du soleil. Morgane frissonna. Un bac, fait de troncs d'arbres liés, attendait au bord du lac. Ayant demandé qu'on la conduise à Glastonbury, elle embarqua aussitôt. À son arrivée dans l'île, curieusement les cloches se mirent à tinter au moment même où elle accostait. Une longue cohorte de silhouettes grises se dirigeait lentement vers l'église pour l'office des matines, et elle ne put éviter d'entendre le chant des moines emporté par la brise aux quatre coins de l'île.

Les hommes de Dieu ayant tous pénétré dans l'église, Morgane se glissa silencieusement vers la bâtisse où, lui avait-on dit, les religieuses accueillaient et soignaient les malades et où, espérait-elle, se trouvait sûrement Arthur. Dans une galerie basse près de l'entrée, deux femmes assises sommeillaient près d'une petite porte, une troisième remuant non loin d'elle avec une énorme cuillère un laitage dans une jarre. Surprises par son arrivée, les religieuses firent front ensemble pour imposer à la nouvelle venue un silence absolu.

— Qui êtes-vous, et que voulez-vous à cette heure ? Le roi

repose, chuchota celle qui semblait surveiller plus spécialement la porte.

— Je suis la reine Morgane des Galles du Nord et de Cornouailles. J'ai fait une longue route pour venir au plus vite voir mon frère ! J'arrive à l'instant même et vous demande de me laisser passer.

Le ton était si autoritaire et tranchant, que les femmes impressionnées s'inclinèrent craintivement, lui laissant la voie libre.

Ayant précautionneusement poussé la porte, Morgane entra dans une pièce à peine éclairée, où elle eut d'abord du mal à distinguer le lit où reposait Arthur. Mal rasé, les cheveux en désordre mais le visage plus reposé qu'elle ne l'avait prévu, le roi semblait dormir. Au pied du lit, elle vit tout de suite le fourreau, mais il était vide. S'approchant davantage, elle constata alors qu'Arthur tenait l'épée serrée tout contre sa poitrine, si bien que si elle tentait de la lui arracher, il s'éveillerait aussitôt, et la tuerait.

Étant restée un long moment perplexe, immobile dans la pénombre, osant à peine respirer, Morgane se décida d'un seul coup. Elle décrocha de sa ceinture son petit coutelas acéré, fit un pas vers Arthur, les yeux fixés sur la veine qui battait doucement à son cou : un seul geste de sa part, et tout serait fini avant même qu'il ait le temps d'ouvrir les yeux ! Un coup, un seul, de sa petite lame, suffirait à châtier le traître, apparemment guéri, de toutes ses lâchetés et à l'envoyer pour toujours dans l'autre monde.

Morgane fit un nouveau pas, les doigts serrés sur le manche de son arme, mais, comme un pâle rai de lumière venait au même instant se poser sur le visage reposé et paisible, elle s'immobilisa, une fois encore, pour contempler ces traits qui lui rappelaient si irrésistiblement ceux de leur mère. Elle revit le petit garçon blond qu'elle consolait sur ses genoux en essuyant ses larmes, elle revit le Roi Cerf dans la sombre caverne où elle avait éperdument offert sa virginité...

Cette seconde d'hésitation suffit à sauver la vie d'Arthur. Non, elle n'allait pas le tuer ! Elle ne le pouvait pas. Fébrilement, Morgane rengaina son poignard et d'un geste furtif s'empara du fourreau. Lui, au moins, lui appartenait. C'est elle, grâce au pouvoir de la Déesse-Mère, qui lui avait conféré ses facultés magiques tout en brodant sur le velours cramoisi. Oui, ce fourreau appartenait à Avalon et lui revenait de plein droit. Habitée par cette certitude, ayant dissimulé sa prise sous les plis de sa tunique, elle quitta la chambre sur-le-champ, salua les religieuses et gagna en hâte les bords du lac.

Le passeur était toujours là. Elle monta à bord, le pressa de la conduire sur l'autre rive où déjà elle apercevait, ombre sur l'eau grise, la barge d'Avalon venue pour l'accueillir. Il fallait maintenant fuir, gagner l'Île Sacrée au plus vite, et mettre le fourreau en lieu sûr. Simple hasard ou signe prémédité des choses, Morgane sauta du bac dans la barge à l'instant même où les cloches de nouveau sonnaient à toute volée pour la grand-messe du matin.

— Hâtez-vous ! cria-t-elle au petit homme sombre qui venait de lui tendre la main.

— Non, Dame, c'est impossible ! dit-il en frissonnant. On ne peut traverser les brouillards lorsque retentissent les carillons. Les paroles sacrées sont alors impuissantes à nous ouvrir la voie. Il faut attendre que le silence soit complètement revenu.

Ainsi son plan allait-il échouer à cause de ces maudites cloches ? Non, elles ne l'intimidaient pas ! Il fallait simplement s'éloigner avant qu'il ne soit trop tard, le plus rapidement possible, pour échapper à cette embarcation actionnée par de nombreux rameurs qu'elle apercevait là-bas se diriger vers elle à vive allure. Arthur n'avait pas perdu de temps ! Ayant constaté à son réveil la disparition du fourreau, il n'avait pas tardé à comprendre son stratagème et s'était lancé à sa poursuite !

Qu'importait la barge ! Il existait d'autres chemins vers Avalon où les cloches ne pourraient l'atteindre, mais il fallait faire vite...

Sautant à terre, elle courut en direction du passage, invisible pour les profanes, où, voilà bien longtemps, Lancelot et elle avaient sauvé une jeune fille ayant pour nom Guenièvre égarée entre les deux mondes... Il se trouvait au cœur des marais et la conduirait à Avalon, du côté du Tor. L'avance qu'elle avait sur ses poursuivants semblait cependant s'amenuiser et elle entendait maintenant se rapprocher les cris des hommes d'armes lancés sur ses talons. Vite, encore un effort, un bond et c'était là !

— Disparaissez ! lança-t-elle à voix basse aux petits hommes sombres qui l'avaient suivie en silence.

Ne se faisant nullement prier, tous ensemble s'évanouirent dans les troncs d'arbres, les flaques d'eau, les touffes de roseaux ou les nappes de brouillard, complètement invisibles à l'œil humain.

Les voix d'Arthur et de ses hommes étant désormais toutes proches, Morgane, prise de peur, accéléra sa course, le fourreau magique étroitement serré contre elle. Arthur, sans doute, avait-il encore Excalibur, mais jamais il n'aurait sa précieuse enveloppe. Tant pis, il fallait s'en défaire. Elle s'arrêta donc, éleva à deux mains la longue gaine de velours brodé, lui fit faire au-dessus de sa tête plusieurs moulinets, et la lança à toute volée dans les eaux glauques du Lac. Quelques brefs instants, le fourreau flotta à la surface, tournoya sur lui-même, puis s'enfonça et disparut définitivement.

Il était temps. Car déjà Arthur était sur elle, l'épée haute et la voix implacable :

— Morgane !... Morgane !... je vous ordonne...

Mais Morgane avait disparu comme ses compagnons ; elle s'était fondue dans le paysage. Elle n'était plus qu'une ombre parmi les ombres flottant aux alentours du Lac. Elle était là, pourtant, immobile, silencieuse comme seule une prêtresse peut l'être, se riant de la stupeur d'Arthur et de ses poursuivants... Une fois, même, il passa si près d'elle qu'elle sentit son haleine sur sa nuque. Essoufflé, pâle, il semblait au bord de l'épuisement.

Lorsque Arthur et ses hommes découragés eurent enfin abandonné la partie, elle attendit encore un long moment avant de se glisser à nouveau dans le monde des humains. En même temps qu'elle, les petits hommes sombres réapparurent et la vie qui s'était figée autour d'eux recommença de plus belle : les oiseaux reprirent leurs chants interrompus dans la ramure, les nuages, leur course dans le ciel, la brise, son souffle à la surface des eaux...

Morgane parle...

> « Bien des années après parvint à mes oreilles le récit imaginaire de ces heures étranges : m'étant emparée du fourreau, entourée de mes cent chevaliers-fées, Arthur m'avait poursuivie à la tête d'une centaine d'hommes d'armes. Sur le point de nous rejoindre, nous nous étions transformés, moi et mes compagnons, en pierres levées ! Pour d'autres, je n'avais dû le salut qu'à l'intervention de trois dragons ailés qui m'avaient emmenée tout droit vers le Royaume des Fées !
>
> « Rien de cela, bien sûr, ne correspondait à la réalité. Je n'avais profité avec le Petit Peuple que de la protection des bois, nous fondant simplement avec la nature, comme nous l'avait appris Avalon.
>
> « Pour la suite des événements, la vérité était celle-ci : après l'éprouvante poursuite, je n'avais pas continué ma route vers l'Île Sacrée, et ayant dit adieu aux petits hommes sombres, je m'étais mise en route pour Tintagel.
>
> « Parvenue à destination, l'âme en déroute, j'avais été horriblement malade, au point de frôler la mort, indifférente à tout ce qui m'entourait sur la terre.
>
> « Mais grâce à la Déesse-Mère, les forces de la nature avaient, une fois de plus, triomphé de moi, et résignée, j'étais doucement revenue à la vie. »

Il neigeait sur la mer, et les terribles tempêtes d'hiver avaient recommencé à battre les murailles de Tintagel, lorsqu'un soir, une servante vint avertir Morgane qu'un homme demandait à la voir.

— Dis-lui que la duchesse de Cornouailles ne reçoit personne, et renvoie-le ! répondit-elle sèchement.

— Par cette neige et cette nuit horrible, ma Dame, c'est impossible ! Puis-je au moins lui offrir un bol de soupe et un abri jusqu'à demain ?

— Tu as raison. Jamais Tintagel n'a failli à sa réputation d'hospitalité, et il faut respecter cette coutume ! Reçois-le donc comme il convient, nourris-le et donne-lui le gîte. Mais, dis-lui aussi que je suis souffrante et que je ne peux voir personne !

Restée seule dans sa chambre, Morgane, presque sereine, pensa que l'isolement et la mélancolie qui étaient devenus son lot quotidien convenaient finalement à son désenchantement. Mais, elle n'eut pas loisir d'approfondir ses réflexions car la servante était de nouveau au pied de son lit :

— Dame, je reviens à vous. L'hôte me charge de vous dire qu'il se nomme Kevin, et il a ajouté : « Dites bien à votre maîtresse que ce n'est pas à la duchesse de Cornouailles que je désire parler, mais à la Dame d'Avalon ! »

Kevin ? Mais il faisait désormais partie du camp d'Arthur et avait trahi Avalon. Pourquoi venait-il donc la relancer au fond de sa retraite ? Piquée par la curiosité, Morgane se décida pourtant à le voir :

— C'est bon ! Je vais descendre, fit-elle. Mais je ne peux pas le recevoir dans cet état : qu'on me laisse le temps de m'apprêter un peu.

Un feu immense, qui fumait beaucoup, comme toujours à Tintagel lorsqu'il neigeait, brûlait dans l'âtre, et Morgane reconnut aussitôt la silhouette légèrement voûtée, vêtue d'une ample cape grise, assise devant les flammes. C'était bien là Kevin, sa harpe posée à côté de lui.

En l'entendant entrer, il se tourna vers elle et se leva péniblement :

— Dame d'Avalon... dit-il en inclinant légèrement sa tête aux cheveux maintenant presque blancs.

— Je ne suis pas la Dame d'Avalon, répliqua Morgane les jambes flageolantes.

La voyant si faible et si pâle, Kevin la prit par le bras et la fit asseoir avec sollicitude sur un siège près de l'âtre.

— Morgane, pauvre Morgane, ma pauvre petite fille... comme vous semblez souffrante...

— Kevin, depuis longtemps, je ne suis plus une petite fille, le coupa-t-elle, en faisant un énorme effort sur elle-même pour surmonter sa faiblesse. Mais avant toute chose, dites-moi, je vous prie, la raison de votre présence sous mon toit.

— Je suis venu vous dire, Morgane, qu'on a besoin de vous, qu'on vous appelle à Avalon, répondit Kevin de sa voix la plus douce.

Puis prenant place en face d'elle, il enchaîna d'un air soucieux :

— Raven est maintenant une très vieille femme. Elle n'ouvre plus jamais la bouche. Quant à Niniane, elle est encore tout à fait incapable de gouverner. Voilà pourquoi on a, là-bas, besoin de vous, Morgane !

— La dernière fois que nous nous sommes vus, Kevin, vous m'avez affirmé que les jours d'Avalon étaient comptés. Pourquoi dès lors s'obstiner à vouloir trouver une remplaçante à Viviane ? Niniane fait aussi bien l'affaire que moi ou une autre en attendant qu'Avalon disparaisse à jamais dans les brumes !

— Et même si le monde d'Avalon devait pour toujours disparaître, Morgane, ne préféreriez-vous pas y finir vos jours plutôt que de mourir ici solitaire et désemparée ?

— C'est dans cette intention, en effet, que je suis venue à Tintagel après la mort d'Accolon, reconnut-elle en détournant les yeux : longtemps, Kevin, j'ai voulu mourir.

— Vous ne pouvez vous-même décider de votre heure dernière, Morgane ! Vous, comme moi, nous devons accomplir ce que les dieux attendent de nous. Et si notre destin est de voir la fin du monde que nous avons connu, il faut que ce destin nous trouve chacun à notre place, celle qui nous a été attribuée pour servir de notre mieux l'humanité. La vôtre se trouve à Avalon, Morgane.

— Non ! répondit-elle fermement.

Non, elle ne retournerait pas dans l'Île Sacrée.

Elle resterait à Tintagel dans l'isolement, le silence et la sérénité jusqu'à ce que Vieille-Femme-la-Mort décide de l'emporter.

— Non ! répéta-t-elle, cachant son visage dans ses mains. Laissez-moi en paix, Kevin ! Je suis venue ici mourir et c'est ici que je mourrai. Vous pouvez repartir !

Kevin ne fit pas un geste, ne prononça pas un mot. Au lieu de se lever, de saluer son hôtesse, de sortir, de tirer la porte derrière lui, sans espoir de retour, il prit sa harpe tranquillement.

Alors, dans le silence profond du château endormi, montèrent les accents d'une indicible mélodie. L'air grave et pénétré, les yeux mi-clos perdus très loin au-delà des murailles, Kevin jouait comme il n'avait jamais joué. Sa voix soudain accompagna sa harpe : c'était l'histoire merveilleuse d'Orphée, dont la harpe divine ensorcelait la nature. Arbres et pierres venaient l'écouter et dansaient, les créatures les plus sauvages le suivaient docilement, les vagues furieuses de la mer s'apaisaient... Puis vint l'évocation de sa descente aux enfers pour retrouver sa bien-aimée et supplier les dieux du Royaume des Ombres de la laisser revenir vers la lumière du jour...

Mais Morgane avait quitté Tintagel ; elle ne sentait plus l'âcre odeur de la fumée qui s'échappait de l'âtre ; elle n'entendait plus les rafales du vent qui frappaient les murailles. Elle n'avait plus conscience de rien, pas même de son corps fatigué et malade. Par la magie et la puissance évocatrice de la musique, elle était ailleurs...

Kevin chantait la brise d'Avalon, la délicate senteur des fleurs de pommiers, l'acide parfum des pommes mûres. Il chantait la fraîcheur de la brume sur le Lac, le galop lointain du cerf dans la forêt, la chaleur du soleil dans la touffeur vibrante des après-midi d'été. Il chantait le cercle de pierres levées où Lancelot l'avait tenue dans ses bras, la douceur des pentes du Tor où, tant de fois, elle avait senti bondir dans ses veines les forces fécondantes de la vie, où, tant de fois, elle avait regardé monter avec extase la boule argentée de la lune dans le ciel...

Et maintenant, de toutes parts, s'élevaient vers elle des voix, les voix des morts et les voix des vivants clamant à l'unisson : Revenez... revenez !... Oui, les mains de la Déesse la brûlaient. Avalon tout entier se liguait pour l'appeler de nouveau.

Soudain, elle fit deux pas en direction du feu, tendit les mains comme pour témoigner sa joie et sa confiance, et d'un seul coup s'écroula entre les bras de Kevin qui l'allongea sur le sol, à demi évanouie.

— Depuis quand n'avez-vous rien mangé, Morgane ? demanda-t-il avec reproche.

— Je ne sais pas, je ne sais plus...

La gourmandant comme une enfant, Kevin fit apporter du pain et du lait chaud coupé de miel, et lui recommanda d'avaler très doucement, par petites gorgées.

— Tout à l'heure, ajouta-t-il, on battra un œuf cru dans une coupe de lait, et, dans deux jours, vous serez de nouveau sur pied, en mesure de vous mettre en route.

Morgane eut alors, devant son ami retrouvé, un dernier accès de désespoir. Elle pleura sur Accolon figé à jamais dans son suaire, elle pleura sur Arthur, son frère, devenu son ennemi, sur Viviane assassinée sous ses yeux, reposant pour toujours dans une terre chrétienne, sur Ygerne, sa mère, sur elle-même aussi qui avait déjà connu tant de blessures et de souffrances.

— Pauvre Morgane... ma pauvre petite fille... la plaignit Kevin tout remué, serrant longuement ses mains dans les siennes.

« La dernière fois que je l'ai vu, songea Morgane, abandonnant ses mains glacées à la douce chaleur de celles du barde, je l'ai appelé traître et presque maudit. Et nous voilà aujourd'hui, l'un près de l'autre, unis comme deux vieux amis ! » Non, l'amour n'était pas que passion dévorante vécue dans de brûlantes étreintes ; l'amour était aussi, et sinon davantage, tendresse, fidélité et désintéressement, face à l'oubli, à l'inconséquence des êtres, à l'usure du temps. Kevin, d'ailleurs, n'avait-il pas été finalement le seul à s'inquiéter de son sort, le seul à se soucier de son avenir, le seul à affronter la tempête pour venir jusqu'à elle ?

Aussi, cette nuit-là, apaisée, rassérénée, ayant surmonté et vaincu malgré elle, grâce à lui, le souvenir d'un passé déchirant, décidée cette fois, irrévocablement, à répondre à l'appel d'Avalon, s'endormit-elle d'un sommeil paisible, heureuse de savoir qu'elle foulerait bientôt la seule terre qui comptait encore pour elle ici-bas.

Morgane parle..

« Le corps et l'âme fragiles, j'ai gardé peu de souvenirs de ce retour vers l'Île Sacrée. Je me rappelle seulement m'être à peine étonnée lorsque Kevin m'abandonna un peu avant d'atteindre le Lac pour rejoindre Camelot.

« Parvenue seule sur le rivage, au soleil couchant, le ciel brûlait comme un énorme brasier, dévorant toute la nature de son feu intense. L'eau calme du Lac elle-même n'était qu'une immense flaque de sang, d'où émergea soudain la barge d'Avalon drapée de noir. Sans mot dire, je montai à l'avant de l'embarcation, et les petits hommes sombres, après m'avoir saluée, se mirent à ramer comme toujours dans le plus grand silence.

« À mon appel, les brouillards se levèrent, et je me sentis à nouveau l'immuable passerelle entre la terre et le ciel. Désormais, j'étais à la place qui était la mienne.

« Niniane m'attendait sur la berge, non comme une étrangère, mais une fille accueillant sa mère, après une très longue absence, les bras grands ouverts. Elle m'emmena vers la maison qui avait été celle de Viviane, s'occupa de moi avec une attention extrême, refusant l'aide de toute servante. Puis elle m'aida à me coucher, m'apporta quelques fruits, me fit boire un peu d'eau du Puits Sacré. Dès lors, je sus que vraiment j'étais de retour chez moi ; je sentis que ma guérison était proche.

« J'ignore combien d'années passèrent exactement ensuite. Une seule chose comptait : j'étais heureuse sur ma terre retrouvée, habitée par une grande paix intérieure qui reléguait loin de moi les émotions trop vives suscitées par les joies ou les chagrins du monde. Aidée par Niniane, parfois par Nimue, je me livrais simplement aux multiples occupations de la vie quotidienne, y trouvant, pour la première fois de ma vie, un plaisir sans partage. Nimue était devenue une mince et blonde jeune fille ; elle était pour moi la fille que je n'avais jamais eue ; je l'aimais tendrement et lui transmettais avec ferveur tout ce que m'avait appris Viviane dans ma jeunesse.

« Pendant ce temps, affluaient de plus en plus à Avalon un grand nombre de chrétiens cherchant à fuir le fanatisme entretenu par l'évêque Patricius. Certains avaient vu fleurir l'arbre de la Sainte Épine, et adoraient leur dieu en paix, sans chercher à nier la beauté du monde, ou les mystères de la nature, l'aimant telle que le Dieu Éternel l'avait créée. De leur bouche j'apprenais enfin quelques vérités sur le Nazaréen, ce fils de charpentier qui n'avait, tout au long de sa vie, cessé de prêcher la tolérance. Je compris alors que ce n'était nullement avec ce Christ-là que je me querellais depuis toujours, mais avec ses adeptes, ses prêtres, qui mettaient insidieusement sur le compte de Dieu leurs idées fausses et leurs mesquineries.

« En fait, j'étais là depuis cinq printemps sans doute, lorsque parvinrent jusqu'à moi les échos du monde extérieur. J'appris d'abord la mort d'Uriens, ce qui ne m'affecta guère car il était, depuis longtemps déjà, mort pour moi dans mon cœur. Les hauts faits d'Arthur, les actions d'éclat de ses compagnons, me furent également rapportés sans pour autant entamer ma sérénité et celle de l'Île Sacrée. Il me semblait entendre de vieilles histoires, des légendes oubliées, semblables à celles que ma mère, Ygerne, me racontait lorsque j'étais enfant.

« La neige avait depuis longtemps fondu au soleil d'Avalon et le printemps resplendissait de ses couleurs nouvelles, lorsqu'une nuit un grand cri m'obligea à revenir vers des réalités que j'avais cru pouvoir laisser à jamais derrière moi. »

— La lance... la lance a disparu, le plat et la coupe aussi... On nous a dérobé les Objets Sacrés !

Réveillée en sursaut, Morgane se précipita vers la chambre de Raven :

— Que se passe-t-il ? Pourquoi ces cris ? demanda-t-elle à la femme qui dormait devant sa porte.

Ne comprenant manifestement pas les raisons de cette intervention inopinée, la dormeuse ouvrit de grands yeux, l'air interloqué :

— Mais je ne sais pas... je n'ai rien entendu...

Ébranlée, Morgane allait faire demi-tour lorsque, tout à coup, un second cri déchira le silence.

— Ah, cette fois, vous avez entendu ? interrogea-t-elle de nouveau.

Mais la femme se borna derechef à lever vers elle un regard ahuri. Réalisant alors que l'appel n'était audible que par elle et quelques initiés, elle bouscula sans ménagement la servante et entra dans la chambre.

La vieille prêtresse était assise sur son lit, les cheveux pendant en longues mèches désordonnées de chaque côté de son visage, les yeux hagards. Tout, dans son attitude, exprimait la terreur, à tel point que Morgane se demanda un instant si elle n'avait pas perdu l'esprit. Puis elle la vit secouer la tête, pousser un long soupir, et tenter de parler. Mais en dépit de ses efforts, Raven, murée dans le silence depuis de longues années, ne parvenait pas à émettre le moindre son. Soudain, enfin, elle parvint à articuler dans un souffle :

— J'ai vu... je l'ai vue, Morgane... la trahison... à l'intérieur même des lieux saints d'Avalon... les Objets Sacrés...

— Reprenez-vous, Raven, tenta de la calmer Morgane, posant sur son front une main apaisante.

— Non..., il faut, je dois parler, reprit Raven d'une voix rauque. Morgane, écoutez le tonnerre... la foudre va frapper... un ouragan terrible va déferler sur Avalon... À sa suite, la terre sombrera dans les ténèbres...

Dehors, le ciel était serein et étoilé, sans un nuage, sans un signe précurseur de tempête. Le clair de lune étincelait sur le Lac et les vergers d'Avalon. Raven divaguait-elle ? Avait-elle donc la fièvre ou ne parvenait-elle pas à se libérer d'un cauchemar ?

— Ne craignez rien, Raven, je vais rester près de vous, et, au lever du jour, nous irons ensemble interroger le Puits Sacré pour vérifier votre vision.

Levant péniblement les yeux vers Morgane, Raven, avec tristesse, ébaucha un étrange sourire. Au même moment, un éclair troua brusquement la nuit, suivi au loin d'un roulement de tonnerre.

— Vous voyez bien, Morgane, je ne rêve pas, insista-t-elle d'une voix faible. L'orage approche... j'ai peur !...

Tentant de rassurer la vieille femme, Morgane vint s'allonger à côté d'elle et la prit dans ses bras. Mais comme toutes deux allaient sombrer dans le sommeil, un coup de tonnerre terrifiant claqua au-dessus de leurs têtes, accompagné d'une pluie diluvienne qui s'abattit sur l'île, dans un déchaînement de fin du monde.

— Voyez, écoutez !... cria Raven en tremblant.

— Ce n'est rien, rien qu'un orage... rien qu'un orage, qui va passer, répéta Morgane comme si elle cherchait à se rassurer elle-même.

De fait, la tornade s'apaisa à la fin de la nuit, et lorsque Morgane sortit, au point du jour, le ciel de nouveau était pur et dégagé. Tout semblait neuf et rénové ; la moindre feuille, le plus infime brin d'herbe étincelaient ; la nature entière frémissait sous une lumière irisée. Raven qui l'avait suivie en silence contemplait le spectacle, mais l'épouvante de la nuit était encore inscrite sur son visage.

— Allons d'abord voir Niniane, trancha Morgane l'air résolu. Ensuite nous irons consulter les eaux pour savoir si la Déesse manifeste réellement son courroux à notre égard.

Raven acquiesça sans protester.

— Allez chez Niniane, dit-elle seulement ; moi, je vais chercher Nimue !

Sur l'instant, Morgane faillit s'y opposer, puis elle pensa que si Raven souhaitait la présence de la jeune prêtresse, ce n'était sûrement pas sans raison. Elle traversa donc le verger jonché des fleurs blanches de pommiers arrachées par la tempête, clouées au sol comme de fragiles papillons aux ailes brisées, et alla chercher Niniane qu'elle éveilla aussitôt. Toutes deux alors se glissèrent, silencieuses comme des ombres, dans la pâle lumière de l'aube, jusqu'à la pièce d'eau voisine du Puits Sacré.

Raven, voilée, et Nimue aussi fraîche qu'une rose, étaient déjà là. Jamais, pensa Morgane éblouie, même à l'époque de sa plus éclatante jeunesse, Guenièvre n'a été aussi belle !

— Nimue est vierge, dit alors Raven d'une voix grave ; c'est donc à elle de se pencher sur l'onde.

Le miroir de l'eau, effleuré à peine par les premiers rayons du soleil, refléta un instant les quatre silhouettes se mouvant discrètement sur ses bords. S'agenouillant, Nimue demanda à voix basse :

— Que voulez-vous savoir, mère ?

Comme Raven gardait le silence, Morgane prit la parole :

— Il faut savoir si Avalon a été trahi, et ce qu'il est advenu des Objets Sacrés.

Nimue, retenant sa chevelure d'or à deux mains, se pencha alors sur l'eau, presque à la toucher.

Des oiseaux gazouillaient dans les arbres ; le léger clapotis du filet d'eau s'écoulant du Puits Sacré chantait sur les pierres.

Au loin, se profilaient, rassurantes et immuables, les pierres levées sur les versants tranquilles du Tor.

— Je vois une silhouette, mais je ne distingue pas son visage... chuchota Nimue.

Comme l'onde frissonnait, Morgane se pencha à son tour. Une silhouette difforme, marchant avec beaucoup de peine, apparaissait effectivement. Pour elle, sans aucun doute, c'était Kevin ! Le perdant de vue un instant, elle le retrouva presque aussitôt. Oui, il s'emparait des Objets Sacrés, la lance, la coupe, le plat ! Il les dissimulait sous sa cape, puis traversait le Lac, et rejoignait Excalibur resplendissant dans les ténèbres. Ainsi, tous les objets du culte étaient-ils désormais réunis dans ses mains !

— Kevin le barde ? Pourquoi lui ? interrogea Niniane.

— Il m'a dit un jour, reprit Morgane, le visage fermé, qu'Avalon dérivait de plus en plus dans les brouillards. Qu'il fallait donc que les Objets Sacrés reviennent dans le monde extérieur pour servir les hommes et les dieux, quels que fussent les noms qu'on voulait leur donner.

— Profanation ! intervint violemment Niniane, profanation ! Car ils seront alors au service d'un seul dieu qui s'acharne à chasser tous les autres.

— Niniane, tu dis vrai. Mais comment empêcher cette abomination ? Kevin a engagé sa foi pour Avalon, et le voici maintenant parjure... Avant de se préoccuper du châtiment qu'il mérite, nous devons par tous les moyens possibles récupérer la lance, la coupe et le plat et les rendre à Avalon !

En fait, c'était à elle de reconquérir ces trésors puisqu'ils avaient été confiés à sa garde. Elle seule en était responsable, car rien de tout cela ne serait arrivé, sans son impardonnable désertion ! Aussi, en un éclair, avait-elle bâti son plan : Nimue allait être l'instrument du châtiment du traître. Kevin ne l'ayant jamais vue, il importait à la jeune vierge de le frapper au défaut de la cuirasse.

— Nous allons partir pour Camelot, Nimue, et, comme vous êtes la cousine de Guenièvre et la fille de Lancelot, vous n'aurez aucune difficulté à vous faire accepter parmi les suivantes de la reine. Vous veillerez seulement à ne dire à personne que vous avez reçu l'enseignement d'Avalon. Prétendez, au besoin, que vous êtes chrétienne. Là, vous ferez connaissance de Kevin. Or, cet homme a un point faible : il est persuadé que les femmes le fuient parce qu'il est infirme et laid. Si donc l'une d'entre elles ne témoigne à son égard ni crainte, ni répulsion, il sera prêt pour elle à faire ce qu'elle voudra. C'est pourquoi, Nimue, poursuivit-elle en regardant droit dans les yeux la jeune fille, vous allez séduire Kevin, l'attirer dans vos bras. Puis vous l'ensorcellerez corps et âme jusqu'à ce qu'il devienne votre esclave !

— Devrai-je même, s'il le faut, l'entraîner vers la mort ? balbutia Nimue, soumise et terrifiée.

Niniane répondit à la place de Morgane :

— Non, il n'est pas nécessaire. Amenez-le seulement ici, à Avalon. Il subira alors le sort que l'on réserve aux renégats !

Morgane connaissait le sens de ces paroles : Kevin serait roué de coups, lapidé puis jeté vivant dans un trou du chêne sacré. Le tronc serait ensuite bouché avec du torchis, et on ne laisserait qu'un minuscule orifice pour lui permettre tout juste de respirer, retardant ainsi sa mort le plus longtemps possible...

C'est alors que s'éleva de nouveau le voix de Raven, hésitante, tremblante, remplie d'effroi et de chagrin, comme celle des branches mortes, certaines nuits d'hiver, sous la bise glacée :

— Morgane, Morgane, répéta-t-elle, moi aussi je viendrai avec vous à Camelot.

XIV

Tard dans la nuit, les trois prêtresses quittèrent Avalon par les chemins secrets, puis se séparèrent. Nimue partit pour Camelot en litière par la route habituelle, tandis que Morgane et Raven, revêtues de haillons, se dirigèrent à pied vers le château en empruntant des chemins de traverse, frappant comme deux pauvresses aux portes des fermes pour mendier nourriture et gîte. Au cours de la dernière nuit du voyage, Raven, qui n'avait pas desserré les dents depuis le départ, ouvrit enfin la bouche :

— Morgane, murmura-t-elle, demain est jour de Pâques. Il nous faut donc être à Camelot dans la matinée !

Ne prenant pas la peine d'essayer de connaître la raison de ce souhait, sachant que Raven ne la lui livrerait pas, Morgane se contenta de répondre :

— C'est bon ! Nous nous mettrons en route avant le lever du soleil : d'ici, il ne faut guère plus de trois heures pour atteindre notre but.

Dans l'agitation et le va-et-vient qui régnaient ce jour-là au château, personne ne prêta la moindre attention aux deux paysannes, lorsqu'elles franchirent comme prévu ses hautes portes un peu avant midi. Mais, autant Morgane avait l'habitude de la foule, autant Raven, qui n'avait jamais quitté Avalon, semblait inquiète et mal à l'aise, dissimulant craintivement son visage sous son châle en loques.

— Pauvre vieille ! s'apitoya même un manant conduisant ses bestiaux, en la voyant bousculée par la cohue.

— Hélas, renchérit Morgane, ma sœur est sourde et aveugle !

— Ne restez donc pas là et allez plutôt dans les offices du château, lança l'homme. Aujourd'hui, le roi offre le boire et le manger à tous les pauvres !

Le remerciant du renseignement, Morgane, fendant la foule attirée par l'odeur des viandes grillées et des sauces, entraîna Raven en direction de la grande salle, en prenant soin de se dissimuler dans un recoin fort sombre, d'où elles pourraient observer sans être remarquées. Concentrant alors son attention sur l'autre extrémité de l'immense pièce, là où se trouvait la Table Ronde, elle remarqua que tous les sièges portaient un nom, et qu'un dais avait été dressé au-dessus de ceux du roi et de la reine. Quant aux murs, ils étaient tapissés d'innombrables bannières, trophées de guerre d'Arthur et de ses compagnons, taches vives et colorées donnant un air de fête et de gaieté à l'ensemble du décor.

Mais déjà les trompettes sonnaient et les portes s'ouvraient toutes larges pour livrer passage au roi et à la reine, suivis d'un long cortège de dames et de seigneurs en tenue d'apparat.

— Comme c'est beau ! s'extasia une paysanne à côté de Morgane. Et dire que tout à l'heure, après la messe, nous allons pouvoir manger et boire tout notre saoul !

— Comment, après la messe ? s'étonna Morgane. N'a-t-elle pas été célébrée ce matin dans la chapelle ?

— Non, répondit la commère, il paraît que la chapelle du château est devenue trop petite pour contenir la nombreuse assistance les jours de fête. D'ailleurs, regardez ! Voilà l'évêque Patricius qui s'avance avec ses prêtres ! Ils portent des objets en or ! Quelle merveille !

— Levez-vous et approchez-vous tous ! clama au même instant le prélat en ouvrant largement les bras. Aujourd'hui, mes frères, l'ordre ancien va faire place à l'ordre nouveau. Le Christ, enfin, a triomphé des anciens dieux, des faux prophètes... Je suis la Voie, la Vérité et la Vie, a dit le Seigneur à l'humanité. Il a dit également : il n'existe pas d'autre nom que celui de mon Père par lequel vous puissiez être sauvés. C'est pourquoi, tous ceux qui s'inclinaient jusqu'ici devant les faux dieux, s'agenouilleront-ils désormais devant le Christ, et se mettront-ils tout entiers sous sa protection.

Morgane comprit brusquement alors quel était le dessein de l'évêque : il allait utiliser les Objets Sacrés de la Déesse pour dire sa messe et aider ainsi leur propre Dieu à se manifester ! Patricius déjà élevait en effet la coupe en marmonnant une prière que reprenaient en chœur tous les prêtres alignés derrière lui, et de nombreux fidèles agenouillés dans la salle.

Alors, n'y tenant plus, Morgane se leva et, malgré les efforts de Raven pour la retenir, malgré les regards stupéfaits qui se tournaient vers elle, malgré les murmures et les exclamations, elle s'avança vers Patricius, transfigurée, n'ayant plus son apparence humaine, consciente d'être, en cet instant, hautement investie des pouvoirs et de l'autorité de la Déesse.

Arrivée près de lui, près de la longue table blanche dressée en guise d'autel, d'un geste décidé et souverain, elle arracha la coupe de ses mains. Puis, l'évêque n'ayant manifesté aucune résistance, elle l'éleva lentement à son tour. La coupe brillait d'un éclat insoutenable et Morgane la sentait battre entre ses doigts comme un cœur vivant. Au même instant, un souffle puissant s'engouffra dans la salle et mille harpes invisibles entonnèrent à la fois un hymne vibrant et sublime. Portée par ces accents et ce courant divin, Morgane se dirigea vers Patricius, qui tomba à genoux devant elle, et tandis qu'elle approchait la coupe de ses lèvres, elle lui dit :

— Buvez !...

Et il but ! Il but longuement, puis se laissa tomber à terre comme s'il ne pouvait supporter la présence surnaturelle qui rayonnait dans tous les cœurs. Apparemment indifférente à ces transports, impassible, Morgane s'avançait désormais vers les premiers rangs de l'assistance, portant la coupe à bout de bras, à moins que ce ne fût la coupe elle-même qui se déplaçât seule, entraînant irrésistiblement derrière elle la prêtresse.

Arthur, lui-même, s'était agenouillé et recevait, dans le plus grand recueillement, la substance sacrée. À ses côtés, Guenièvre faisait de même, et approchait ses lèvres de la coupe en tremblant. Jamais elle n'avait ressenti si grande joie et priait de toute son âme pour que même allégresse fût offerte à celui qu'elle aimait. À l'instant où elle ouvrit les yeux, la Vierge Marie, car c'était la mère du Christ qu'elle voyait, se dirigeait justement vers Lancelot.

— Est-ce vous, Mère, ou suis-je le jouet d'une hallucination ? bredouilla-t-il, sous l'effet d'une extase véritable, alors que Morgane penchait la coupe vers sa bouche entrouverte.

Oui, elle était leur mère à tous, sans exception. En ces minutes, la Déesse agissait à travers elle ; des ailes innombrables semblaient palpiter dans l'atmosphère ; un parfum suave et inconnu envahissait toute la salle. Le calice, diraient plus tard certains, était devenu invisible ; pour d'autres, il brillait au contraire d'un éclat aveuglant. Tous, en tout cas, d'une extrémité à l'autre de l'immense salle, avaient vu leur assiette se remplir soudain des mets les plus exquis comme ils n'en avaient jamais pu soupçonner l'existence. Tant et si bien que Morgane, plus tard, en vint à se persuader réellement qu'elle avait été ce jour-là, sur la terre, la messagère et l'instrument suprême de la Mère Éternelle.

Toujours est-il que de tous ceux qui se pressaient dans la grande salle de Camelot, seule Nimue avait reconnu Morgane, et la contemplait avec un étonnement proche de l'ébahissement.

— Vous aussi, mon enfant, buvez ! murmura la prêtresse en arrivant à elle, se sentant animée par une force magique, insufflée, elle en était certaine, par Raven blottie toujours dans son coin. Oui, c'était Raven qui la poussait, qui la faisait agir, qui faisait circuler dans son corps un flot inépuisable d'énergies renouvelé sans cesse.

Tous, les uns après les autres, s'agenouillaient à son passage :

Mordred, très pâle, Gareth, Gauvain, Lucan, Bedivaire, Palomidès, Caï... tous, tous les vieux compagnons, tous ceux qu'elle connaissait ou n'avait jamais vus. Tous, morts et vivants, qui jadis s'étaient assis autour de la Table Ronde et puis l'avaient quittée : Ectorius, Loth, mort à Mont-Badon, le jeune Drustan, tué par Marcus dans un accès de jalousie, Lionel, Bohort, Balin et Balan réunis au royaume des ombres — tous ceux d'hier et d'aujourd'hui, réunis autour d'Arthur en cet intermède divin, hors du temps et de l'espace.

Le dernier avant Morgane, Kevin, à genoux lui aussi, porta la coupe à ses lèvres puis la passa enfin à la prêtresse, qui, à son tour, accomplit elle-même le geste solennel. La boucle étant bouclée, Morgane revint donc lentement vers l'autel, y déposa la coupe sacrée, où elle étincela comme une étoile.

Maintenant... maintenant elle avait un impérieux besoin de Raven, de sa présence, de son énergie depuis si longtemps accumulée, de toute sa force occulte : il fallait, en effet, que se manifeste la Grande et Toute-Puissante Magie ! Point n'était besoin de rejeter Camelot hors de ce monde ; il s'agissait seulement de lui arracher à jamais la coupe, le plat et la lance et de les mettre en sûreté à Avalon, de sorte que, jamais plus, aucune main humaine ne puisse les profaner.

Tout se passa alors très vite. Morgane se sentit soudain portée par les mains de Raven et par d'innombrables bras qui venaient à son aide ; la pièce parut le jouet d'une tornade venue d'un autre monde, et un flot de lumière aveuglante inonda l'assemblée. Si bien que lorsque les visages éblouis se relevèrent, l'autel était nu et entièrement vide.

— Dieu nous a visités, murmura l'évêque Patricius blafard, et les objets du culte ont disparu !

— Oui, où sont la lance, le plat et la coupe ? hurla à son tour Gauvain en sautant sur ses pieds. Ils étaient encore là à l'instant ! On nous les a volés ! Il faut les retrouver, les rapporter quoi qu'il advienne à la cour ! Notre quête durera s'il le faut plus d'un an et un jour, tout le temps qu'il faudra pour affronter l'inconnu et comprendre...

— Douze mois, Gauvain ? lança Galaad, tout enflammé.

Moi, je consacrerai ma vie entière à cette quête. Oui, ma vie entière pour retrouver le Graal, le voir de mes yeux, le toucher de mes mains !

Arthur voulut alors prendre la parole, mais une telle fièvre avait saisi ses compagnons qu'il renonça aussitôt à son intervention. Pour lui, cette quête soudain si nécessaire pour vérifier leur foi et leur courage était la bienvenue. Elle allait les unir de nouveau dans l'ancienne ferveur, galvaniser leurs forces et leurs espoirs comme autrefois dans les grandes batailles. Bientôt, ils se retrouveraient seuls face à leur destin, seuls pour leur propre combat. Oui, ses fidèles compagnons de la Table Ronde allaient s'élancer cette fois unis dans une même quête qui les éparpillerait pourtant aux quatre coins du monde.

Mordred venait de se lever, mais Morgane n'eut pas le temps de lui prêter attention car Raven venait de s'effondrer. Allongée sur le sol, totalement inerte, la vie l'avait quittée. Le poids sur ses épaules de la Grande Magie avait eu raison d'elle. Elle avait assisté Morgane de toute son énergie jusqu'au départ du Graal, puis l'âme en paix, elle s'en était allée, s'abandonnant sans résistance à Vieille-Femme-la-Mort.

« Je l'ai tuée, sanglota Morgane éperdue. Je l'ai tuée elle aussi, et elle était la seule à n'avoir jamais fait sur terre le moindre mal autour d'elle... Il ne me reste plus personne à aimer maintenant, plus personne... »

Relevant la tête, Morgane vit alors Nimue quitter sa place, s'approcher de Kevin, lui poser une main sur le bras avec un regard tendre, entamer avec lui un bref aparté. Autour d'elle, chacun commentait émerveillé l'incroyable festin auquel il venait de participer. Comme Arthur justement se dirigeait vers eux, souriant, détendu, bavardant familièrement avec ceux qui l'approchaient, adressant aux plus humbles quelques mots bienveillants, quelqu'un vint lui apprendre qu'une vieille femme venait de rendre l'âme à quelques pas de lui, sans doute d'émotion.

Venant lui-même se pencher sur la morte, il s'adressa alors à Morgane, vêtue à nouveau de haillons, courbée en pleurs au-dessus du cadavre :

— Ma pauvre femme, c'est grande pitié que le malheur vous ait frappée en cette grande et joyeuse occasion. Dieu, sans doute, a voulu la rappeler à Lui à un moment béni, et l'a certainement conduite entre les mains des anges ! Désirez-vous que nous l'enterrions ici, et que dès à présent on emmène son corps sous le porche de l'église ?

— Non ! répondit vivement Morgane, levant les yeux sur lui.

Impénétrables, leurs regards se croisèrent. Arthur l'avait-il reconnue ? Elle ne le sut jamais, car il ajouta simplement :

— Peut-être alors préférez-vous la ramener chez elle ? Demandez donc à mes sergents qu'on vous prête un cheval qui portera le corps. Vous n'aurez qu'à leur montrer ceci de ma part !

Tendant un anneau à Morgane, il eut pour elle un dernier geste de compassion et s'éloigna paisiblement en se mêlant à la foule. Aidée par quelques femmes, Morgane transporta au-dehors le corps de Raven et obtint facilement la monture proposée par le roi. Il ne restait donc plus qu'à retourner à Avalon : sa mission à Camelot était terminée. Mais, cette fois, elle savait qu'elle n'y reviendrait plus.

Pendant ce temps, l'agitation avait atteint son comble dans la grande salle de Camelot. Chacun parlait, questionnait, s'étonnait. L'un avait vu un ange, l'autre une jeune fille éblouissante, un autre encore une lumière divine, insupportable aux yeux humains, tous s'accordant pour dire qu'ils ressentaient, depuis l'événement, une joie profonde et une grande paix intérieure.

— Oui, je le dis, s'exclama Pratricius qui avait maintenant retrouvé ses esprits, oui, je le proclame, Dieu est venu parmi nous ! Nous avons approché la table du Seigneur, nous avons bu à la coupe même où le Christ a bu la veille de sa Passion. Nos lèvres ont touché le Saint-Graal !

Mais Guenièvre, en dépit de sa piété et de l'exaltation qu'elle ressentait comme tout son entourage, n'avait d'yeux que pour Lancelot.

— Ainsi, allez-vous nous quitter ? lui dit-elle, le voyant faire ses adieux à Arthur. Cette quête est-elle donc si indispensable à l'approfondissement de votre foi ?

Lancelot hésita, chercha ses mots, entrouvrit les lèvres, et enfin murmura comme s'il ne s'adressait qu'à elle :

— J'ai cru longtemps que la foi en Dieu n'était qu'une invention des prêtres pour nous asservir à leurs croyances, mais maintenant, j'ai vu et je veux croire. Une telle vision ne peut venir que du Christ en personne ou alors du Malin !...

— Non, elle vient de Dieu, Lancelot, soyez-en assuré !

— Ainsi.. vous aussi, ma Reine, vous avez vu ? Désormais s'efface en nous la crainte de rester plongés éternellement dans les ténèbres, celle de ne jamais savoir. Oui, nous allons connaître cette grande lumière, celle que recherchent tous les hommes depuis l'aube des temps ! Le son d'une cloche immense m'appelle. Elle vient de très loin, et me dit : « Suis-moi ! » La vérité est là, j'en suis certain, au-delà de mon entendement. Guenièvre, je dois partir trouver, déchirer le voile qui la dissimule encore à mes regards !

Guenièvre se tut. Que pouvait-elle répondre ? Pouvait-elle l'empêcher de partir, l'empêcher de trouver sa vérité ? N'aurait-elle pas, elle-même, consacré sa vie à une telle quête si elle en avait ressenti l'impérieux besoin ?

— Allez, mon bien-aimé ! Puisqu'il le faut, partez ! Que Dieu vous tienne en sa sainte protection, qu'Il vous aide à trouver la vérité... votre vérité...

— Que Dieu vous garde aussi, ma Reine. Et il ajouta d'une voix imperceptible : « Je sais maintenant que, grâce à Lui, nous serons l'un et l'autre de nouveau réunis un jour ».

Alors, il se tourna vers Arthur, lui dit quelques mots à voix basse, et tous deux s'embrassèrent avec la fougueuse impétuosité de leur jeunesse.

Au même instant, tous les compagnons se levèrent. Ils saluèrent Guenièvre puis Arthur, et s'éloignèrent les uns après les autres. Tous, à l'exception de Caï, trop mal en point pour risquer l'aventure, et de Mordred, qui attendit que la salle soit presque vide pour s'adresser à Arthur :

— Seigneur Arthur, dit-il alors, je vous demande la faveur de ne point participer à cette quête. Tous vos chevaliers partent ; l'un d'eux doit rester avec vous.

— Qu'il en soit ainsi, mon fils, puisque vous le souhaitez ! acquiesça Arthur en souriant, et que Dieu nous assiste tant que mes fidèles compagnons chevaucheront de par le monde. Que le Seigneur aussi accorde son salut à ceux qui ne reviendront pas !

Pour la première fois, pensa Guenièvre, Arthur vient d'appeler Mordred « mon fils » et tient ses deux mains dans les siennes. Mais l'arrivée de Kevin, traînant péniblement sa harpe, interrompit ses réflexions :

— Mon cher Kevin ! s'exclama-t-elle, comme prise soudain d'une indéfectible amitié pour le barde, quelqu'un ne peut-il vous aider à porter votre harpe ?

— Ne vous inquiétez pas pour lui, Guenièvre ! répondit gaiement le roi. Regardez Nimue ! Elle est déjà à ses côtés !

Nimue, en effet, avait rejoint le barde. La voyant si aimante, si attentionnée pour lui, Guenièvre ne put s'empêcher de songer à la vieille légende de la jeune fille aux cheveux d'or amoureuse d'une bête sauvage, apprivoisant avec grâce et ingénuité la laideur et la difformité...

XV

Enjouée et primesautière, prévenante en toutes occasions, Nimue n'avait pas tardé à prendre dans le cœur de la reine la place de l'enfant que celle-ci n'avait jamais eu. Pressée de questions, elle avait cependant avoué à Guenièvre ses années d'enfance passées à Avalon, mais lui avait habilement laissé entendre qu'elle avait définitivement abandonné la religion des Druides pour celle du Christ. La voyant d'ailleurs si appliquée à écouter l'enseignement des prêtres, Guenièvre n'avait pu lui en tenir rigueur et toutes deux passaient désormais de longues heures à évoquer les Évangiles et la vie des saints, tout en brodant des linges d'église.

Un après-midi, dans la salle des femmes, Nimue, levant les yeux de son ouvrage, demanda à la reine :

— Puis-je aller rejoindre Kevin, ma Dame ? Il m'a promis de me trouver une harpe, et de m'apprendre à en jouer.

Guenièvre n'appréciait guère de voir la jeune fille en compagnie du barde, mais, sachant qu'elle aimait passionnément la musique et la poésie, elle n'eut pas le courage de lui opposer un refus :

— Allez, lui dit-elle à regret, mais revenez-moi vite !

A peine Nimue s'était-elle levée, que le barde justement pénétrait dans la salle, s'appuyant avec difficulté sur deux bâtons, un homme derrière lui, portant sa harpe. Il s'inclina devant la reine et accepta avec reconnaissance le tabouret que Nimue approchait à son intention. L'ayant aidé à prendre place, Nimue sentit, à travers la laine fine de sa robe, la maigreur de son corps et fut sur le point de se laisser aller à la compassion. Mais elle se reprit rapidement, consciente de sa mission et de son serment. Kevin avait trahi la cause d'Avalon, et elle avait été désignée pour être l'instrument de son châtiment. La confiance que Morgane et Raven avaient placée en elle devait être en tout point honorée.

— Seigneur Kevin, demanda-t-elle d'un air suave, nous feriez-vous la joie de jouer quelque chose ?

Kevin ne se fit pas prier. Il prit son instrument et commença une ballade, les yeux fixés sur la jeune fille qui s'était assise à ses pieds, ne détachant pas un instant son regard de sa silhouette tout le temps que dura le morceau. La dernière note envolée, d'une voix chargée d'émotion, il dit à Nimue :

— Gente damoiselle, si vous le voulez bien, acceptez cette harpe. Elle est à vous ! Je l'ai fabriquée de mes mains dans ma jeunesse. Sa musicalité est remarquable, sa pureté aussi, et elle m'est particulièrement chère. Je vous l'offre, de tout mon cœur.

Nimue se récria d'abord, prétextant qu'elle ne pouvait accepter un si précieux cadeau. Puis elle se confondit en remerciements, se disant au fond d'elle-même que ce présent venait à point nommé servir ses desseins. Cet objet, en effet, si intimement lié au barde, façonné, choyé, caressé de ses mains, allait l'aider puissamment dans sa tâche. Sans le savoir, en lui offrant l'instrument même de sa passion, de son talent, de ses rêves intimes, Kevin ne venait-il pas de lui offrir une partie de lui-même, de lui livrer à la fois et son corps et son âme ?

Nimue prit la harpe, l'effleura du bout des doigts. Elle était petite, un peu grossièrement taillée, mais son bois avait acquis, sous la main de l'artiste, une douceur sans pareille, une patine tout à fait émouvante. A son tour, elle fit vibrer quelques cordes, en proie aux sentiments les plus contradictoires. N'allait-elle pas entraîner dans un piège mortel un homme généreux, le plus grand musicien de la Grande Bretagne ? Heureusement, pour elle, l'heure n'était pas encore venue d'accomplir la terrible mission. La lune était croissante, et elle devait attendre pour agir l'époque où elle se voilerait. Alors la lune serait pleine, et il la désirerait. Néanmoins, le lien qu'elle avait commencé à tisser entre eux deux était une arme à double tranchant, et elle aussi risquait de le désirer ardemment. Il fallait donc éviter à tout prix que la toile des sortilèges n'agisse également sur elle. Mais, le pourrait-elle seulement ? Tout enchantement, elle le savait, impliquait une demande et une réponse, et il était vraisemblable que la passion et le désir avaient déjà pris malgré elle possession de son corps et de son âme.

— Nimue, mon enfant, vous rêvez ? s'exclama soudain la reine, la taquinant d'un rire allègre. Maintenant que vous tenez cette harpe entre vos mains, jouez-nous quelque chose et chantez !

— Oui, je vous en prie, insista le barde. Votre voix est si douce et vos doigts si légers, que nous serons bientôt tous les trois sous le charme.

Ces mots firent frissonner Nimue : qui, en définitive, serait donc l'enchanteur, qui serait enchanté ? La Déesse le savait-elle elle-même ? Ne pouvant cependant se dérober, elle posa les doigts sur les cordes et se mit à chanter une vieille complainte, une complainte des brumes et de la mer, qui parlait d'un pêcheur attendu sur la grève, qu'on ne revoyait pas...

Lorsqu'elle eut terminé, Nimue fit une révérence devant le barde qui, tout remué, la félicita avec ferveur pour la justesse et la délicatesse de son interprétation.

— Vous me faites trop d'honneur, seigneur Kevin, et avez beaucoup trop d'indulgence, répondit Nimue. J'espère en tout cas que cette belle harpe que vous venez de me donner ne nous privera pas de la joie de vous entendre le plus souvent possible.

— Non, il n'en sera rien, je vous le jure, protesta Kevin avec vivacité. Je serai toujours tellement heureux de jouer pour vous... et pour la reine.

C'était un cri du cœur si sincère que la jeune fille sentit sa gorge se serrer. Tous deux échangèrent un long regard, avec une émotion partagée, puis le barde se leva péniblement, s'inclina devant la reine et s'éloigna sans ajouter un mot.

L'intensité du regard de Kevin, la douceur et la profondeur de sa voix avaient bouleversé Nimue. « Ainsi me voilà dans les rets de l'amour, songea-t-elle, me voici prisonnière du piège que j'ai moi-même tendu, victime d'un sortilège soigneusement élaboré ! » Déjà, elle ne pouvait le nier, elle ne ressentait plus la moindre aversion pour ce corps tordu et malade, ne voyant plus que la force divine qui l'habitait... Si, par lune favorable, elle se donnait à lui, ils connaîtraient ensemble, c'était certain, la sublime félicité de communier avec les forces de la nature, irrésistibles forces décrites par les Anciens. Pourraient-ils alors se confier mutuellement leur tourment et échapper ensemble à la magie d'Avalon ? Pourraient-ils même lier à jamais leurs destins ? Certes on jaserait à la cour de voir une toute jeune fille livrée à un homme considéré par beaucoup comme un monstre, mais, une fois encore, leur passion commune ne pourrait-elle triompher ? Le barde ne pourrait sans doute jamais plus retourner dans l'Ile Sacrée, mais il aurait sa place parmi les conseillers d'Arthur et comme chantre de Camelot. Ainsi connaîtrait-elle enfin le bonheur, pourrait-elle mettre aussi un enfant au monde : un fils non pas laid et difforme comme Kevin, mais un fils beau comme le jour...

Un bruit de porte se fermant doucement ramena Nimue à la réalité. Toute à son rêve, alanguie sur son siège, elle n'avait pas entendu Guenièvre se lever et sortir comme si elle voulait la laisser reposer. Elle était folle... oui, complètement folle ! Elle devait se reprendre, mettre un terme à ses divagations, car il n'y aurait pas, il n'y aurait jamais de mariage avec Kevin : elle était là uniquement pour obéir à la Déesse, pour lui servir d'intermédiaire, pour aider le peuple d'Avalon dans l'œuvre immense qu'il avait entreprise, à laquelle elle était depuis toujours prédestinée. Elle n'avait pour l'instant qu'à attendre patiemment le moment propice en surmontant ses faiblesses. Elle devait utiliser toute son énergie à renforcer le lien tissé entre Kevin et elle, sans qu'il sache jamais de quelle mission elle avait été chargée, ni que, pour la mener à bien, elle avait à sa disposition tous les secrets de la magie noire des Anciens...

Il ne devait surtout pas savoir qu'elle connaissait les deux faces de la lune : celle au cours de laquelle on pouvait se livrer à l'amour, et celle où il fallait le refuser. Elle devait si insidieusement investir l'âme du barde qu'il ne pourrait jamais la questionner sur son comportement bien qu'il connût, lui aussi, tous les secrets du monde invisible. Il ne fallait pas oublier que lui aussi avait la possibilité de lire dans son âme, mais il devait néanmoins ne jamais savoir qu'elle venait d'Avalon. Il lui fallait le rendre fou d'amour au point d'éteindre en lui toute lueur de sagesse, de prudence même. Elle, en retour, ne devait rien donner d'elle-même, tout juste un peu d'amitié, pour adoucir et endormir ses vieilles blessures.

Donc, pour ne pas risquer de céder à l'attrait que le barde exerçait de plus en plus sur elle, Nimue resta cloîtrée dans sa chambre durant toute la période de la pleine lune, prétextant qu'elle était malade. Et c'est en veillant à rester sur ses gardes, qu'elle reparut devant lui quand l'astre commença à décroître. Dès lors, jour après jour, telle une araignée besogneuse, elle s'ingénia à renforcer sa toile : un effleurement de la main pouvant passer pour une caresse retenue, un clin d'œil complice, un début de baiser, un semblant d'abandon... Elle s'offrait puis se refusait, faisait semblant de se donner puis s'effarouchait subitement devant des bras tendus, tremblants d'amour et de désir.

— Mon cœur, mon tendre oiseau, suppliait-il, pardonnez ma maladresse et ma brusquerie... Je vous aime tant, Nimue ! Je suis un homme comme les autres, un homme de chair et de sang !

— Pardonnez-moi, Kevin, répliquait-elle d'un même ton, je ne veux pas vous faire souffrir ! J'ai toute confiance en vous, mais parfois, vous me faites un peu peur !...

Oui, elle avait peur, peur d'elle et de lui, de leurs mains qui se cherchaient, de leurs bouches, de leurs regards qui se fuyaient et s'attiraient. Elle ressentait aussi une sorte de pitié et de mépris face à sa vulnérabilité que la passion rendait chaque jour plus grande. Morgane ne s'était pas trompée : c'était bien là le signe, la brèche dans la muraille de la forteresse. Il était temps désormais de s'infiltrer dans ses derniers retranchements, d'investir la citadelle, de la réduire définitivement.

— Bien sûr, Kevin, vous pouvez m'embrasser, reprenait-elle, mais pas maintenant, pas ici... Quelqu'un peut arriver... Que dirait la reine si elle venait à nous surprendre ?

— Oh ! Nimue ! Je vous aime tant, je ne peux plus vivre sans vous ! N'avez-vous donc pas pitié de moi ? Dites-moi au moins que vous m'aimez... dites-moi un mot, un seul !

Ses mains tremblaient, et la jeune fille redoutait de plus en plus son regard, son souffle court, les flambées de désir qui l'embrasaient sans cesse...

— Je vous aime, Kevin, répétait-elle, je vous aime, vous le savez !

— Dites-le moi encore, Nimue... Vous êtes si jeune et moi si vieux, vous êtes si belle et moi si laid ! Je n'ose croire à mon bonheur ! Dites-moi que je ne rêve pas !

— Non, Kevin, vous ne rêvez pas, je vous aime plus que tout au monde.

— Mais alors, quand serez-vous à moi ? Dites-le moi, Nimue, je vous en supplie ! Quand accepterez-vous de partager ma couche ?

— Kevin ! Vous semblez oublier que je suis une jeune fille. Que je dors avec quatre suivantes de la reine ! Il m'est impossible de quitter ma chambre pendant la nuit, de même que les gardes arrêteraient tout homme tentant de nous rejoindre !

— Oui, vous avez raison, mon pauvre amour, je ne veux

attirer sur vous ni honte ni calomnie ! continuait-il avec ardeur en lui baisant les mains.

Un soir enfin, elle laissa aller sa tête sur son épaule et lui, fou de bonheur et de désir, comprenant que Nimue était sur le point cette fois de céder, commença à lui caresser les cheveux, les épaules puis les seins, sans rencontrer de grandes résistances. Bien au contraire, plus ses mains se faisaient audacieuses, plus elle s'abandonnait, plus elle semblait s'offrir au déchaînement de sa convoitise.

— Il fait beau et chaud, reprit-il en haletant, nous pourrions nous retrouver tout à l'heure dehors sous les arbres avant l'heure du coucher de la reine.

— Avec vous je suis prête à aller n'importe où, chuchota-t-elle à son oreille en se blottissant contre lui.

— Oh, mon amour ! Alors... vous voulez bien... ce soir ?...

— Non, pas ce soir, la lune est encore trop brillante, on risquerait de nous voir. Patience ! Attendons quelques jours que sa clarté s'estompe...

Nimue comprit trop tard qu'en parlant de la lune elle venait de s'aventurer sur un terrain dangereux. Mais le barde, trop enfiévré, ne sembla même pas y prêter attention.

— Mon amour... mon amour... l'entendit-elle balbutier avec soulagement, le visage enfoui entre ses seins, ce sera comme vous voulez... par lune claire ou quand la lune se voilera.

— Me jurez-vous qu'ensuite nous partirons ensemble loin de Camelot, pour que personne ne nous montre du doigt ?

— Je vous le jure... oui, nous partirons loin, tous les deux, où vous voudrez, n'importe où, s'exclama-t-il avec transport, le corps tremblant d'impatience contenue.

— Dans trois jours, aussitôt le soleil couché, lui souffla-t-elle, se dégageant doucement de son étreinte, je serai à vous...

Pour ne pas risquer d'abréger ce délai, Nimue, évitant toute rencontre avec Kevin, se terra dès lors dans sa chambre, passant le plus clair de son temps à jouer de la harpe et à méditer. Elle avait d'ailleurs tellement hâte de voir ce cauchemar prendre fin, que le dernier après-midi lui parut interminable.

Enfin, le soleil ayant décliné et l'horizon s'étant teinté de pourpre, Nimue procéda à des ablutions prolongées, se parfuma le corps et descendit rejoindre Guenièvre pour le repas du soir, prête à accomplir la mission dont elle avait été chargée au nom de la Déesse. Cette nuit, elle allait donc aimer et être aimée, mais elle allait aussi tromper jusqu'à la mort un amant aveuglé. Le gué était passé, elle ne pouvait plus revenir en arrière.

A la fin du repas, elle trouva un prétexte pour sortir un instant malgré l'heure avancée : il lui fallait cueillir quelques herbes pour soulager un mal de dents tenace, ce dont personne ne s'étonna. Elle se drapa donc dans sa cape la plus ample, la plus sombre aussi, dissimula dans une poche de sa jupe le petit couteau en forme de faucille précieusement gardé depuis sa venue d'Avalon, et s'enfonça dans la nuit.

L'angoisse au cœur, elle s'avança à pas comptés dans les ténèbres mais fut bientôt rassurée d'entendre la voix de Kevin non loin d'elle :

— Par ici, Nimue, je suis là. Venez !...

Dès cet instant, elle s'abandonna tout entière à la volonté du destin. Elle n'avait plus qu'à le suivre docilement, consciente de l'immensité de sa trahison. Mais lui restait-il seulement un choix, condamnée à trahir soit le barde, soit la Dame d'Avalon ?

Tous deux alors, ombres dans l'ombre de la nuit sans lune, s'éloignèrent en silence de la forteresse. Au fond du Puits Sacré et sous la grande voûte était depuis toujours inscrite leur destinée. Ils traversèrent une étendue marécageuse, sèche à cette époque de l'année, s'engagèrent en évitant des branches sous les feuillages d'un bosquet.

— J'ai caché deux chevaux près d'ici, souffla le barde, attirant à lui la jeune fille.

Au contact de son corps, Nimue sentit monter en elle une fièvre inconnue et intense. Lui aussi, tout son être en proie à une dévorante flamme, semblait brûler. Ses mains tremblaient d'ailleurs si fort que lorsqu'il voulut lui enlever sa cape, elle dut l'aider, ainsi qu'à dégrafer sa robe...

— C'est une chance qu'il fasse si noir, marmonna-t-il avec une ironie amère, ainsi vous n'aurez pas à supporter la vue de mes imperfections.

— Rien ne peut désormais faire obstacle à notre amour, Kevin, répondit-elle en l'attirant contre elle sur le sol.

Ils étaient maintenant allongés, nus l'un et l'autre dans l'herbe, Nimue, les yeux fermés, livrée sans retenue aux étreintes du barde, lui, emporté dans un torrent de feu, les nerfs à vif, implorant, suppliant, à bout de souffle. Cet homme était à elle, corps et âme, mais il fallait encore l'entraîner davantage vers l'abîme, le perdre à tout jamais dans un val sans retour.

— Je vous veux, je vous aime, je vous attends, gémit-elle, devinant qu'il hésitait à la pénétrer.

Au-dessus d'eux, le ciel était tout noir, aussi noir que son cœur et sa conscience.

— Venez, répéta-t-elle, venez en moi et jurez que vous êtes à moi pour toujours ! bredouilla-t-elle les yeux embués de larmes.

— Je... le jure...

— Jurez... jurez que vous n'aimerez jamais une autre femme !

— Je le jure... sur mon âme !

— Ah, Kevin ! Jurez encore, jurez que vous êtes tout à moi !

— Je suis à vous, je vous le jure !

Dès qu'il eut prononcé ces paroles, affolé de désir, cherchant frénétiquement le plaisir pour lui prouver l'intensité de son amour, il se perdit en elle comme s'il voulait la transpercer, la clouer au sol. Alors Nimue sentit tout au fond de son corps la sève précieuse se mélanger au sang de sa virginité.

Mais, comme elle voulait le serrer plus fort encore dans ses bras, elle le sentit soudain s'arracher à elle, le vit se relever comme un démon, pousser un véritable hurlement de terreur, la regarder enfin avec des yeux de fou. Plus rapide que l'éclair déchirant la nuée il venait de comprendre la signification de la formule magique qu'il avait, à sa demande religieusement répétée à trois reprises. Il avait juré, trois fois juré ! Il savait donc maintenant qu'il était inexorablement lié à elle, que personne, qu'aucune force au monde ne pourrait l'empêcher d'être définitivement enchaîné à ses pas, contraint de la suivre partout où elle déciderait de l'entraîner. Il était à présent irrémédiablement ensorcelé, il l'avait aimée et elle l'avait trahi !

Kevin poussa encore un long cri de détresse, leva les bras au ciel comme pour prendre la lune à témoin.

— Dépêchez-vous maintenant, il faut vous rhabiller, lui intima Nimue. Allons, à cheval ! Il est temps de quitter les lieux.

Le barde, tête baissée, anéanti, fit ce qu'elle demandait, et quelques instants plus tard, ils prenaient ensemble la direction d'Avalon, Nimue chevauchant loin derrière son prisonnier, ne pouvant supporter de le voir pleurer.

A Avalon, bien avant le lever du jour, Morgane fut réveillée par la certitude que Nimue venait de mener à bien sa mission. Elle s'habilla, réveilla Niniane, et toutes deux se dirigèrent vers la rive du Lac. Aux premiers rayons du soleil enflammant le miroir des eaux, les deux prêtresses montèrent dans la barge, et Morgane donna l'ordre aux petits hommes sombres de s'enfoncer dans les brouillards pour aller à la rencontre des arrivants.

Elle n'eut pas longtemps à attendre avant de distinguer les contours d'une embarcation qui surgissait de l'ombre. Nimue se tenait à l'avant, droite comme une épée, enveloppée dans une longue cape, le visage presque entièrement dissimulé derrière sa capuche. Dans le fond du bateau, se devinait une forme allongée.

« Est-il mort déjà ou encore sous l'emprise du charme ? » se demanda Morgane, pensant que Kevin avait peut-être mis lui-même fin à ses jours, par terreur ou bien par désespoir.

Mais le barde n'était pas mort, et lorsque les petits hommes l'aidèrent à poser le pied sur la berge, elle comprit très vite qu'il ne pouvait néanmoins tenir debout tout seul. Il était pâle, les cheveux en désordre, les yeux hagards reflétant une intolérable souffrance.

— Ma Dame et ma mère, dit alors Nimue d'une voix étranglée, voici le traître qui a livré aux chrétiens les Objets Sacrés.

— Soyez la bienvenue parmi nous, Nimue, répondit Morgane en l'embrassant. Votre mission est achevée. Allez vous reposer à la Maison des Vierges. J'imagine votre peine, votre tourment ; c'est pourquoi je vous dispense d'assister à ce qui va se passer maintenant !

— Que va-t-il devenir ? interrogea Nimue en larmes, si faiblement que Morgane en eut le cœur brisé.

— Ne vous préoccupez plus de rien, Nimue. Vous avez fait preuve d'une incomparable force d'âme. A moi maintenant d'agir au nom de la Déesse.

Elle crut que Nimue allait éclater en sanglots tant ses lèvres tremblaient, mais la jeune fille, prête à défaillir, se raidit, dans un ultime effort. Elle jeta à Kevin un déchirant regard, le dernier, puis s'éloigna, terrassée par la douleur, entre deux prêtresses la tenant par la main comme une enfant perdue.

Morgane se tourna alors vers Kevin qui ne semblait désormais plus rien voir, et sentit, elle aussi, la désespérance l'envahir : cet homme n'avait pas été seulement son amant, il avait été le seul à l'aimer de manière désintéressée, le seul à lui offrir tendresse et amitié sans rien demander en retour. Peut-être avait-il même été la seule et unique âme sœur qu'elle ait jamais rencontrée sur la terre. Et maintenant, il allait mourir...

— Kevin le barde, Kevin le parjure, ancien et vénérable messager des dieux, qu'avez-vous à dire pour votre défense, avant de subir votre châtiment ? demanda-t-elle en maîtrisant son émotion.

— Rien, Dame du Lac, soupira le barde.

— Alors, qu'on l'emmène ! ordonna-t-elle, le visage de marbre.

Il fit quelques pas maladroits, soutenu par les petits hommes sombres qui l'emmenaient, puis se ravisant s'arrêta et prononça ces quelques mots en se retournant :

— Si, il y a une chose, une seule, que j'aimerais tout de

même vous dire, Morgane : j'ai agi uniquement pour la gloire de la Déesse...

— Pour la gloire de la Déesse ? Comment osez-vous ? Comment osez-vous dire que c'est pour elle que vous avez livré aux prêtres les Objets Sacrés de notre culte ? tonna Niniane d'une voix méprisante. Si telle est la vérité, alors, vous êtes fou et traître à la fois !

— Laissez-le parler, je vous en prie ! intervint Morgane.

— Je vous ai dit, il y a longtemps, que les jours d'Avalon étaient comptés. Le Nazaréen est vainqueur, et Avalon va s'enfoncer de plus en plus dans les brumes pour n'être plus qu'un rêve, une légende. Souhaitez-vous vraiment voir engloutir dans les ténèbres ces inestimables trésors ? Moi, j'ai voulu au contraire que ces Joyaux sacrés diffusent encore leur lumière au service d'un dieu, quel que soit le nom qu'on lui donne.

Ainsi c'est grâce à moi, Morgane d'Avalon, ne l'oubliez jamais, que la Déesse-Mère a pu, au moins une fois dans l'histoire du monde, se manifester aux yeux des hommes éblouis. Morgane, croyez-moi, quand nous serons tous deux devenus, dans la mémoire universelle, personnages éphémères d'une belle légende, le souvenir de cette grande apparition du Graal restera, elle, une immuable réalité.

Et c'était vrai. Morgane, pour sa part, n'oublierait jamais l'instant d'extase, la suprême révélation, qu'elle avait intensément connue, lorsqu'elle tenait le Graal entre ses mains, révélation qui avait bouleversé pour toujours l'assistance dans la grande salle de Camelot. Pourtant, il lui fallait châtier le barde sacrilège ; elle devait être pour lui la Déesse vengeresse, Vieille-Femme-La-Mort, la Grande Truie, dévorant son propre enfant, la Corneille destructrice.

Oui, il serait puni pour haute trahison. Mais puisqu'il prétendait avoir agi dans l'intérêt de la Déesse, et peut-être aussi parce qu'elle l'avait aimé, il mourrait rapidement, sans souffrance inutile.

— La Déesse est miséricordieuse, dit-elle en levant la main. Emmenez-le dans le Bosquet Sacré et tranchez-lui la tête d'un seul coup. Enterrez-le ensuite sous le plus gros des chênes.

Kevin, ultime Messager de la Déesse-Mère, je vous condamne à tout oublier, à oublier tout ce que vous avez vécu ici-bas, et à renaître, inculte et ignorant. Cent fois, simple mortel, il vous faudra revivre, cent fois à la recherche de la Déesse sans jamais la trouver. Mais un jour peut-être, si elle le veut, finira-t-elle par vous accorder son pardon.

— Adieu, Dame du Lac ! murmura le barde, les yeux plongés dans ceux de la prêtresse, un étrange sourire aux lèvres. Adieu ! Dites à Nimue que je l'aimais...

Comme il achevait de parler, un terrible roulement de tonnerre déchira l'atmosphère d'une extrémité à l'autre de la voûte céleste, tandis que d'énormes nuages noirs s'amoncelaient sur Avalon, comme si la Déesse voulait ainsi montrer qu'elle allait assister en personne à l'exécution du parjure. Un éclair violacé, suivi de plusieurs autres, illuminèrent le paysage et un vent furieux balaya la nature. Mais déjà le successeur de Merlin s'avançait au-devant de la mort vers le Bosquet Sacré, escorté par quatre serviteurs de l'Ile.

— Suivez-les ! murmura lentement Morgane à l'adresse de Niniane, et veillez à ce que tous mes ordres soient scrupuleusement respectés : je veux qu'il meurt, d'un seul coup de hache et que son corps soit aussitôt inhumé. Quant à moi, je pars à la recherche de Nimue : la pauvre enfant a besoin d'une présence à ses côtés.

Mais Nimue n'était ni dans sa chambre, ni nulle part ailleurs dans la Maison des Vierges. Elle n'était pas non plus dans la petite bâtisse réservée aux prêtresses vouées au silence et à la solitude. Où est-elle ? se demanda Morgane soudain prise d'une affreuse angoisse, tandis qu'une pluie diluvienne hachait la terre tout autour d'elle.

Insensible aux trombes d'eau, le cœur battant, elle courut au temple où elle apprit qu'on n'avait vu personne. Étreinte par une horrible appréhension, elle envoya alors à sa recherche tous les serviteurs d'Avalon, tandis que se déchaînait la tempête semblant vouloir submerger l'île entière. Rivée sur place, insensible à la tourmente, Morgane attendit longtemps le résultat des recherches. Enfin, elle vit arriver Niniane, apparemment bouleversée, trébuchant dans les flaques d'eau.

— Eh bien ! que se passe-t-il ? demanda-t-elle d'une voix blanche. Mes ordres n'ont-ils pas été exécutés ?

— Si, Dame du Lac, ils l'ont été. Le condamné a péri d'un seul coup de hache. Mais, dans le même instant, la foudre est tombée sur le chêne et l'a fendu en deux...

Morgane blêmit. Ainsi, l'orage avait frappé à l'instant même où Kevin mourait, lui qui, quelques minutes auparavant, avait prophétisé la disparition d'Avalon ! C'était un funeste présage, pour l'Ile Sacrée et la Foi des Anciens. Dissimulant son trouble en serrant ses bras contre sa poitrine, Morgane, glaciale, tenta de justifier l'événement.

— C'est bon ! dit-elle. La Déesse a préparé ainsi une place pour le traître : qu'on jette son corps dans la brèche béante.

Puis, indifférente au cataclysme, elle regarda s'éloigner Niniane sous la cataracte céleste et s'aperçut alors qu'elle avait complètement oublié Nimue.

Ce n'est qu'en fin d'après-midi qu'on la retrouva au moment même où le soleil, perçant la chape des nuages, inondait de nouveau l'Ile Sacrée de sa bienfaisante lumière. Poussé par un léger courant, son corps dérivait doucement sur le lac, ses cheveux d'or agités par la brise, mêlés déjà aux plantes aquatiques qui l'enlaçaient dans son dernier sommeil. Ses yeux grands ouverts, pâles et désespérés, reflétaient à la fois l'infini du ciel et les gouffres insondables du royaume des Ombres où Kevin, sûrement, l'avait déjà rejointe.

XVI

Loin dans le Nord, au pays du Lothian, on entendait rarement parler de la quête du Graal. Morgause s'y morfondait en l'absence de Lamorak, mais ne se résignait pas pour autant à accepter placidement les outrages du temps et de la solitude. Chaque matin, elle se contemplait longuement dans son miroir de bronze et, grâce à de mystérieuses décoctions, elle tentait d'effacer les inévitables petites rides que les années, peu à peu, laissaient sur son visage. Sans doute ne possédait-elle plus cette éclatante beauté qui avait attiré tant d'amants dans ses bras, mais elle conservait encore assez de séduction pour prendre dans ses filets des jeunes mâles entreprenants et ambitieux. Oui, se répétait-elle, chaque matin, pendant longtemps encore, si je le veux, les hommes me désireront et se disputeront mes faveurs.

C'est alors qu'avec une peine réelle, elle apprit brutalement la mort de Lamorak. Selon une rumeur, rapportée par le chef des gardes du château, il avait perdu la vie en découvrant, tout au fond d'une crypte, une éblouissante coupe d'or. On racontait aussi qu'il s'était alors écrié en la saisissant : « Le

Graal ! Voici le Graal ! Enfin, je l'ai trouvé ! », et qu'en disant ces mots il était tombé roide mort.

Morgause pleura longtemps son trépas. Plus que son dernier amant, il avait été pour elle, hormis le roi Loth, l'homme qu'elle avait aimé le plus profondément de sa vie. Mais il entrait aussi dans son chagrin une part de rage impuissante à l'égard du Graal et de sa quête qu'elle avait d'ailleurs toujours considérés comme ineptes et dangereux, les convictions religieuses s'apparentant, dans son esprit, à un délire maladif, stérile et destructeur.

Toujours est-il que quelques mois plus tard, d'autres bruits, plus ou moins fondés, parvinrent de nouveau jusqu'à elle. Certains disaient, cette fois, que Lancelot était prisonnier dans un donjon, dans l'ancien royaume d'Ectorius, et qu'il avait perdu la raison, tandis que d'autres affirmaient au contraire qu'il avait recouvré ses esprits et poursuivait sa quête, dans des pays lointains. On racontait aussi que Gauvain et Gareth avaient vécu de fabuleuses aventures...

Mais tous ces récits étaient si fragmentaires et si imprécis qu'un jour Morgause ressentant l'impérieux besoin d'en savoir davantage se rappela qu'elle pouvait user de ses pouvoirs magiques, bien que Viviane, dans sa jeunesse, lui ait maintes fois répété que son caractère exalté et impulsif l'empêcherait toujours de pénétrer réellement les mystères et d'utiliser à bon escient le Don.

N'était-ce pourtant pas grâce à la sorcellerie qu'elle avait réussi, il y avait déjà bien des années, à savoir quel était le père de Gwydion ? N'avait-elle pas compris alors que l'art de la magie n'était pas uniquement réservé aux druides et aux prêtresses ? Pour elle, il s'agissait en fait d'un aspect sous-jacent de la réalité, sans doute habilement dissimulé mais n'ayant rien à voir avec les lois divines, à la portée de qui avait en lui assez de force et de volonté.

Aussi, décida-t-elle un soir, ayant renvoyé ses servantes, sauf une nommée Becca, de se livrer à ces pratiques en se prêtant aux indispensables préparatifs nécessaires à leur réalisation. Elle égorgea donc en premier lieu son gros chien blanc, moment cruel mais fatal car elle aimait passionnément l'animal. Le cœur faillit lui manquer, mais lorsque le sang fumant gicla de la gorge tranchée dans la jatte prête à le recevoir, une force nouvelle et démoniaque s'insinua en elle et étouffa aussitôt son émotion passagère.

Devant l'âtre, préalablement droguée, sommeillait la servante. Morgause, cette fois, avait eu soin de choisir une femme qu'elle n'aimait pas, et dont elle n'avait nul besoin, contrairement à ce qui était advenu lors de sa précédente expérience où elle avait sacrifié, à la légère, une excellente fileuse. Remarquerait-on seulement, aux cuisines, l'absence de cette fille fruste et empotée qui ne parlait à personne ?

Se retournant vers la jatte, Morgause eut un haut-le-cœur en respirant l'odeur fade du sang. Mais, connaissant ses pouvoirs secrets, lourds de promesses, elle se reprit sans tarder et regarda le ciel. Le disque de la lune étincelait au-dessus des arbres et elle sut que la femme qui attendait son appel à Camelot était prête à lui répondre. Elle jeta alors le sang dans le feu et appela trois fois :

— Morag !... Morag !... Morag !...

Presque en même temps la servante sembla émerger lentement de sa léthargie : elle bâilla, s'étira, fixa sur Morgause des yeux vides de toute expression. Puis elle se leva, titubante, et sa silhouette se fondant peu à peu dans la pénombre, une voix lointaine s'éleva dans la pièce :

— Reine des ténèbres, vous m'avez appelée ? Me voici. Qu'attendez-vous de moi ?

Morgause tressaillit. La voix était bien celle de Morag, l'une des suivantes les plus proches de Guenièvre, s'exprimant avec l'accent doux et raffiné des gens du Sud.

— Donne-moi des nouvelles de la cour, et parle-moi d'abord de la reine, demanda Morgause, se concentrant de toutes ses forces pour que sa pensée franchisse le mieux possible la distance qui la séparait de Camelot.

— La reine se sent très seule depuis le départ de Lancelot et réclame souvent la compagnie de Gwydion que tout le monde ici appelle désormais Mordred. Il remplace dans son cœur le fils qu'elle n'a toujours pas. A croire parfois qu'elle a même oublié que Morgane est sa mère !

— Pensez-vous à mettre chaque jour dans son vin la médecine que vous savez ?

— Je n'oublie pas mais je crois que c'est désormais inutile : la reine est-elle encore en âge d'enfanter ? Le roi d'ailleurs ne vient plus que rarement la rejoindre dans sa chambre.

Morgause poussa un soupir de soulagement : un enfant, en effet, demeurait sa préoccupation principale. Un nouveau-né aurait menacé l'avenir de Gwydion, et il aurait fallu dans ce cas mettre rapidement un terme à l'existence de ce rival... Certes, Gwydion l'aurait fait sans scrupules, mais si ces complications pouvaient être évitées, c'était encore bien mieux. Sans compter qu'il n'était pas toujours facile de supprimer un futur roi : Arthur n'avait-il pas lui-même échappé à toutes les intrigues menées par Loth à son encontre, et n'était-il pas finalement monté sur le trône ? Sans doute, si Loth avait fait preuve d'une plus grande détermination, aurait-il régné à la place d'Arthur et été sacré Haut Roi. Elle-même maintenant serait reine. Mais n'était-il pas trop tard ? Avec un peu de chance, Gwydion la ferait souveraine suprême du royaume de Grande Bretagne. N'était-elle pas la seule femme qu'il acceptât d'écouter ?

— Morag, dites-moi encore : que devient Mordred ? Le roi et la reine lui font-ils pleine confiance ?

— Il m'est difficile de répondre... Mordred parle souvent avec le roi, mais on le voit surtout en compagnie de...

La voix, brusquement rauque, hésita, faiblit, devint un murmure inaudible.

— Morag ! Je ne vous entends plus ! Morag ! Écoutez-moi... dites-moi... cria Morgause en jetant dans le feu les dernières gouttes de sang contenues dans la jatte.

De nouveau, la voix, faible et lointaine, se fit entendre :

— ... Mordred est souvent en compagnie d'une damoiselle d'Avalon... On l'appelle Niniane... elle est devenue l'une des suivantes préférées de la reine... Je peux vous dire aussi que

Mordred a été nommé Grand Écuyer du roi en l'absence de Lancelot... On dit...

Comme Becca, sans doute épuisée par l'énorme dépense d'énergie que nécessitait son rôle d'intermédiaire, s'approchait de l'âtre en se frottant les yeux, la voix, derechef, s'interrompit. Folle de rage, Morgause se précipita sur la fille, la frappa sauvagement au visage. Trébuchant, Becca alors perdit l'équilibre, et s'effondra dans les flammes, étourdie, prisonnière encore du sortilège au point de ne pouvoir réagir à temps.

Voyant sa robe s'embraser, Morgause tenta de tirer à elle le corps inerte, mais un soudain appel d'air ayant fait jaillir de hautes flammes, elle dut se reculer brusquement. Affolée, saisissant aussitôt une aiguière d'argent pleine d'eau à portée de sa main, elle jeta son contenu dans le feu. Mais il était déjà trop tard pour la pauvre Becca, devenue une torche vivante.

Les flammes ayant perdu un peu d'intensité, elle parvint enfin à arracher le corps de l'âtre. Dans ses vêtements presque consumés, par miracle, la jeune femme respirait encore, menace inacceptable pour Morgause qui, sans hésiter, lui trancha la gorge avec le couteau ayant déjà servi à supprimer son chien. Le sang ayant éclaboussé les braises encore rougeoyantes, presque aussitôt, une fumée nauséabonde envahit la pièce, et la meurtrière, secouée de terribles frissons, entra en transe.

L'instant d'après, une force irrésistible l'obligeait à se lever, et d'un seul coup elle eut l'impression de quitter le sol. Oui, elle planait... elle survolait la pièce, s'élevait au-dessus du royaume du Lothian, des îles de Grande Bretagne... Elle montait plus haut, toujours plus haut, toujours plus loin, les yeux emplis d'effroyables visions : vaisseaux de guerre en forme de dragons, hommes chevelus débarquant en hurlant sur les côtes, armées déferlant sur les routes, pillant et brûlant tout sur leur passage, parvenant même jusqu'aux murs de Camelot puis ravageant tout le Lothian...

Cette fois, c'en était trop. Morgause ne put en voir davantage, et elle perdit réellement connaissance en s'affalant de tout son long auprès du corps ensanglanté de sa victime... Alors lui apparut, au travers des volutes de fumée qui continuaient de danser dans la chambre, Gareth sale, en haillons, méconnaissable mais souriant. Souriant avec ce merveilleux sourire, qu'elle connaissait si bien, à un inconnu aux yeux fous, en haillons lui aussi. Mais l'inconnu soudain se changeait en Lancelot, un Lancelot étrange et désincarné.

Il est urgent pour nous de rentrer à Camelot, lui disait Gareth. Songez qu'Arthur est seul maintenant à la cour, sans personne à ses côtés, hormis un boiteux et un vieillard...

Savez-vous que des envahisseurs venus du Nord débarquent à nouveau sur nos plages, s'apprêtent à mettre nos terres à feu et à sang... Mais où sont les légions d'Arthur ? Qui va leur barrer la route ? Le roi est seul à Camelot, et arpente désemparé la grande salle du château. Lancelot, vous courez à la recherche de votre âme... Je vous en supplie, si vous refusez de retourner à la cour, partez au moins à la recherche de Galaad.

Arthur est vieux et fatigué. N'est-ce-pas le moment pour votre fils...

— Galaad ? Penses-tu vraiment que je puisse conduire son destin ? En partant à la recherche du Graal, Galaad, lui, m'a juré que sa quête durerait sa vie entière s'il le fallait !

— Non ! cria Gareth en agrippant l'épaule de Lancelot. Vous devez lui faire comprendre... Gwydion, je sais ne manquera pas de m'appeler traître à mon propre sang, s'il apprend un jour ce que je vous dis là, mais je dois vous avouer, à vous qui êtes mon frère par le cœur, que je crains ses desseins, que je redoute l'autorité qu'il vient d'acquérir à la cour. Savez-vous bien que ce n'est plus avec Arthur que s'entretiennent les Saxons, mais avec lui. Or ils savent que Mordred est le fils de la sœur d'Arthur... Lancelot, je vous en prie, persuadez votre fils, dites-lui que sa loyauté envers le roi passe avant toutes les quêtes, tous les Graals, tous les Dieux...

— Gareth, je te le promets, je retrouverai Galaad, je le ramènerai avec moi à Camelot...

Morgause eut encore l'impression que Lancelot serrait Gareth dans ses bras quand un reste de fumée tourbillonnant dans la pièce effaça leurs visages et la ramena à la réalité. Prise d'une quinte de toux, elle releva la tête et ouvrit les yeux. A ses côtés gisait le corps sans vie de la jeune Becca, baignant dans une mare de sang.

En dépit de ses dernière visions et de sa lassitude, malgré le malaise qui ne manquait jamais d'accompagner l'exercice de la magie, elle se mit debout. Elle ne pouvait maintenant reculer, fuir les conséquences de ses actes et des phénomènes qu'elle avait provoqués par le sang et par le verbe. Jusqu'au bout elle devait rester la reine du Lothian, la reine des Ténèbres.

Dans un dernier effort, elle traîna le cadavre du chien à travers toute la pièce, le hissa à bras-le-corps jusqu'au rebord de l'une des ouvertures de la muraille, et le fit basculer dans le vide sur le tas de fumier qui se trouvait juste en dessous, regrettant de ne pouvoir en faire autant avec celui de la servante... Essuyant alors le mieux possible le sang qui maculait ses mains, elle natta ses cheveux, remit un peu d'ordre dans la pièce, et tout en échafaudant une explication plausible, déverrouilla la porte et appela à l'aide. Presque aussitôt son sénéchal accourut.

— Regardez, c'est affreux ! lui dit-elle. Cette pauvre Becca vient de tomber dans le feu... J'ai voulu la sauver et soigner ses brûlures, mais avant que j'aie pu intervenir, elle a bondi vers la table, attrapé le poignard, et tranché sa gorge d'un seul coup... la douleur, sans doute, l'a rendue folle... C'est épouvantable ! Voyez, tout ce sang sur ma robe...

— La pauvrette ! Ah, on disait bien qu'elle n'avait pas tous ses esprits ! dit l'homme consterné. Ma reine, à l'avenir, ne prenez jamais plus des filles comme elle à votre service.

— Si seulement on savait à l'avance les choses, approuva Morgause feignant d'adopter en tout point l'attitude navrée du sénéchal. Allons, qu'on l'emmène et qu'on l'enterre décemment ! Ensuite, appelez mes femmes. Demain, à l'aube, je pars pour Camelot !

Depuis la mort de Kevin et de Nimue, le temps, pour

Morgane, s'écoulait bizarrement à Avalon. Les brumes, lui semblait-il, s'épaississaient chaque jour davantage autour de l'île et son éternelle jeunesse de prêtresse, vantée par tous depuis si longtemps, paraissait maintenant devoir l'abandonner. Elle commençait d'ailleurs à ressentir le poids des ans, et curieusement personne n'avait été désigné par la Déesse pour lui succéder. Qu'allait donc devenir l'Ile Sacrée, dans son univers clos, au cœur d'un monde qui changeait, vers lequel ni la Dame du Lac, ni les vieilles prêtresses qui l'entouraient ne tentaient plus jamais de diriger leurs pas ?

Plusieurs fois, s'étant aventurée au-delà des marais, Morgane avait atteint la lisière incertaine du Pays des Fées, mais sans jamais apercevoir, dans le lacis des arbres, les silhouettes fugaces du petit peuple des elfes, sans jamais revoir non plus leur reine. Lui restait-il seulement encore un rôle à jouer dans ce monde d'Avalon qui dérivait de plus en plus en s'éloignant des hommes ? La Déesse avait-elle oublié les prêtresses dans leur ultime retraite, et la Maison des Vierges serait-elle bientôt vide ?

Et le Graal, qu'était-il devenu ? Était-il à l'abri au royaume des Dieux, hors d'atteinte des mains impies et de toutes convoitises ? Fallait-il croire certains prêtres qui, fuyant la terrible intransigeance de l'Église, avaient cherché refuge dans l'Ile Sacrée ? Pour eux, en effet, le Graal, coupe divine utilisée par le Christ lui-même lors de son dernier repas, avait été emporté dans les cieux après sa mort.

Mais d'autres rumeurs circulaient. Selon elles, le Graal avait été vu sur l'autre île, celle de Ynis Witrin, l'île de Verre, étincelant au fond d'un puits que les moines appelaient désormais « le puits du calice », affirmations contredites par d'aucuns prétendant, eux, avoir vu briller le Graal sur l'autel d'une très vieille église, ce qui laissait par conséquent supposer qu'il pouvait apparaître en plusieurs lieux au même moment.

Perplexe, désabusée, Morgane n'interrogeait plus que rarement son miroir magique. Parfois, cependant, lorsque la lune était pleine, elle allait boire à la source sacrée et se penchait sur les eaux paisibles. Ce qu'elle y lisait ne lui apportait que peu d'enseignements sur les événements du monde extérieur, si ce n'est quelques brèves et fugitives images des chevaliers de la Table Ronde, disséminés sur la terre, errant à la poursuite de leurs rêves, perdant peu à peu toute notion de la réalité.

Certains, en effet, oubliant qu'ils étaient partis pour une longue quête spirituelle, sombraient malgré eux dans des aventures terre à terre ; d'autres, ne pouvant supporter les difficultés de leur entreprise, l'abandonnaient même ou se laissaient mourir, agissant en hommes de bien, ou en mécréants. Plusieurs d'entre eux, sous l'effet de visions intérieures, en étaient même arrivés à inventer leur propre Graal, ruinant leur vie à poursuivre une chimère, ou s'engageant inconsidérément à partir pour la Terre sainte. Un petit nombre enfin, sensible au grand souffle religieux qui balayait le monde, s'était enfermé dans la solitude et le silence, n'observant plus qu'austérité pour faire pénitence.

Un jour, pourtant, dans ses visions, Morgane aperçut nettement Mordred aux côtés d'Arthur à la cour de Camelot ; plus tard, elle vit Galaad, lancé dans sa propre quête, puis disparaissant comme si sa poursuite acharnée le conduisait finalement à la mort. Une fois encore, Lancelot lui apparut, maigre et décharné, vêtu de peaux de bêtes, l'air halluciné, courant à perdre haleine dans la forêt comme un animal aux abois, comportement pouvant laisser présager sa fin prochaine.

C'est pourquoi sa surprise fut extrême lorsqu'un matin, errant au bord du Lac, elle le vit soudain débarquer devant elle, sauter lourdement d'une barge et venir la saluer, les cheveux presque blancs, le visage émacié, l'ombre de lui-même.

— Oui, Morgane la Fée, nous changeons tous, lui dit-il amèrement, lisant dans son regard.

Puis, levant les yeux vers le sommet du Tor, il ajouta :

— Tout change. Même les pierres levées là-haut. Elles s'estompent dans la brume.

— Elles sont encore là, répondit Morgane avec un sourire triste. Mais il n'y a plus personne pour leur vouer aucun culte, et les Feux de Beltane, eux-mêmes, ont cessé de briller sur

Avalon... Mais, dites-moi, Lancelot, pourquoi êtes-vous revenu ?

— Je l'ignore, Morgane. J'ai été très malade, et depuis ma mémoire me joue parfois des tours... J'ai vécu dans les bois comme une bête sauvage et, il m'est même arrivé, je ne sais plus pourquoi, d'être enfermé dans un donjon...

Il se tut un instant, faisant visiblement un effort pour rassembler ses souvenirs, puis, voyant que Morgane regardait avec surprise son manteau sale et déchiré, il reprit d'un ton faussement ironique :

— C'est vrai, autrefois, je n'aurais jamais voulu de ce manteau, même comme tapis de selle ! J'ai tout perdu, ma cape écarlate, mon armure, mon épée, tout... Peut-être me les a-t-on dérobées, peut-être les ai-je jetées moi-même dans un moment d'égarement... Je ne me rappelle pas... J'avais oublié jusqu'à mon nom, et lorsqu'il me revenait à l'esprit, je le taisais farouchement, afin de ne porter en rien préjudice à mes compagnons de la Table Ronde. Arrachée à ma vie, une année entière s'est ainsi passée. Et puis, un jour, je suis reparti grâce à Lamorak qui m'a offert un cheval et un peu d'argent...

— Lancelot, oubliez, oubliez tout cela ! Vous avez faim, vous avez soif, venez avec moi. On va vous préparer des poissons du Lac et des galettes.

Lancelot ne se fit pas prier. Réconforté, reposé, rassasié, à l'issue d'un repas simple mais copieux, il leva enfin les yeux sur Morgane, avide d'en savoir davantage sur le monde extérieur.

— Et la quête, dit-elle, en avez-vous des nouvelles ?

— J'en sais très peu de chose. Gauvain, paraît-il, a été le premier à revenir à Camelot. C'est en tout cas ce que m'a dit Gareth que j'ai rencontré une fois sur une route. Lui aussi a décidé d'abandonner la quête. Il prétend avoir eu une vision lui enjoignant de rejoindre au plus vite la cour. Il m'a proposé de m'y rendre avec lui.

— Pourquoi ne l'avez-vous pas suivi ? s'étonna Morgane sans le quitter des yeux.

— A dire vrai, je ne sais pas très bien. J'ignore tout autant comment et pourquoi je me trouve ici avec vous. Mais, dites-moi, on m'a dit que Nimue était à Avalon. Comment va-t-elle ?

Morgane regarda longuement Lancelot, et comprenant qu'il ignorait la vérité, posa sa main sur celles du chevalier.

— Lancelot, j'ai pour vous une triste nouvelle. Votre fille n'est plus. Elle est morte il y a près d'un an.

Les yeux de Lancelot se voilèrent de larmes. Accablé, il baissa la tête, ne prononça pas une parole. Le voyant volontairement muré dans sa douleur, Morgane n'insista pas. A quoi bon lui donner des détails, lui apprendre la trahison de Kevin, la venue de Nimue à la cour, sa mission, les circonstances de son trépas ?

Le premier, d'ailleurs, il rompit le silence :

— Je suis seul maintenant. Ma petite Guenièvre est partie, elle aussi. Elle s'est mariée en Armorique. Quant à Galaad, il se donne uniquement à sa quête. Peut-être, s'il échappe à la mort, fera-t-il un jour un bon roi...

— Oui, peut-être, sera-t-il en effet un bon roi, se contenta-t-elle de répéter. Mais il risque fort d'être la proie des prêtres, et il n'y aura plus alors à travers le royaume qu'un seul dieu, qu'une seule religion.

— Faut-il le regretter vraiment, Morgane ? Ce dieu chrétien n'apporte-t-il pas finalement à notre terre un renouveau spirituel, alors que l'humanité a maintenant presque complètement oublié les anciens mystères ?

— Non, Lancelot, les hommes n'ont pas oublié ! Ils jugent seulement ces mystères trop ardus. Ils préfèrent croire en un seul dieu qui veille sur eux, qui ne leur demande pas de lutter pour la connaissance, qui les accepte comme ils sont, avec leurs péchés qu'une banale confession suffit à effacer... Ils se forgent le dieu qu'ils désirent, ou plus simplement peut-être, celui qu'ils méritent ! Avec cette conception de Dieu, modèle de la réalité humaine, il n'est pas difficile d'imaginer l'avenir que se préparent les hommes ! Tant qu'ils considéraient les anciennes divinités comme bonnes et généreuses, la nature, elle aussi, se montrait bonne et généreuse. Depuis que les prêtres enseignent que les anciennes divinités sont des créatures du diable, que la nature est mauvaise et hostile, celle-ci en effet risque de le devenir. Lancelot, je vous le dis, je ne désire plus vivre dans ce monde-là !

— Pourquoi ? Peut-être sera-t-il plus facile dans l'avenir de distinguer le bien du mal ? Je crois d'ailleurs que Galaad, même s'il doit être un roi chrétien, sera préférable à Mordred. C'est la raison pour laquelle je suis venu le chercher.

— Ici, dans l'Ile Sacrée ? Non, Lancelot ! Il n'a jamais fait partie des nôtres et a clamé lui-même qu'il ne mettrait jamais le pied sur une île de sorcières !

— Morgane, je vous l'ai déjà dit, je suis venu ici sans le vouloir. Je cherchais à rejoindre l'île de Verre, ayant entendu dire qu'une étrange lumière illuminait le chœur de son église, et que les moines avaient baptisé leur puits « le puits du calice ». Je pensais donc que Galaad avait pris cette route. J'ai cru m'y rendre moi-même, mais c'est à Avalon que je suis arrivé, sans doute guidé par une très ancienne attraction.

— Trêve de faux-fuyants entre nous, Lancelot ! Répondez-moi franchement : que pensez-vous de cette quête ? interrogea durement Morgane.

— Je ne sais pas... Je suis parti jadis chercher et combattre le dragon du vieux Pellinore. Personne n'y croyait et pourtant je l'ai trouvé, je l'ai tué... Je suis certain en tout cas que quelque chose de divin, d'extraordinaire, est survenu à Camelot le jour où nous avons tous vu le Saint-Graal. Non, je vous en prie, ne dites pas que c'était un rêve ! Vous n'étiez pas là, vous ne pouvez pas savoir ce qui s'est réellement passé ! Pour la première fois, j'ai eu la certitude, la certitude absolue, qu'il existait, quelque part, un mystère inaccessible sans doute bien au-delà de la vie. J'ai décidé pourtant de partir aussitôt pour cette quête — tout en me disant que c'était grande folie — et j'ai d'abord chevauché côte à côte avec Galaad. Mais il m'a paru vite si pur, si généreux, sa foi m'a semblé si simple, à moi habité par le doute, que j'ai décidé de le laisser courir sa chance seul afin de ne pas souiller son âme lumineuse... Mais, à partir de là, les ténèbres ont pris possession de mon âme, mes souvenirs se sont dilués dans mon esprit...

Lancelot regarda tristement le sol et, lorsqu'il releva la tête, Morgane vit briller dans ses yeux la petite lueur hagarde qu'elle avait entrevue dans ses visions, à travers l'eau limpide de la source, lorsqu'il courait à perdre haleine dans la forêt comme un animal aux abois.

— Ne pensez plus à tout cela, Lancelot, c'est fini ! Maintenant, vous êtes guéri !

Un instant, elle hésita à lui révéler sa présence à Camelot le fameux jour dont il parlait. Mais elle préféra se taire et ne pas mettre en cause une certaine interprétation d'un mystère chrétien. Pour elle, cependant, les choses étaient claires : Arthur avait trahi la Déesse, et celle-ci s'était vengée en envoyant ses compagnons aux quatre coins du monde.

— Il me semble parfois, Lancelot, poursuivit-elle d'un ton égal, que les dieux nous poussent à agir comme ils l'entendent, sans se soucier de nos pensées, de nos penchants... Nous ne sommes que des pions dans le grand jeu universel !

— Non ! quant à moi, je veux croire, répliqua Lancelot avec véhémence, je veux croire que l'homme a la possibilité de savoir ce qui est juste, de choisir entre le bien et le mal, de faire la différence entre les deux. Morgane, je vous en prie, est-ce vraiment la volonté de Dieu de voir Arthur et toute la cour tomber sous le joug de Mordred, alors que Galaad, pur et désintéressé, poursuit sa quête solitaire ? Vous qui avez le Don, Morgane, regardez l'eau sacrée, dites-moi où se trouve mon fils ! Il faut qu'il regagne au plus vite Camelot !

— Puisque vous le voulez, Lancelot, j'interrogerai le miroir des eaux, mais Galaad n'est guère présent à la mémoire d'Avalon et je ne verrai sans doute pas grand-chose. Enfin, il en sera selon la volonté de la Déesse ! Venez avec moi...

Déjà le soleil baissait à l'horizon et comme un vol de corbeaux passait en croassant au-dessus de leurs têtes, Morgane se demanda si c'était là un mauvais présage. Ne voulant néanmoins y attacher une trop grande importance, elle entraîna Lancelot en direction du Puits Sacré, écoutant en elle une voix intérieure, celle de Raven, qui lui disait : « Ne soyez pas inquiète... Mordred ne tuera pas Galaad et Galaad ne tuera pas Mordred. En revanche, Arthur, lui, tuera son fils... »

« Arthur sera donc de nouveau le Roi Cerf ? » murmura Morgane, s'immobilisant un instant pour mieux entendre le message qui lui parvenait : « Ne vous rendez pas au Puits Sacré... entendit-elle encore, mais à la chapelle, tout de suite... L'heure est arrivée... »

— Où allons-nous ? s'inquiéta Lancelot en voyant la prêtresse rebrousser chemin.

Sans répondre, elle fit un signe et prit d'un pas décidé la direction de la vieille chapelle où la communauté chrétienne venue se réfugier à Avalon pratiquait son culte. L'église avait été construite à deux pas de l'endroit où Joseph d'Arimathie, après la mort du Christ, avait planté son bâton dans la terre. Celui-ci s'était alors transformé en un buisson épineux qui fleurissait en toutes saisons et qu'on appelait l'Épine Sacrée. Arrivée près de l'arbuste, Morgane cueillit un rameau. Puis, après s'être volontairement piqué le doigt avec une épine, elle marqua de son sang le front de Lancelot qui lui adressa un regard étonné. Mais Morgane, renonçant à expliquer la signification de son geste, l'invita de nouveau à la suivre.

A l'intérieur de l'édifice, des hommes chantaient avec ferveur : « Seigneur, ayez pitié de nous... Christ, ayez pitié de nous... » Morgane entra, Lancelot sur ses talons, et s'agenouilla. Presque aussitôt elle vit le chœur de la chapelle se remplir de brume et, au travers de ce voile laiteux, se superposer le chœur d'une autre chapelle, celle de Ynis Witrin, l'île de Verre. Là aussi, des voix s'élevaient : « Seigneur, ayez pitié de nous... Christ, ayez pitié de nous... », des voix de femmes cette fois, sans doute celles des religieuses du couvent.

A travers un opaque rideau d'ombre, Morgane crut distinguer Ygerne, agenouillée et chantant elle aussi : « Seigneur, ayez pitié de nous... » Un prêtre était debout devant l'autel avec, à ses côtés, une silhouette diaphane rappelant celle de Nimue, une chevelure d'or croulant sur ses épaules.

Mais soudain tout autour d'elle devint plus sombre et Morgane parvint à peine à deviner la forme de Lancelot agenouillée près d'elle. Pourtant, au-delà de l'atmosphère troublée, prosterné devant l'autel de l'autre chapelle, elle voyait nettement Galaad rayonnant, le visage illuminé par une immense joie. D'innombrables clochettes tintaient dans l'église et une voix, — était-ce celle du prêtre d'Avalon, celle du prêtre de l'île de Verre, ou celle de Merlin ? — disait : « Buvez tous, car ceci est mon sang, répandu pour l'amour de vous... Chaque fois que vous boirez à cette coupe, vous le ferez en mémoire de moi... »

Alors des mains invisibles élevèrent la coupe et elle se mit à étinceler comme mille soleils illuminant la nuit.

— La lumière... la lumière ! s'écria Lancelot mettant les mains devant ses yeux comme s'il voulait se protéger d'un insoutenable éclat.

« Et tous ne seront qu'Un dans la lumière de l'Éternel... » clama encore la voix. C'est alors, au même moment, que Morgane vit, tout proche d'elle, Galaad radieux, triomphant, métamorphosé par l'extase, tendre les bras, prendre la coupe entre ses mains, boire, et s'écrouler foudroyé au pied de l'autel. Ainsi payait-il le prix de sa témérité, frappé à mort après avoir porté les mains sur la coupe sacrée, trop vite, trop tôt, sans y avoir été véritablement préparé.

Aussi rapidement qu'ils s'étaient dissipés, les brouillards envahirent de nouveau l'église et chacun gagna la sortie en silence comme si rien ne s'y était passé.

Lancelot, lui, n'avait pas bougé. Après un long moment, il releva la tête, et murmura simplement : « Galaad, Galaad, mon fils, je n'étais pas digne de te suivre... »

— Ne regrettez rien, Lancelot, chuchota Morgane à voix basse. Galaad a découvert le Graal, mais il n'a pu en supporter l'éclat. Il faut maintenant ramener son corps à Camelot et raconter à tous qu'il est sorti vainqueur de sa quête, mais que la vérité aveuglante l'a foudroyé.

— Dieu du ciel, qu'a-t-il vu exactement ?

— Ni vous ni moi ne le saurons jamais, Lancelot. Et c'est sans doute mieux ainsi !

Sur l'autel la coupe luisait encore faiblement dans la pénombre.

— Je l'emporterai à Camelot, dit Lancelot comme sortant d'un rêve, animé soudain d'une sourde détermination. Tous doivent savoir désormais que la quête a pris fin. Aucun de nous, plus un seul chevalier de la Table Ronde ne doit risquer sa vie ou sa raison dans cette entreprise qui nous dépasse.

Il se leva, gravit les marches de l'autel, tendit la main pour saisir le vase sacré. Mais Morgane avait bondi et le tirait violemment en arrière :

— Non, Lancelot ! Prenez garde ! Retirez votre main ! Cette coupe va vous tuer si vous la touchez ! Vous ne pouvez l'emporter à Camelot, nul sur terre ne le pourrait ! Nul ne peut en approcher, ni la prendre sans mourir.

Morgane s'arrêta de parler, ferma les yeux un long moment, et reprit d'une voix grave :

— Ceux qui cherchent le Graal avec leur foi chevillée au cœur finissent toujours par le découvrir là où il se trouve, au-delà de notre univers périssable et profane. Il ne peut, il ne doit pas tomber entre les mains des prêtres qui s'en serviraient au bénéfice de leur seule religion. Je vous le demande, Lancelot, laissez le Graal là où il est. Permettez que dans ce monde nouveau, vide de toute magie, le seul Mystère qui échappe totalement aux prêtres, le seul qu'ils soient incapables de cerner et de définir, demeure hors de leur atteinte...

Sa voix se brisa et elle poursuivit, les yeux embués de larmes :

— Dans les années qui viennent, les prêtres vont apprendre à l'humanité ce qui est bon et ce qui est mal, ce qu'il faut penser, ce qu'il faut croire, comment il faut prier. Et cela va durer très longtemps... Mais peut-être les hommes doivent-ils connaître une longue période de ténèbres pour redécouvrir, un jour, la Lumière ! Mais, au cœur de ces ténèbres, Lancelot, laissez-leur au moins une lueur d'espoir. Le Graal s'est montré une fois à Camelot : ne souillez pas la pureté de ce souvenir en l'emprisonnant dans un autel chrétien !

— Oui, peut-être avez-vous raison, répondit Lancelot levant les yeux comme s'il cherchait une réponse dans le ciel.

Morgane alors prit la main de Lancelot et l'entraîna hors de l'église. Puis, tous deux, toujours main dans la main, descendirent jusqu'au Lac. A l'instant même où ils y arrivaient, une barge accostait doucement le rivage. Le corps de Galaad, que les petits hommes sombres avaient été chercher, gisait au travers de l'embarcation, un voile blanc recouvrant son visage.

C'était l'heure très douce de la fin du jour, et une lumière blonde, presque rose, semblait danser dans les roseaux à peine agités par la brise du soir. Lancelot se retourna vers Morgane, la regarda comme s'il ne devait jamais plus la revoir :

— Ainsi nos routes se séparent-elles maintenant, dit-il d'une voix brisée. Puissent-elles se croiser une dernière fois, avant le jour de ma mort...

Sans une parole, Morgane alla à lui, posa ses lèvres sur son front, baiser tendre et brûlant, qui était à la fois une bénédiction et un adieu. Alors, dans un indicible déchirement il se détourna d'elle, s'éloigna à pas lents, monta dans la barge qui prit le large doucement pour s'évanouir bientôt dans la pluie flamboyante du soleil couchant...

Morgause était si impatiente d'arriver à Camelot que, ni la pluie qui tombait sans discontinuer, ni le brouillard qui noyait la région, ne l'avaient dissuadée de différer son voyage. Trempée jusqu'aux os, transie de froid malgré sa lourde cape, elle chevauchait déterminée à la tête d'une longue colonne de cavaliers et de chariots.

— Les fêtes de Pentecôte sont proches ! Croyez-vous que nous atteindrons Camelot avant la nuit, Cormac ? demanda-t-elle d'une voix inquiète à l'homme qui chevauchait à ses côtés.

— Je l'espérais jusqu'à maintenant, ma Dame, mais avec ce brouillard, et le jour qui commence à tomber, j'ai peur que nous nous égarions...

La voix forte et bien timbrée du cavalier ranima soudain en elle sa convoitise. Depuis déjà plusieurs mois elle avait remarqué sa jeunesse et ses muscles, et son regard seul suffisait à éveiller son désir. Aussi n'écartait-elle nullement de son esprit le projet de l'attirer dans sa tente lors de la halte pour la nuit. Pour l'instant cependant l'important était de gagner Camelot au plus vite, d'avertir Gwydion de ce qui se tramait contre lui, de prendre en main ses intérêts. C'est pourquoi, reléguant à plus tard ses pensées voluptueuses, elle s'exclama d'un air cinglant :

— J'ai parcouru cette route plus de dix fois et je ne me reconnais pas. Vous nous avez certainement égarés, Cormac !

— Peut-être, en effet, avons-nous par ce temps dépassé la route de Camelot sans la voir, reconnut Cormac prudemment.

Morgause ferma les yeux pour ne pas céder à la folle tentation de le gifler à toute volée, mais elle se maîtrisa et tenta de se remémorer le chemin parcouru depuis le départ : d'abord la voie romaine, qu'ils avaient quittée pour longer les marais jusqu'à l'île du Dragon, puis le chemin en corniche jusqu'à l'embranchement d'une route empierrée...

— Voilà la route ! cria l'une de ses suivantes croyant apercevoir une trouée entre les arbres.

Mais ce n'était qu'illusion ou plutôt un simple layon s'évadant vers le flanc d'une combe isolée.

— Assez de sottises ! ragea Morgause contenant sa colère. Nous sommes perdus, à l'évidence !

— Hélas, ma Reine, intervint Cormac, je crains que vous n'ayez raison. Nous voici revenus à l'endroit où nous nous sommes arrêtés tout à l'heure pour laisser souffler nos montures. Regardez ! Voici la poignée de paille que j'ai jetée par terre après avoir bouchonné les flancs de ma jument...

— Qu'ai-je fait aux dieux pour être entourée d'incapables ! grinça Morgause hors d'elle. Combien de temps allons-nous être condamnés à errer à travers le Pays d'Été à la recherche de la plus grande cité au nord de Londinium ? Si l'on ne peut voir les lumières de Camelot, nous devrions au moins remarquer le va-et-vient des cavaliers, des serviteurs, du bétail !

Mais rien ne servait de pester davantage. Il n'y avait rien d'autre à faire qu'à reprendre la direction du sud, en éclairant tant bien que mal le chemin avec les torches qui s'éteignaient sans cesse sous la bruine... Arrivés devant un pan de muraille romaine écroulée où ils avaient fait demi-tour précédemment, Morgause cette fois éclata :

— C'en est trop, Cormac, vous moquez-vous ? Allons-nous tourner ainsi en rond toute la nuit ?

Mais voyant alors le regard d'impuissance du cavalier, elle comprit cependant qu'il fallait se résigner.

— Fort bien ! soupira-t-elle. De toute façon, il est maintenant trop tard pour continuer. Qu'on dresse les tentes sans plus attendre ! Nous déciderons demain ce qu'il convient de faire.

Sous ses airs autoritaires, Morgause dissimulait maintenant une véritable anxiété : elle-même et ses gens s'étaient-ils égarés aux confins d'inquiétantes frontières ? Si tel était le cas, quand et comment allaient-ils retrouver leur chemin ?

S'étant retirée après une brève collation sous sa tente, allongée dans le noir près de ses femmes, elle retraça mentalement une nouvelle fois, étape par étape, la route parcourue depuis qu'ils avaient quitté le royaume du Lothian. Au loin, seule présence dans la nuit hostile, des grenouilles coassaient dans les marais, interrompues de temps à autre par le hululement prolongé d'une chouette.

Non, c'est impossible ! Nous n'avons pu passer à côté de Camelot sans le voir, se répétait-elle inlassablement. Ou alors, Camelot s'est volatilisé. Ou nous ? Moi-même, mes cavaliers, mes chariots, se sont-ils fourvoyés sur des voies sans issue ? Arrivée à ce point de son raisonnement, ses idées se brouillaient, sa perplexité et son énervement grandissaient, furieuse contre elle-même de s'être, à tort, emportée vis-à-vis du seul homme qui, cette nuit, aurait pu tromper son impatience et apaiser son corps.

Au petit matin, n'ayant pratiquement pas trouvé le sommeil, Morgause sortit de sa tente. La pluie avait cessé. Espérant découvrir la colline au sommet de laquelle se dressaient les tours de Camelot, elle scruta la contrée déjà noyée sous un écran de brume. En vain. Tout n'était que vide et herbe rase à perte de vue. Il fallait donc repartir, reprendre la route, en sens inverse, avec l'espoir que les traces laissées la veille dans la boue par le convoi permettraient de retrouver la voie romaine, en admettant que celle-ci ne se fût pas, à son tour, évanouie dans la nature !

En fin de matinée, les deux sergents qui chevauchaient en tête de la colonne aperçurent soudain dans le lointain un troupeau de moutons mené par un berger. Morgause aussitôt ordonna qu'on aille l'interroger afin que l'homme puisse indiquer la route. Mais les voyant approcher, le berger détala et disparut sans demander son reste derrière des rochers où il fut impossible de le retrouver.

La peur, maintenant, oppressait Morgause... La voie romaine avait peut-être diparu, elle aussi, et, pourquoi pas, le Lothian, Camelot et tous ses habitants... N'était-ce pas ainsi qu'arriverait un jour la fin du monde ? N'allait-elle pas errer sans fin, elle et sa troupe, à la recherche d'un être à qui parler, d'un lieu où s'abriter ?

— Il faut maintenant coûte que coûte gagner la voie romaine ! clama-t-elle d'une voix autoritaire pour masquer son angoisse. Inutile de rester plantés à contempler les ornières qu'ont faites hier nos chariots !

Une brume bleutée, irisée de rose, montait lentement des marais et le paysage prenait soudain des allures fantasmagoriques de pays enchanté. Le soleil, lui-même entouré d'un halo mystérieux, avait un étrange reflet, et le silence feutré semblait indiquer à lui seul que d'invisibles frontières venaient d'être franchies. Le bruit ouaté des sabots des chevaux sur la terre avait aussi quelque chose d'insolite, répercutant à l'infini comme des pierres roulant dans l'eau l'écho d'un autre monde.

C'est alors que la troupe vit émerger lentement du brouillard un cavalier qui se dirigeait vers eux au pas paisible d'une monture qui, elle, frappait le sol de ses sabots selon un rythme et une résonance habituels.

Il tirait derrière lui une bête de somme lourdement chargée.

— Qui va là ? demanda Cormac au voyageur, reconnaissant presque aussitôt le nouveau venu. Sire Lancelot ! s'exclama-t-il en poussant son cheval en avant.

En même temps chacun mit pied à terre se félicitant mutuellement d'une telle rencontre. Les politesses d'usage échangées, Morgause la première, ayant remarqué l'air las et les vêtements déchirés du cavalier, prit la parole :

— On raconte partout que vous avez vécu mille aventures à la recherche du Graal. L'avez-vous enfin trouvé ou avez-vous échoué dans votre quête ?

— Je n'étais sans doute homme à pouvoir pénétrer le plus grand des mystères... Mais là, sur ce cheval, se trouve endormi à jamais celui qui a tenu le Graal entre ses mains ! répondit Lancelot en désignant le corps couché en travers de sa mule.

— Qui est-ce ? murmura Morgause.

— Mon fils Galaad... Lui seul a trouvé le Graal ! Mais il a payé de sa vie cette découverte. Maintenant nous savons que nul ne peut poser les yeux sur la coupe sacrée sans mourir. La quête donc est achevée, et le Graal, pour toujours, à l'abri de la rapacité des hommes. Aussi vais-je porter la nouvelle au roi et lui dire que celui qui devait lui succéder poursuit désormais dans un autre univers la quête pure et lumineuse qu'il avait entreprise sur la terre.

« Ainsi, pensa Morgause, comme Lancelot du Lac contemplait en silence le corps de son fils, ainsi le Haut Roi n'a plus de successeur ! Galaad mort, Gwydion devient l'héritier naturel d'Arthur... »

— Allons, il me faut continuer ma route ! soupira Lancelot, détournant les yeux du cadavre de son fils. Sans le brouillard de cette nuit qui m'a contraint à faire halte, sans doute ne vous aurais-je jamais rencontrée, Morgause. J'ai eu peur de me perdre, comme si je me trouvais en plein cœur d'Avalon !

— Nous aussi, avoua Cormac. La route de Camelot semblait vraiment avoir disparu dans les brumes !

Comme pour chasser ensemble leurs mauvais souvenirs, Morgause, sans attendre, donna ordre à sa colonne de suivre Lancelot qui venait de remonter en selle pour sa mission funèbre. Comme par enchantement les brumes d'ailleurs s'estompaient doucement et le soleil réapparaissait à nouveau dans le ciel, de sorte que quelques heures plus tard ils s'engageaient sans encombre sur la large voie empierrée menant à Camelot d'où parvenait déjà à leurs oreilles une longue sonnerie de trompe.

En effet, le guetteur les avait aperçus et signalait leur arrivée de la plus haute tour du château.

Le premier à venir à leur rencontre fut Gareth, qui remplaçait désormais Caï, devenu trop vieux pour assurer la surveillance de la forteresse. Lancelot l'étreignit avec émotion, gardant dans sa mémoire l'instant où ils s'étaient tous deux séparés pour suivre chacun leur voie sur les traces du Graal.

— Ainsi, Lancelot, vous n'avez pas trouvé Galaad ? interrogea anxieusement Gareth.

— Si, mon ami, je l'ai trouvé... répondit Lancelot, les yeux pleins de larmes, en soulevant le linge blanc qui couvrait le visage de son fils.

Visiblement bouleversé, Gareth posa une main fraternelle sur l'épaule de Lancelot.

— Galaad !... murmura-t-il d'une voix sourde, Galaad ! Ainsi ne m'étais-je pas trompé quand je pensais que le Graal n'était peut-être qu'une invention du Malin...

— Non, mon cousin ! Éloigne à jamais cette pensée de ton esprit. Galaad a trouvé ce que le Tout-Puissant a voulu lui donner, et il en a été de même pour chacun d'entre nous... Mon fils a achevé son séjour sur la terre, voilà tout ! Le nôtre continue : puisse Dieu nous aider à affronter avec le même courage notre destin !

Penchés sur la dépouille du jeune chevalier, les deux hommes observèrent un long temps de silence, puis Gareth revenant à ses obligations d'hôte, s'étant enquis des désirs de sa mère, la fit conduire, elle et ses femmes, dans l'appartement de Guenièvre, tandis qu'il emmenait aussitôt Lancelot auprès du roi.

Arthur le reçut à bras ouverts et l'embrassa à plusieurs reprises.

— Je viens d'apprendre la terrible nouvelle, Lancelot, dit-il avec une cordiale et chaleureuse compassion. Je partage ta douleur. Pour moi, fit-il, des sanglots dans la voix, pour moi aussi, je ressens cette mort comme la perte d'un enfant.

— Nous l'aimions tous tellement, ajouta Guenièvre, elle aussi très émue, regardant éperdue Lancelot du Lac revenu.

Comme elle aurait voulu dire autre chose, le consoler avec les mots vrais qu'elle sentait dans son cœur ! Mais pas une parole ne sortit de ses lèvres. « Mon Dieu, se dit-elle seulement, comme il a changé ! A-t-il été malade, a-t-il trop jeûné, a-t-il été gravement blessé ou bien est-il frappé d'un mal dont on ne se remet pas ? Que lui est-il réellement advenu ? Comme il a l'air las, triste et désemparé... »

— Gardes ! Qu'on emmène le corps de Galaad dans la chapelle, ordonna Arthur. Qu'il repose à l'endroit même où il a été reçu chevalier. Demain, il sera enterré avec tous les honneurs dus à l'héritier du trône !

— Ma Dame, intervint Gareth, s'inclinant devant Guenièvre comme s'il voulait se faire pardonner de prendre la parole en cet instant de si grande émotion, ma mère, la reine du Lothian, souhaiterait s'entretenir un instant avec vous.

Guenièvre acquiesça de la tête et s'éloigna à contrecœur. Sa place, hélas, n'était pas parmi les hommes, même en ce jour du retour de Lancelot. Il fallait recevoir Morgause, elle, qu'elle aurait voulu voir reléguée au fin fond des enfers. D'ailleurs, pourquoi venait-elle à Camelot sans y être priée ? Pourquoi, si ce n'était encore pour se livrer à quelques manigances à l'encontre d'Arthur ?

— Niniane, les femmes doivent maintenant se retirer, dit-elle d'un ton plus dur qu'elle ne l'aurait souhaité. Accompagnez-moi chez la reine du Lothian !

Tout au long de la journée qui suivit, les Compagnons et Chevaliers de la Table Ronde s'étaient succédés aux portes de Camelot, tandis que Guenièvre s'affairait une fois de plus, avec ses suivantes aux préparatifs des fêtes de la Pentecôte.

Maintenant, tous ceux partis à la quête du Graal étaient de nouveau réunis autour de leur roi. Tous sauf ceux qui y avaient laissé leur vie, Perceval, Bohort, Lamorak et tant d'autres... La nuit précédente, dans la chapelle, Lancelot avait veillé près du corps de son fils qui dormait désormais dans la terre dont il avait failli être le roi. Assis entre Guenièvre et Arthur, le visage plus marqué que jamais, les cheveux presque blancs, les épaules apparemment courbées sous le poids d'un insupportable fardeau, le regard perdu, il semblait indifférent à tout. La reine, elle, n'avait pu trouver un instant pour lui parler seule à seul, pour tenter d'adoucir sa peine, et se désespérait de le voir détourner la tête chaque fois qu'elle posait les yeux sur lui.

Arthur, lui aussi, semblait très affecté par la disparition de son héritier et par la mort de plusieurs de ses compagnons. Il venait de boire longuement à la mémoire des chevaliers qui ne reviendraient jamais de leur quête, et avait ajouté :

— Je jure ici, devant vous tous réunis, qu'aucune de leurs épouses, qu'aucun de leurs enfants, ne sera jamais dans le besoin tant que je vivrai. Je partage du fond du cœur votre chagrin à tous, je le ressens d'autant plus vivement que, moi aussi, j'ai subi une perte irréparable en la personne de mon fils adoptif, l'héritier du trône, mort pour le Graal.

Cela dit, il se tourna vers Mordred, debout à côté de lui dans une tunique blanche, ses cheveux sombres retenus par un bandeau d'or, et poursuivit :

— Un roi conscient de ses lourdes responsabilités ne peut hélas se permettre de pleurer longtemps. Le royaume, quoi qu'il arrive, doit être gouverné.

Marquant un court instant d'arrêt, il tendit alors la main à Mordred, l'attira près de lui comme pour le présenter à l'assemblée :

— En dépit donc de notre peine qui est immense, je vous demande de reconnaître, aujourd'hui même, comme mon nouvel héritier, le fils de ma sœur unique, Morgane d'Avalon, Gwydion, que nous appelons Mordred depuis que son courage lui a valu l'honneur de faire partie des Chevaliers de la Table

Ronde. Certes, il est jeune encore, mais il a su devenir l'un de mes plus sages et habiles conseillers. Buvons donc tous ensemble à l'héritier du trône dont le règne commencera le jour où le mien s'achèvera !

— Puisse, mon père, votre règne durer longtemps, très longtemps !... murmura alors Mordred en s'agenouillant aux pieds d'Arthur, tandis que tous les chevaliers, à l'exemple de Gareth, levaient leurs verres en poussant des vivats.

Seule, Guenièvre, humiliée, mortifiée, ne pouvait s'associer à l'allégresse générale. Elle savait pourtant que cet instant viendrait mais elle n'avait imaginé que ce serait si tôt, le lendemain même des funérailles de Galaad !

— N'aurait-il pu attendre un peu ? souffla-t-elle à l'oreille de Lancelot.

— Ignoriez-vous donc ses projets ? demanda-t-il à voix basse, prenant discrètement la main de la reine dans la sienne.

Surprise malgré elle, elle tenta de la lui retirer, mais dut y renoncer, tant était forte la pression de ses doigts.

— Que voulez-vous que je dise, balbutia-t-elle au bord des larmes, moi qui n'ai pas même su lui donner un fils ?

— Arthur n'aurait pas dû si vite proclamer publiquement le nom de son héritier sans vous en avertir, insista Lancelot, osant ainsi, pour la première fois, comme le remarqua Guenièvre, formuler une critique à l'encontre de son roi.

Mais comme Arthur se tournait vers eux en souriant, il lâcha sa main. Le ballet des serviteurs portant à bout de bras des plats de viandes fumantes, des corbeilles de galettes et de fruits commençait et Guenièvre partagea ostensiblement, pour cacher son trouble, une assiette unique avec Lancelot comme elle l'avait déjà fait tant de fois naguère. Arthur, de son côté, faisait de même avec Niniane. Une fois de plus, d'ailleurs, il l'appela « ma fille », ce qui fit supposer à Guenièvre qu'il la considérait déjà comme une future épouse pour Mordred.

— Ainsi, avez-vous échoué dans votre quête du Graal ? demanda-t-elle à mi-voix à Lancelot, vagabondant de nouveau dans ses rêves.

— Je m'en suis approché autant qu'un pécheur peut le faire,

finit-il par répondre comme s'il faisait un immense effort pour revenir à la réalité. J'aurais voulu suivre le Graal au-delà de nos frontières étroites, au-delà de notre propre destinée, mais cette chance ne m'a pas été donnée.

Ainsi, pensa Guenièvre, avec un pincement au cœur, il n'est pas revenu à la cour par amour pour moi. N'ai-je donc été pour lui, comme pour Arthur, qu'une agréable diversion entre deux guerres et la quête du Graal ? Décidément, pour les hommes, pour tous les hommes, le mot « amour » a une signification bien étrange. La vie de Lancelot s'est passée à guerroyer aux côtés de son roi et, la paix rétablie, il n'a pensé qu'à poursuivre une mystérieuse lumière. Lancelot, sans nul doute, gardera désormais les yeux tournés vers Dieu et tentera de se détacher de moi, Lancelot, qui représente pour moi le bien le plus précieux de la terre...

— Si vous saviez comme vous m'avez manqué, Lancelot... Une nouvelle fois, il étreignit sa main :

— Toi aussi, ma vie, tu m'as manqué...

Puis, comme s'il avait pu lire dans ses pensées et mesurer sa peine, il ajouta :

— Sans doute devrais-je consacrer le reste de mes jours à prier pour l'expiation de mes fautes, cloîtré dans l'île de Verre, mais je ne suis qu'un homme, et ne peux vivre sans toi...

— Mon cœur aimé, mon tendre amour, dois-je renvoyer mes femmes, ce soir ? demanda-t-elle dans un souffle.

— Oui... répondit-il seulement, pressant sa main encore plus fort.

Voilà pourquoi, le soir venu, dévorée d'impatience, Guenièvre attendit-elle, inquiète et haletante, la venue de son amant. Pourquoi Lancelot avait-il finalement accepté de venir la rejoindre ? Par pitié, par crainte d'offenser son orgueil de femme, par peur de la solitude après tant de souffrances, par désir ou par amour sincère et véritable ? Allait-il l'aimer comme la première fois en dépit des atteintes pathétiques du temps ? Et elle, allait-elle être pour lui l'amante ardente et passionnée qu'il avait autrefois tant aimée ?

Un bruit de pas discrets derrière la porte accéléra les battements de son cœur. Oui, c'était Lancelot. Il venait à elle parce qu'il l'aimait, parce qu'il avait besoin d'elle, qu'il savait que déjà dans l'ombre elle lui ouvrait les bras, prête à tout lui donner, corps et âme, prête à lui apporter, pour qu'il oublie enfin, quelques fugaces instants d'éternité.

L'aubépine avait depuis peu refleuri quand des hordes d'envahisseurs venus du Nord débarquèrent de nouveau sur les côtes occidentales de l'île. Aussitôt les légions d'Arthur marchèrent au combat, suivies des armées des rois saxons des contrées du Sud au nombre desquelles figuraient Ceardig et sa troupe.

Dans de telles circonstances, Morgause avait donc renoncé à regagner ses terres, ne disposant pas d'une escorte suffisante et attendait patiemment à Camelot la fin des hostilités. Contre toute attente, cette dernière survint bien plus tôt que prévu et un après-midi, au début de l'automne, la trompe du guetteur annonça le retour des guerriers. D'un seul coup éclata au château un joyeux tumulte et de tous ses recoins femmes et jeunes filles jaillirent comme volées de moineaux pour gagner en courant le chemin de ronde.

Tout aussi impatientes, Guenièvre et Morgause s'obligèrent cependant à quitter la salle d'un pas plus modéré et se dirigèrent, elles, vers les hautes portes qu'on venait juste d'ouvrir et où s'agglutinait déjà la foule des serviteurs, portant pour la plupart la main en visière au-dessus des yeux, pour mieux distinguer le cortège imposant qui approchait dans un grand déploiement d'oriflammes et d'armures scintillant au soleil.

— C'est le roi ! Voici le roi ! lança une voix dans la foule.

— Et derrière lui chevauche Mordred ! Regardez comme il est beau ! cria une jeune fille au comble de l'excitation.

— Je vois Lancelot ! surenchérit une autre. Oh ! il est blessé ! Il a un bandage à la tête et au bras !

Alarmée, Guenièvre joua des coudes pour gagner le premier rang, mais se rassura vite en le voyant, apparemment sain et sauf, suivre le trot tranquille de sa monture. Cormac et Gareth le précédaient, reconnaissables à leur haute taille, tandis que Gauvain, aux côtés d'Arthur, paraissait légèrement blessé au visage.

— Regardez comme Mordred est beau ! s'exclama encore une jouvencelle derrière Morgause, appréciation qui déclencha un flot de commentaires dans la gent féminine.

Les unes préféraient tel chevalier, les autres tel écuyer ou page. Des cris joyeux fusaient de toutes parts ; on riait, on se bousculait, on se marchait gaillardement sur les pieds... « Comme elles sont volages, pensa Morgause, mais comme elles sont jolies aussi, tendres et fraîches, avec leurs boucles folles ou leurs nattes espiègles, leurs joues duveteuses de roses, leur taille fine, leurs petits seins pointés et provocants... » Oui, elle aussi avait eu leur âge, elle aussi avait connu l'irrésistible appel de la vie et du bonheur. Hélas, tout cela s'éloignait de plus en plus !...

— Regardez les chevaliers saxons avec leur barbe : on dirait des gros chiens ! s'exclama, en pouffant, l'une des suivantes de Guenièvre.

— Ma mère dit qu'embrasser un homme sans barbe, c'est embrasser sa sœur ou son petit frère !

— Allons, calmez-vous mes enfants ! intervint Guenièvre en fronçant les sourcils... N'avez-vous donc rien d'autre à faire que de jaser comme vraies péronnelles ! Allez plutôt prévenir les cuisines qu'on tue vite agneaux et chevreaux pour nourrir tout ce monde. Quant à vous, veillez bien à ce qu'on étale de la paille fraîche dans toutes les chambres avant la nuit !

Ainsi firent-elles, et dans Camelot résonnèrent tout le restant du jour les échos joyeux qu'on entendait les jours de fête. Au soir, la grande salle du château ruisselait de lumière sous l'éclat d'innombrables torches, somptueusement décorée par les bannières multicolores des combattants et les trophées du roi Arthur. Seigneurs et chevaliers avaient revêtu leurs habits d'apparat et les dames de la cour leurs plus riches toilettes, rehaussées de bijoux étincelants, brillant comme une pluie d'étoiles dans les yeux de l'assistance en liesse.

Seuls, dans cette débauche de couleurs et de lumière, les Saxons faisaient grise mine par la rusticité de leur maintien et de leur mise, reconnaissables avant tout à leur longue chevelure et à leur grande barbe. Ils participaient néanmoins pleinement à la fête, Arthur ayant admis parmi ses compagnons plusieurs d'entre eux qui siégeaient fièrement à la Table Ronde.

Guenièvre, quant à elle, s'était surpassée dans son rôle de maîtresse de maison, et un défilé pratiquement ininterrompu de viandes rôties, de tourtes odorantes, de pâtés croustillants à souhait, de galettes dorées, de sucreries et de baies succulentes, semblait ne jamais devoir finir.

Lancelot, la tête bandée et le bras en écharpe, siégeait à sa droite, heureux de pouvoir, dans son état, bénéficier aux yeux et au su de tout le monde, de l'attention et de l'aide de la reine.

— Comment avez-vous été blessé, mon fils ? interrogea Morgause assise non loin d'eux, en regardant les lèvres tuméfiées de Gauvain.

— J'ai eu à en découdre avec l'un des hommes de Ceardig. A la réflexion, je me demande s'il ne valait pas mieux avoir ces damnés Saxons comme ennemis ! Au moins alors on pouvait leur planter une lance dans la poitrine !

— Ainsi vous êtes-vous battu avec l'un d'eux ?

— Oui, et je recommencerai chaque fois qu'on s'avisera d'injurier mon roi !

— Gauvain, n'est-il pas présomptueux de vouloir imposer

silence à l'armée saxonne tout entière ? intervint Mordred. D'autant plus que les Saxons disent vrai. Il existe d'ailleurs un mot sans équivoque pour désigner l'homme qui accepte d'en voir un autre remplir auprès de son épouse ses devoirs intimes !

— Comment oses-tu ! s'interposa Gareth se levant d'un bond et agrippant Mordred par l'encolure de sa tunique.

— Tout doux, mon bon ! ironisa l'héritier désigné par Arthur, ressemblant en l'occurrence à un nain entre les pattes d'un géant. Tu ne vas pas me frapper parce que je viens d'exprimer entre nous ce que chacun à la cour chuchote tout bas ? Qui en effet n'a pas remarqué le manège de la reine ?

— Je fais partie de ceux qui voudraient voir la reine à cent lieues d'ici, rétorqua Gareth, mais si le roi juge bon de tolérer la conduite de sa femme, nous n'avons pas à intervenir, encore moins à faire des remarques désobligeantes à ce propos !

— Un roi doit se garder de donner prise à la calomnie, trancha sèchement Mordred. Arthur devrait, ne crois-tu pas, s'occuper de sa femme un peu mieux qu'il ne le fait ? Comment peut-il prétendre gouverner le royaume s'il est la risée d'une partie de son peuple ? Penses-tu que les Saxons eux-mêmes accepteront longtemps de signer des traités avec un homme qui se laisse ouvertement berner par son épouse ? Non ! Il faut qu'Arthur se résigne à attaquer le mal à la racine : qu'il enferme Guenièvre dans un couvent, ou qu'il chasse Lancelot ! Pour beaucoup d'entre nous, Camelot est devenu un lieu de débauche, et la Table Ronde, le cœur d'une maison d'amour...

— Retire ces mots, ou je te fais rentrer ces paroles dans la gorge ! menaça à mi-voix Gauvain blême de rage.

— Et pourquoi le ferais-je, puisque vous savez tous que je dis vrai ? Ce ne sont ni tes poings, ni ceux de Gareth qui empêcheront la vérité d'éclater au grand jour !

— Arthur sait parfaitement à quoi s'en tenir. Depuis longtemps, il sait les liens qui unissent Guenièvre et Lancelot, reprit Gauvain se contenant avec peine. S'il les laisse faire, c'est qu'il le veut ainsi. D'ailleurs, il refuse d'entendre la moindre critique à leur égard.

— Sans doute... Sans doute, à moins qu'on trouve le moyen de le faire sortir de ses gonds, le moyen d'attirer son attention de telle manière qu'il se sente dans l'obligation absolue de réagir...

Voyant que Niniane s'approchait de leur petit cercle, Mordred s'interrompit et attendit qu'elle se soit assise pour la prendre à témoin :

— N'est-il pas vrai, ma Dame, que Guenièvre renvoie souvent ses femmes la nuit ?

— Oui, cela arrive. Mais elle ne l'a pas fait ces derniers temps quand les armées étaient en guerre.

— Au moins savons-nous maintenant que la reine est fidèle et n'accorde pas ses faveurs au premier venu ! commenta cyniquement Mordred.

— Si vous ne vous décidez pas à baisser le ton, toute la cour va vous entendre et c'est sans doute votre souhait ! gronda Gareth en se levant, entraînant avec lui Gauvain comme s'il redoutait d'être mêlé à quelque conspiration.

— Gareth a raison, glissa Niniane à l'oreille de Mordred, il est inutile de provoquer un scandale aujourd'hui ! La graine est semée, elle ne peut que lever. Regardez-les plutôt, ajouta-t-elle désignant discrètement Guenièvre et Lancelot la tête penchée, épaule contre épaule, leurs chevelures presque mêlées, feignant d'être tout entiers absorbés par le jeu placé sur leurs genoux. N'est-ce pas là un comportement dangereux pour l'honneur de la royauté ?

— Sans doute, mais la cour est tellement habituée à cette scandaleuse intimité, que personne maintenant n'ose y faire allusion, ragea Mordred.

— N'en croyez rien ! reprit Niniane ne quittant pas des yeux le couple. Il suffirait de pousser quelques chevaliers à sortir de leur réserve pour faire comprendre au roi que le moment est venu pour lui de condamner publiquement la conduite de sa femme. Et, comme il s'y refuserait, il serait aussitôt déconsidéré aux yeux de tous. Mais nous reparlerons de tout cela plus tard. Pour l'heure, Arthur m'a demandé de jouer de la harpe. Il serait malséant de le faire plus longuement attendre...

Debout au sommet d'une des tours de Camelot, Niniane regardait pensivement monter la brume au creux de la vallée quand elle entendit tout à coup des pas résonner derrière elle.

— Gwydion ? interrogea-t-elle sans se retourner.

— Oui, ma douce, répondit-il, la prenant par la taille pour la faire pivoter sur elle-même.

Puis il la serra contre lui et l'embrassa à pleine bouche.

— Arthur vous embrasse-t-il ainsi ? demanda-t-il avec un sourire ambigu.

— Gwydion, ne me faites pas croire que vous êtes jaloux du roi ! Vous-même m'avez demandé de gagner sa confiance ! s'insurgea la jeune femme en se dégageant vivement.

— Sa confiance, je l'ai moi-même gagnée sur les champs de bataille, Niniane. C'est pourquoi il ne me déplairait pas de vous voir prendre désormais quelque distance vis-à-vis de lui !

— A qui croyez-vous donc parler, Gwydion ? Oubliez-vous que je suis prêtresse d'Avalon et que je n'ai de comptes à rendre à quiconque sur ma conduite ! Si ma présence vous importune vraiment, il m'est facile de retourner très vite dans l'Ile Sacrée !

— Si vous en retrouvez la route, rétorqua-t-il avec mordant.

Mais, regrettant aussitôt son emportement, il changea de ton et reprit, plus conciliant, en regardant au loin :

— Le temps ne s'éclaircira pas aujourd'hui. Avez-vous remarqué que les brouillards se font désormais de plus en plus denses ? Au point qu'il arrive à certains messagers de se perdre en chemin. Niniane, pensez-vous que Camelot disparaîtra un jour dans les brumes ?

— Je l'ignore, dit-elle après un bref instant d'hésitation. Ce que je sais, en revanche, c'est que l'autel de la Déesse a été profané sur l'île du Dragon, que le Petit Peuple est en train de mourir, que les cerfs sacrés sont devenus la proie des chasseurs saxons...

— Tout cela est la faute d'Arthur. Il n'a aucune autorité sur eux et vous savez pourquoi. Comment les Saxons auraient-ils du respect pour un roi qui se montre incapable de gouverner sa femme et se laisse ouvertement tromper devant toute la cour ?

— Est-ce bien à vous, Gwydion, vous qui avez été élevé à Avalon, de juger Arthur selon la morale saxonne plus inepte encore que celle des Romains ? Non, Gwydion, un homme n'est pas monarque en ce pays sous prétexte qu'il sait conduire une armée au combat ou honorer sa femme. Si vous-même devenez roi un jour, Gwydion, ce sera uniquement parce que vous êtes enfant de la Déesse et lui êtes resté fidèle !

— Billevesées que tout cela ! s'exclama Mordred crachant par terre avec mépris. Ne vous est-il jamais venu à l'esprit, Niniane, que cette époque est révolue ? Qui, aujourd'hui, peut accepter de se soumettre à l'autorité d'un Haut Roi en vertu de sa seule naissance ? Non, Niniane, le fils du roi doit être désormais l'héritier du trône, et il n'y a aucune raison de rejeter ce principe — qui est bon — sous prétexte qu'il nous vient des Romains. Je respecte, il est vrai, les anciennes croyances, mais je n'ai nullement l'intention de lier mon destin à celui d'Avalon qui disparaîtra peut-être bientôt dans d'éternels brouillards. Je veux, j'ai décidé de régner à la suite d'Arthur, et c'est pourquoi il me faut maintenir sa cour à l'abri de toute calomnie. Pour cela, Lancelot doit partir. Arthur doit le chasser et Guenièvre doit le suivre. Oui ou non, Niniane, êtes-vous prête à m'assister dans ce légitime dessein ?

Niniane avait pâli. Chancelante, elle s'appuya aux pierres du rempart pour ne pas vaciller. Comme elle aurait voulu en cet instant être investie des pouvoirs de Morgane pour se dresser, tel un immense pont entre la terre et le ciel et frapper l'insolent de la fulgurante puissance de la Mère outragée !

— Vous aider à faire descendre Arthur de son trône est une chose, mais trahir une femme dont la seule faute est d'avoir choisi, conformément au droit donné par la Déesse, l'homme qu'elle voulait aimer, en est une autre ! lança-t-elle, sentant sur son front le petit croissant de lune la brûler.

— Guenièvre a perdu ce droit le jour où elle s'est agenouillée pour la première fois aux pieds du dieu des esclaves, ricana Mordred.

— Cela, vous n'avez pas à en juger !

— Dois-je comprendre que vous ne me direz rien quand elle recommencera à renvoyer ses femmes pour la nuit ?

— Vous m'avez parfaitement devinée, répondit fermement Niniane, tournant le dos pour signifier que l'entretien était clos !

Mais il la retint brutalement par le bras :

— Vous ferez ce que je vous ordonnerai de faire, Niniane !

— Jamais, m'entendez-vous, jamais ! cria-t-elle, se débattant comme une forcenée pour lui échapper. Arthur saura aussi quelle vipère il a élevée dans son sein !

Fou de rage, Mordred se rua sur elle et, perdant tout contrôle de lui-même, la frappa sauvagement au visage. Perdant l'équilibre sous le choc, Niniane glissa sur le sol et s'effondra de tout son long, son crâne heurtant violemment la pierre. Haletant, aveuglé par l'orgueil et le ressentiment, Mordred n'avait pas fait un geste pour empêcher sa chute ou lui venir en aide.

— Le nom que vous ont donné les Saxons vous convient comme un gant, clama alors une voix caverneuse semblant venir des profondeurs de la terre : « Mordred-parole-du diable », « Mordred-conseil-maudit » et maintenant « Mordred-meurtrier »...

Affolé, Mordred sursauta, cherchant d'où pouvait bien venir la voix accusatrice.

— Meurtrier ? Non ! Je n'ai pas voulu ! Non, je ne voulais pas !... Est-ce vous, Morgane ? Est-ce vous, mère ? interrogea-t-il, la gorge sèche, scrutant l'ombre qui s'épaississait autour de lui.

N'obtenant aucune réponse, pris d'épouvante, il s'agenouilla et tenta de relever la jeune fille inerte sur le sol.

— Niniane ! Niniane, ma bien-aimée, parlez-moi, je vous en

supplie ! Ouvrez les yeux, dites quelque chose ! Niniane, regardez-moi...

— Elle ne parlera jamais plus... reprit la mystérieuse voix tranchante comme un couperet.

Alors, devant Mordred, paralysé par la panique, une silhouette émergea du brouillard :

— Eh bien, mon fils, que se passe-t-il, qu'avez-vous ?

— Ah ! mère, c'est vous ! M'avez-vous tout à l'heure appelé meurtrier ? interrogea-t-il contenant mal des sanglots convulsifs.

— Meurtrier ?... Mais que voulez-vous dire et qu'avez-vous fait ? s'exclama Morgause apercevant le corps inanimé de la jeune fille.

— Nous nous sommes stupidement querellés, balbutia-t-il. A un moment, elle m'a menacé de prévenir Arthur que je complotais contre Lancelot...

Alors..., voulant seulement la dissuader de me trahir, je l'ai frappée, elle est tombée, et sa tempe a heurté les pavés...

— Elle a en effet une bien vilaine blessure, constata Morgause agenouillée près du corps. La pauvre enfant est morte ! Il n'y a plus rien à faire...

— Mon Dieu ! Que va dire le roi ? hoqueta Mordred, livide.

Voyant son désarroi, Morgause l'attira dans ses bras et le serra contre sa poitrine : oui, Mordred était son véritable enfant, il lui avait toujours appartenu depuis son plus jeune âge quand elle avait décidé de s'occuper de lui dont personne ne voulait. Aujourd'hui donc, plus que jamais, il était sien.

— Ne craignez rien, Mordred, je suis là, murmura-t-elle à son oreille, lui caressant distraitement les cheveux.

L'occasion était trop belle. Sa vieille haine à l'égard d'Arthur allait enfin pouvoir être assouvie. Gwydion, son fils préféré, allait le jeter au bas du trône, avec son aide à elle, Morgause, veuve du roi Loth des Orcades ! Niniane n'était plus mais elle était vivante ! Et quand Gwydion monterait sur le trône du Haut Roi, c'est elle qui régnerait à ses côtés. Elle seule serait désormais sa confidente et son soutien !

Alors, profitant de l'opacité de la brume, elle et Mordred

soulevèrent en silence le corps de Niniane, marchèrent lentement en direction des créneaux de la tour et basculèrent le cadavre dans le vide.

— Voilà, Niniane a fait une chute accidentelle, marmonna Morgause entre ses dents. Venez maintenant, mon fils, et n'oubliez pas que vous avez passé la matinée entière chez moi, dans mes appartements. Vous n'avez vu Niniane de toute la journée. Lorsque vous rencontrerez le roi, demandez de ses nouvelles ostensiblement en ayant l'air étonné et contrarié de son absence. Vous vous mettrez ainsi, s'il en était besoin, à l'abri de tout soupçon.

— Je ferai ce que vous demandez, approuva Mordred, la tête baissée dans une attitude de complète soumission. Pourrai-je un jour vous prouver toute ma reconnaissance ? Pour moi, vous êtes une vraie mère !

XVIII

Étendue sur son lit dans la pénombre, Guenièvre attendait Lancelot. Elle guettait sa venue tout en se remémorant le dernier sermon de l'évêque. Il avait insisté sur la chasteté bienfaisante des femmes, base de toute vie chrétienne, capable, seule, de racheter la faute originelle d'Ève. Il avait aussi rappelé la parabole de la femme adultère à laquelle personne n'avait osé jeter la première pierre, et que le Christ avait renvoyée en l'exhortant à ne plus pécher. N'était-ce pas la voie qu'elle-même devait suivre désormais ?

Mais méritait-elle d'ailleurs qu'on lui jette la pierre ? Certes elle avait commis le péché de chair avec Lancelot tout au début de leur amour, quand le roi les y avait encouragés l'un et l'autre pour tenter d'assurer sa propre descendance, mais ils s'étaient ensuite tous deux dégagés de ce lien charnel et leur union avait été dès lors davantage celle de deux âmes profondément unies. Oui, la seule présence de Lancelot avait suffi à la rendre heureuse. Dieu ne pouvait donc condamner la pureté de son amour, Dieu qui, lui, n'avait vécu sur la terre des hommes que par amour. Sans doute avait-il réprouvé, autrefois, le péché de son corps, mais elle avait fait et refait depuis tant de fois pénitence ! Et puis Dieu ne pouvait blâmer l'attirance des cœurs puisqu'elle s'était montrée bonne épouse pour Arthur, reine attentive et soumise en toutes occasions, lui ayant tout donné, sauf hélas le fils que le Ciel leur avait refusé. Non, on ne pouvait donc lui jeter la première pierre...

Un bruit discret près de la porte interrompit ses réflexions :

— Lancelot ? appela-t-elle doucement dans le noir, est-ce toi ?

— Non, ce n'est pas lui !

La voix avait glacé son cœur et la lumière aveuglante d'une torche l'obligea à fermer les yeux. En les rouvrant, elle reconnut, penché sur elle, le visage de Mordred.

— Mordred ! Comment osez-vous ? Sortez sur-le-champ ou j'appelle mes femmes !

— Ne bougez pas ! ordonna-t-il froidement, appuyant la pointe de son poignard sur la gorge de Guenièvre. Oh ! Ne craignez rien, je ne suis pas venu vous violer, ma Dame, vos charmes sont trop usés pour moi...

— Il suffit, Mordred ! coupa avec autorité une voix. Je ne tolérerai pas qu'on injurie la reine !

— Allons, vous autres, commanda quelqu'un d'autre dans l'ombre, dissimulez-vous derrière les tentures !

A la lueur d'une torche, Guenièvre reconnut avec stupéfaction Gauvain, puis Gareth, suivis de plusieurs hommes en armes.

— Vous aussi, Gareth ! interrogea-t-elle des sanglots dans la voix. Je vous croyais pourtant le plus fidèle ami de Lancelot...

— Je le suis, ma Dame, et ma présence ici n'a d'autre but que de l'assurer qu'il ne lui sera fait aucune violence. Sans moi, on lui aurait sans doute tranché la gorge sans autre forme de procès !

— Assez de paroles inutiles ! glapit sèchement Mordred en éteignant sa torche. Quant à vous, ma Dame, pas un mot, pas un bruit ou...

Guenièvre, sentant contre sa gorge le fer glacial de la dague, ferma les yeux et s'efforça de rester immobile. Un silence oppressant s'était fait dans la pièce de nouveau plongée dans l'obscurité, troublé seulement de temps à autre par le cliquetis d'une armure, ou un raclement de gorge rapidement réprimé. Combien étaient-ils dans la chambre ? Comment prévenir Lancelot du piège horrible qui lui était tendu ?

Pétrifiée, les nerfs tendus à l'extrême, les ongles enfoncés dans les paumes de ses mains à force de serrer les poings, elle gisait pantelante sur son lit. Au moindre mouvement, la pression de l'arme sur sa gorge s'accentuait.

C'est alors qu'elle entendit avec terreur le petit grattement bien connu à sa porte, accompagné d'un léger sifflement, doux comme celui d'un oiseau.

— Est-ce le signal de Lancelot ? souffla à son oreille Mordred ayant perçu son sursaut.

— Oui... murmura-t-elle éperdue.

— Nous sommes ici une douzaine. Un seul geste, un seul mot et vous êtes une femme morte ! menaça-t-il encore derrière elle.

Au seuil de la porte, dans une petite antichambre jouxtant la pièce, Lancelot se débarrassait prestement de ses vêtements et de son épée. Guenièvre voulut crier pour le prévenir du guet-apens, mais, au même moment, mû par son instinct, Mordred se précipitait sur elle et bâillonnait sa bouche de la main pour l'empêcher de donner l'alarme. Suffoquant, elle tenta un ultime effort pour se dégager, mais sentant entrer dans la peau tendre de son cou la pointe du poignard, elle dut y renoncer.

— Guenièvre, mon amour, interrogea Lancelot en se glissant près d'elle, qu'avez-vous ? Pourquoi tremblez-vous ainsi ?

— Fuyez, Lancelot, fuyez ! hurla-t-elle enfin, échappant d'un bond aux mains de Mordred. Vous êtes tombé dans un piège !

D'un coup de rein puissant Lancelot se dressa, tel un fauve furieux face à ses assaillants. Mais déjà des torches illuminaient la pièce, déjà Gauvain, Caï, Gareth et leurs hommes cernaient le lit et les amants entièrement nus.

— Mordred ! cria Lancelot, ne quittant pas des yeux ses adversaires, c'est une ignominie !

— Lancelot, intervint alors Gauvain d'une voix ferme et résignée, au nom du roi je vous accuse de haute trahison ! Il faut me remettre votre épée, et me suivre !

— Gauvain !... Gareth !... Au nom du Dieu de miséricorde, comment avez-vous pu vous abaisser à me tendre ici même cet odieux traquenard ?

— Lancelot, répondit Gareth d'une voix altérée, je vous le jure, j'aurais mille fois préféré la mort sur un champ de bataille plutôt que d'être le témoin de cette scène !

Accablé par la trahison de ses meilleurs amis, meurtri, humilié au plus profond de son âme, Lancelot baissa les yeux.

— Habillez-vous ! ordonna froidement Gauvain. Vous ne pouvez vous présenter ainsi devant le roi. Les témoins de votre forfait sont assez nombreux pour que vous ne puissiez nier.

Se refusant à lui répondre, Lancelot se contenta d'acquiescer de la tête et, quittant la pièce, se dirigea lentement vers l'antichambre pour remettre ses effets qu'il endossa avec des gestes d'automate.

Le voyant prêt, Mordred, triomphant, s'adressa à lui :

— Suivez-nous ! Au moindre geste de rébellion nos armes se chargeront de vous remettre dans le droit chemin ! Quant à vous, mère, surveillez étroitement la reine jusqu'au moment où elle comparaîtra devant le roi.

Avec consternation Guenièvre comprit alors que Morgause elle aussi était là. Bien plus, elle avait à coup sûr participé personnellement à l'élaboration du piège.

— Habillez-vous, Guenièvre, lui dit-elle, et coiffez-vous. Estimez-vous heureuse de ma présence. Sans moi, certains auraient préféré vous surprendre au beau milieu de vos ébats.

Rougissante de honte, Guenièvre, se mordant les lèvres jusqu'au sang, dédaigna de répondre. Elle enfila une chemise, mortifiée à l'extrême par les regards d'hommes qui se posaient sur elle.

— Allons, ma Dame, passez vite une robe maintenant, cria Mordred avec un mauvais rire et ne jouez pas pour nous les vierges effarouchées !

Elle n'avait pas plus tôt obtempéré aux ordres, que Guenièvre vit Lancelot se ramasser sur lui-même puis, rapide comme l'éclair, se ruer sur Gauvain et lui arracher son épée. Comme Mordred volait à la rescousse pour le transpercer de son arme, Lancelot fit face, la pointe de l'épée en avant et le toucha de plein fouet à l'épaule. Perdant son sang en abondance, le jeune homme s'écroula en poussant un grand cri qui se répercuta à travers tout le château.

Caï voulut alors intervenir. Il fit un pas en levant son épée. Mais Lancelot plus rapide, l'ayant déséquilibré en lui jetant en plein visage un des coussins du lit, il trébucha sous le choc et s'affala de tout son long. Dès lors la mêlée devint générale. D'un seul élan, tous se précipitèrent sur Lancelot pour le neutraliser. Mais celui-ci, bondissant comme un diable, les forces décuplées par le danger, assénant des coups de tous côtés en faisant de terribles moulinets avec sa lame, fit rapidement le vide autour de lui. Seule, l'imposante silhouette de Gareth le menaçait toujours. Pas pour longtemps. Le haut du crâne fendu, lui aussi finit bientôt par s'écrouler comme une masse sur les autres.

Profitant de la confusion générale, Lancelot alors sauta sur le lit, saisit Guenièvre par le bras, la tira à lui de toutes ses forces en l'entraînant vers la porte :

— Vite ! Courons aux écuries et fuyons !

Comment elle se retrouva à l'extérieur de la chambre, Guenièvre ne le sut jamais. Soulevée, happée par des bras puissants, elle fut bientôt dehors. Lancelot s'était frayé la voie à travers le château à la pointe de son épée. Combien de gardes s'écroulèrent-ils sur son passage, cela non plus Lancelot ne put davantage le dire. Seules résonnèrent longtemps en lui les supplications de Guenièvre l'adjurant de fuir sans elle, de la laisser implorer elle-même le pardon du monarque.

Refusant de l'entendre, il s'était alors engouffré avec elle dans l'écurie, avait jeté en toute hâte une selle sur un coursier, puis ayant enfourché l'animal, avait enlevé dans ses bras la reine titubante.

— Tenez bon, mon amour ! Accrochez-vous à moi ! lui avait-il encore crié, enlevant comme un fou sa monture dans un galop d'enfer.

Morgause était restée prostrée au milieu de la chambre de Guenièvre, les yeux emplis d'horreur fixés sur Mordred qui sanglotait sur le corps de Gareth.

Ainsi, le sang de son fils adoptif se mêlait-il maintenant à celui de son plus jeune fils, Gareth, étendu sans vie dans une flaque rouge ! Se décidant enfin à réagir, Morgause déchira un morceau de drap pour en faire un bandage qu'elle enroula étroitement autour de la blessure de Mordred.

— La reine et Lancelot viennent de s'enfuir. On les poursuit déjà. Ils sont perdus. Personne n'acceptera de les cacher, dit alors Gauvain d'une voix rauque ! Lancelot a été pris sur le fait. Il a trahi son roi, il sera désormais chassé de partout. Mon Dieu, pourquoi, en est-il arrivé là ?

Les larmes aux yeux, il s'agenouilla près de Mordred, devant le corps de Gareth :

— Mon pauvre frère, moins que tout autre tu méritais ce sort cruel ! Tu as payé de ta vie notre folie à tous, la folie de ces amants maudits, la folie de celui que tu considérais comme un dieu ! Mais je te vengerai ! Oui je le jure, je tuerai Lancelot un jour, même si je dois moi-même y trouver le trépas !

— Allons, Mordred, relevez-vous, demanda Morgause, essayant de reprendre le contrôle d'elle-même. Rien ne sert de se lamenter. Hélas ! nous ne pouvons plus rien pour Gareth. Tâchons au moins de soigner vos blessures. Ensuite nous irons voir le roi et lui dénoncerons les coupables de cette tragédie.

Comme elle posait sa main sur son épaule dans un geste consolateur, Mordred leva vers elle un visage déformé par la haine :

— Je ne veux plus vous voir, jamais, conseillère maudite ! Gareth était le meilleur de nous tous. Et maintenant, par votre faute à vous, il est mort !

— Mordred, comment pouvez-vous me parler ainsi ? Gareth était mon fils bien-aimé et je vous aime tous !

— Vous nous aimez ? Mais vous ignorez jusqu'à la signification du mot « amour ». Vous ne vous êtes jamais préoccupée d'autre chose que de votre plaisir et de votre ambition ! Si vous m'avez poussé à succéder au roi, c'est uniquement parce que vous vouliez votre part du pouvoir ! Disparaissez de ma vue à jamais ! Votre visage, votre présence me répugnent ! Retournez en Lothian ou au diable, si vous le préférez, mais je ne veux plus vous voir ! Allez-vous-en ! Cormac ! Qu'on reconduise la reine Morgause à ses appartements !

Livide, Morgause quitta la chambre. Ainsi Gwydion qu'elle avait élevé, aimé comme son propre enfant, la chassait comme une misérable. Soutenue par Cormac, elle gagna sa chambre en trébuchant et s'effondra sur son lit.

— Voulez-vous que j'appelle vos femmes ? interrogea-t-il respectueusement.

— Non... non, Cormac, supplia-t-elle, l'air éploré !

Puis, essuyant une larme, elle chuchota d'une voix volontairement enjôleuse :

— Vous m'avez toujours été si fidèle, si dévoué, Cormac.. Vous êtes maintenant le seul à qui je souhaite me confier... Approchez, venez près de moi !

Fermant les yeux, la tête renversée en arrière, dans l'attitude provocante d'une femme sur le point de s'offrir, elle tendit alors les bras vers lui...

— Ma Dame, en de telles circonstances ? La douleur vous égare ! répliqua le jeune homme interdit. Laissez-moi plutôt appeler vos femmes : elles vont vous préparer une tisane qui vous aidera à vous remettre et à dormir. Quant à moi, je vous laisse, on a besoin de moi.

S'éclipsant sur la pointe des pieds, il laissa l'orgueilleuse souveraine trop accablée pour le retenir, anéantie sous le poids de ses défaites successives : Gareth était mort, Mordred l'avait chassée, Cormac maintenant la repoussait, Arthur allait être pour toujours son ennemi juré. Elle était seule, elle était vieille, rejetée, abandonnée par tous... Elle avait joué et elle avait perdu !

Un grand pan de sa cape flottant au vent, les bras et le corps soudés au dos de son amant, Guenièvre les yeux fermés, ivre de peur et de joie, fendait la nuit avec Lancelot sur le cheval qui avait pris le mors aux dents. Derrière eux s'éloignaient l'horreur, le désastre qu'elle savait irréparable, puisque Gareth et plusieurs hommes d'armes étaient tombés sous l'épée de Lancelot. Arthur ne pardonnerait jamais.

La monture épuisée ayant enfin ralenti d'elle-même, Lancelot lui fit prendre le trot, puis le pas.

— Il faut nous arrêter, mon amour, dit-il en posant ses lèvres sur la joue enfiévrée de Guenièvre. Le cheval a besoin de repos et nous aussi.

Ayant mis pied à terre au cœur d'un bois touffu, il la prit dans ses bras pour l'aider à descendre. Puis, ayant mené son coursier paître près d'un ruisseau qui serpentait non loin d'une petite clairière, il revint vers elle, étendit son manteau sur les fougères, la fit asseoir tendrement près de lui.

— Voyez, c'est l'épée de Gauvain que j'ai à mon côté ! Quand je n'étais encore qu'un tout petit garçon, j'adorais les histoires de chevalerie, mais j'ignorais alors qu'elles pouvaient mener à de pareilles extrémités ! Mon Dieu ! Il y a encore du sang sur la lame... A qui appartient-il ? Je ne sais. Tout s'est passé dans un tel brouillard, j'étais comme fou...

— Tout est de ma faute, Lancelot, murmura Guenièvre avec un soudain désespoir, les morts, les blessés, notre fuite, et aussi cette grande détresse qui est en vous maintenant.

— Non, ma douce. Je suis seul responsable de mes actes... Je suis heureux de vous avoir définitivement arrachée à l'univers qui était le vôtre jusqu'à ce drame !

— Mais n'est-il pas trop tard aujourd'hui ?

— Non, Guenièvre. Nous sommes jeunes encore, et personne ne pourra plus nous empêcher de nous aimer. Enfin nous voici réunis pour toujours !

Elle lui tendit les bras. Elle n'avait plus que lui au monde. Elle et lui étaient seuls, ensemble, côte à côte sous le ciel. S'abattant avec fougue sur leur lit de fougères, emportés dans un torrent de feu, longuement, tendrement, ils s'aimèrent avec une force, un délire qu'ils n'avaient jamais connus, puis s'endormirent corps à corps, haleines confondues, étroitement unis sous la cape de Lancelot.

Aux premiers rayons du soleil, ils étaient debout, les cheveux et la peau parsemés de brindilles et de feuilles mortes. Se découvrant l'un l'autre ainsi parés, ils éclatèrent de rire à l'unisson, tentèrent de s'épousseter, de se recoiffer, y renoncèrent, puis s'embrassèrent à nouveau avec ravissement, heureux d'être enfin libres de s'aimer sans contrainte.

— Nous avons l'air de gueux ! s'exclama-t-elle avec une gaieté dont elle avait oublié l'existence. Qui reconnaîtrait le célèbre Lancelot du Lac et la Haute Reine de Grande Bretagne dans cet habit de feuilles mortes ?

— Tu ne l'aimes pas ?

— Si ! Il nous va à merveille ! Si tu savais comme je suis heureuse ! Je me sens une autre femme. Je n'étais pas faite pour être reine...

— Guenièvre, mon amour, viendras-tu avec moi en Armorique ? demanda-t-il, de nouveau l'air grave.

Oui, elle l'accompagnerait au bout du monde s'il le fallait, en Armorique, ou ailleurs, en Gaule, à Rome, plus loin encore s'il le voulait. Ils ne se quitteraient plus, ils ne cesseraient plus de s'aimer, de vivre l'un pour l'autre, l'un par l'autre.

— Oui, j'irai où tu voudras, répéta-t-elle, les larmes aux yeux, l'étreignant à nouveau, dans un moment d'irrépressible exaltation.

Mais lorsque, quelques instants plus tard, après avoir cueilli quelques baies au hasard, ils quittèrent à cheval le couvert du bois pour se retrouver dans la plaine, Guenièvre sentit le doute l'assaillir. Franchir la mer pour chercher refuge en Armorique, chez un des descendants de Ban de Bénoïc ? Le pourraient-ils seulement ? Arthur allait tout faire pour les poursuivre et les châtier même si, tout au fond de lui, il ne le souhaitait pas, ne pouvant agir autrement vis-à-vis de la cour et de son peuple.

Et puis comment réagirait Lancelot à la longue, rongé par le remords d'avoir tué celui qu'il aimait entre tous depuis toujours ? Ne serait-il pas alors enclin à voir en elle, non plus l'objet de son amour, mais la cause de son égarement ? N'irait-il pas ensuite jusqu'à penser être devenu assassin par sa faute ? Qu'adviendrait-il alors d'eux-mêmes, de leur amour ?

Les bras noués autour de la taille de Lancelot, Guenièvre sentit des larmes brûlantes couler sur ses joues. Pour la première fois, elle comprenait vraiment qu'elle était la plus forte des deux, qu'elle allait donc devoir décider seule de leur avenir.

Lorsqu'ils s'arrêtèrent enfin au milieu de la matinée, pour laisser souffler leur monture, elle fit d'abord dans l'herbe quelques pas incertains, puis se tourna vers lui, tâchant de maîtriser sa peine.

— Lancelot, c'est impossible, je ne traverserai pas la mer avec toi, je dois cesser d'être un objet de discorde pour le roi et tes compagnons. Un jour viendra où Arthur aura besoin de tous ses chevaliers. Je ne veux point ressembler à cette Hélène qui provoqua, naguère, tant de drames dans la cité de Troie !

— Guenièvre, ma tendre, ma vie, que vas-tu devenir ? Je ne veux pas, je ne pourrai jamais t'abandonner...

— Il le faut, Lancelot. Conduis-moi à l'île de Glastonbury, dans ce couvent de mon enfance. Je dirai simplement aux nonnes que je souhaite demeurer quelque temps parmi elles. Puis j'enverrai un message à Arthur pour lui apprendre ma retraite et le supplier de faire la paix avec toi !

Lancelot, déchiré, voulut protester, la retenir, mais au fond de lui-même, il éprouvait malgré lui une sorte de soulagement.

Sans doute, la reine avait-elle espéré secrètement qu'il allait refuser, la prendre dans ses bras, à son corps défendant, la forcer à le suivre par-delà les mers, lui avouer même que, sans elle, il mourrait à coup sûr. Mais telle n'était pas la force d'âme de son chevalier d'amertume. Plus fortes que l'amour, toutes les incertitudes de sa nature trop malléable se liguaient en lui pour réduire à néant son tout dernier espoir.

Après une longue conversation, des pleurs, des atermoiements, des protestations de fidélité éternelle Lancelot capitula et décida de tourner bride. Ils se remirent donc en selle et prirent en silence la direction de Glastonbury.

Au soir le clocher de l'église apparut soudain dans le lointain rose du crépuscule et bientôt ils étaient dans la barque voguant irrémédiablement vers l'île. Les cloches sonnant l'Angélus, Guenièvre baissa la tête et murmura quelques mots de prière, l'ineffable sérénité du lac l'aidant à apaiser les battements de son cœur.

Lancelot, immobile à l'autre extrémité de l'embarcation, semblait chercher quelque écho à sa désespérance dans les reflets de l'eau. Un seul mot, un seul geste, un seul regard, — Guenièvre le savait — et tout serait perdu. Leurs belles résolutions s'évanouiraient comme neige au soleil au premier souffle du printemps. Il fallait donc rester de marbre, se fermer, ravaler désespérément ses larmes. Elle devait tenir jusqu'au bout, demeurer la plus forte. Dieu l'aiderait pour le reste.

— Guenièvre ?... Êtes-vous bien certaine de ne pas regretter un jour cette affreuse décision ? demanda Lancelot d'une voix blanche alors que la barque accostait avec un crissement sinistre le long de la berge.

— Non, Lancelot, j'en suis certaine, affirma-t-elle écartelée, mentant de toute son âme.

Alors, jusqu'à la porte du couvent, il l'accompagna à pas lents. Les religieuses reconnurent sans peine sous les traits de la Haute Reine, l'enfant qu'elles avaient élevée. Guenièvre expliqua brièvement qu'elle souhaitait se retirer provisoirement du monde pour vivre désormais avec elles dans la solitude et la paix.

— Vous êtes la bienvenue parmi nous, et vous pourrez demeurer ici le temps qu'il vous plaira, dit la supérieure après avoir respectueusement écouté la reine. Vous devez seulement savoir que, dans notre maison, la maison de Dieu, vous ne serez pas considérée en souveraine. Vous ne serez rien d'autre qu'une humble sœur parmi nous !

Ayant acquiescé d'un simple mouvement de tête, Guenièvre revint vers Lancelot. L'heure des adieux avait sonné. Une dernière fois, il tenta de la faire revenir sur sa décision.

— Non, dit-elle simplement. Je te renvoie à Arthur, et je te demande de lui dire que je n'ai jamais cessé de l'aimer.

— Oui, je sais, balbutia Lancelot la gorge nouée. Moi non plus, je n'ai jamais cessé de l'aimer. Adieu, adieu, ma Dame, mon tendre amour. Je ne t'oublierai jamais. Je t'en suppplie, prie pour moi autant que je penserai à toi jusqu'à ma mort.

Déchiré, les yeux brouillés de larmes, Lancelot partit sans se retourner et Guenièvre crut, un instant, que les murs du couvent allaient s'effondrer sur elle et l'enterrer vivante. Puis la porte se referma derrière lui avec un petit claquement sec qui résonna comme un gong jusqu'au fond de son âme.

Loin des hommes, loin du monde et des passions, loin des angoisses, de la haine, de la jalousie, elle était à jamais sous la protection de Dieu.

Pour Lancelot, qui galopait maintenant vers Arthur, pour leur amour, pour tous ceux qu'elle avait si tendrement aimés et qu'elle ne reverrait plus, pour Morgane qui, un jour, il y a si longtemps l'avait ramenée à ce couvent en compagnie d'un jeune et ardent chevalier lorsqu'elle s'était perdue dans les brumes d'Avalon, elle faisait sacrifice de sa vie.

La tête penchée sur l'épaule, les lèvres agitées d'un léger tremblement, faisant des efforts désespérés pour refouler ses larmes, Guenièvre traversa le cloître à pas lents. Elle se dirigea vers la grande porte du bâtiment réservé aux femmes. Derrière cette dernière l'abbesse l'attendait. L'ombre effaça soudain sa silhouette, les deux battants tournèrent en grinçant sur leurs gonds et se refermèrent sur elle pour toujours.

LE PRISONNIER DU CHÊNE

Morgane parle...

« Le Don m'avait-il abandonnée ? Fallait-il songer, comme Viviane autrefois, à renoncer à être la Dame du Lac ? Hélas, Niniane était morte, et il n'y avait personne d'autre pour servir après elle la Mère Éternelle. La situation semblait désespérée.

« Sur l'île du Dragon, l'autel de la Déesse avait été violé, le cerf était maintenant pourchassé dans la forêt comme un vulgaire gibier, et le Petit Peuple, lui-même, poursuivi, massacré, comme lui. Les grands équilibres du monde vacillaient, les forces primordiales subissaient des mutations profondes.

« Camelot, à son tour, semblait dériver dans la brume, assailli par la guerre qui de nouveau faisait rage d'une extrémité à l'autre du royaume, les hommes venus du Nord de plus en plus nombreux dévastant tout sur leur passage. D'autres dieux, d'autres croyances allaient bientôt balayer le passé. La Déesse abandonnait les hommes, comme elle abandonnait Avalon.

« Une nuit, pourtant, dans ce grand bouleversement, un rêve ou une vision m'obligea à me lever et à me diriger vers le Puits Sacré. Penchée sur le miroir liquide, je n'entrevis d'abord que ruines et combats, partout, du nord au sud du royaume. Personne ne savait ce qui s'était exactement passé entre Arthur et Mordred, après la tragique fuite de Guenièvre et de Lancelot, si ce n'est que la discorde avait éclaté parmi les vieux compagnons de la Table Ronde et qu'un conflit mortel s'était déclaré entre Lancelot et Gauvain. Ce dernier pourtant, sur le point de mourir, avait supplié Arthur, avant de rendre l'âme, de faire la paix avec Lancelot et de le rappeler auprès de lui. Mais il était trop tard et Lancelot n'avait pu accomplir son vœu. Par ailleurs de nombreux guerriers avaient déjà décidé de rallier le clan de Mordred qui affrontait ouvertement le Haut Roi.

« Une heure environ avant l'aube, l'eau s'éclaircit soudain et, dans la lumière incertaine, je vis enfin apparaître mon fils : Mordred avait une épée à la main. S'avançant lentement dans les ténèbres, il paraissait chercher un ennemi embusqué, comme Arthur jadis voulant défier le Roi Cerf, pour gagner sa souveraineté, après la mort de son père. Aujourd'hui, hélas, sur cette terre père et fils en venaient à croiser le fer, les fils voulant de leur vivant arracher la couronne à leurs pères. Et je voyais soudain le sol devenir rouge du sang versé par ces fils refusant d'attendre le trépas naturel de leurs pères pour devenir rois à leur place.

« Oui, là, dans l'ombre, c'était Arthur que je voyais maintenant, isolé des siens, Excalibur à la main ..

« Une brise légère ayant ridé la surface de l'eau comme le temps qui passe, je l'aperçus à nouveau endormi sous sa tente. Lancelot, cette fois, veillait sur son sommeil. A quelques lieues de là, Mordred dormait aussi entouré de ses troupes et des sentinelles nombreuses montaient la garde autour du Lac.

— Arthur, oserez-vous vous battre contre moi ? Ou avez-vous si peur que vous ne préfériez laisser au fourreau votre épée ? résonnait la voix de Mordred dans la forêt.

— Non ! Jamais je n'ai refusé un défi ! répliquait Arthur se retournant à l'instant même où Mordred sortait du couvert.

— Ainsi, mon fils, vous voici ! Qui, un jour, aurait pu croire que nous en viendrions à nous entretuer ! Que vous ai-je donc fait, Mordred, pour mériter de votre part une telle hostilité ?

— Autant que vous le sachiez : je n'ai jamais ressenti à votre égard autre chose que de la haine. Pourquoi croyez-vous donc que je suis né, sinon pour jouir de cet instant et vous occire de ma main ? Nous sommes les instruments d'une cause qui dépasse notre propre entendement, roi Arthur. Si vous en doutez encore, demandez-en raison à la Dame du Lac, ma mère et votre sœur.

— Morgane ? Sans doute m'a-t-elle tenu rigueur d'avoir refusé de lui rendre Excalibur, mais j'ignorais que ce fût à ce point, ironisa Arthur. Êtes-vous bien certain, mon fils, d'accomplir sa volonté suprême en vous dressant contre moi, l'épée à la main ?

— Ne vous méprenez pas sur mes paroles, mon père, car je ne suis pas son serviteur, ricana Mordred. D'elle ou de vous, je ne sais pour lequel ma haine est la plus forte...

« Le rêve, ou la vision prémonitoire, continuait à se dérouler sous mes yeux terrifiés. Ainsi me retrouvai-je bientôt sur la rive du Lac, debout entre Mordred et Arthur prêts à s'affronter.

— Écoutez-moi ! Au nom de la Déesse, je vous abjure de vous réconcilier ! hurlai-je dans ma détresse. Si j'ai péché contre vous, Arthur, et contre vous aussi, Mordred, alors, c'est à moi seule d'en assumer les conséquences et d'en payer le prix. Une dernière fois, je vous en supplie donc, renoncez à ce combat impie !

— La Déesse ne représente plus rien pour moi, soupira Arthur avec tristesse posant la main sur la garde d'Excalibur. Elle m'était longtemps apparue sous vos traits, mais vous vous êtes détournée de moi, Morgane. Rejeté alors par la Déesse, je me suis agenouillé devant un autre Dieu !

— Et moi, cria Mordred en m'accablant de son mépris, je n'avais nul besoin de déesse, mais seulement d'une mère ! Mais vous avez préféré me livrer aux mains d'une femme ignorant les dieux et les démons !

« Moi aussi, j'aurais voulu crier, leur clamer que je n'avais pas eu la possibilité de choisir, que je n'étais pas entièrement responsable, mais il était trop tard. Dans un choc affreux ils s'étaient rués l'un sur l'autre, brandissant sauvagement leurs épées, abolissant ma présence comme volute de fumée ou chimère.

« Sans transition je me retrouvai alors à Avalon, penchée sur l'eau, épouvantée de ne plus rien y voir, sinon une énorme et grandissante flaque de sang. La bouche sèche, le cœur prêt à se rompre, le monde, me semblait-il, s'écroulait autour de moi. Cette fois j'avais irrémédiablement échoué... échoué partout. J'avais trahi la Déesse, j'avais trahi Avalon, j'avais trahi les hommes, j'avais semé la ruine...

« Une lueur d'un rose nacré montait lentement de la brume. Bientôt, le soleil triomphant illuminerait la nature, bientôt, là-bas, au-delà du Lac, deux hommes, un père et un fils, Arthur et Mordred, allaient, je le savais, se défier jusqu'à la mort.

« Le cœur vide, l'âme en déroute, je regagnai le rivage pour appeler la barge. Ce n'était plus seulement la Dame du Lac qui montait dans l'embarcation, mais aussi Morgane-la-Prêtresse-vierge, celle qui avait envoyé Arthur se mesurer au Roi Cerf, Morgane-la-Mère, déchirée par la naissance de Gwydion, Morgane-la-Reine-des-Galles-du-Nord, provoquant la colère d'Accolon contre Arthur, Morgane-la-Dame-des-Ténèbres, Morgane-la-Reine-des-Fées, Morgane, enfin, qui attendait Vieille-Femme-La-Mort...

« Parvenue sur l'autre rive, un épouvantable spectacle m'attendait : Lancelot était agenouillé auprès d'Arthur, allongé sur la terre, la poitrine transpercée, les cheveux pleins de sang. Arthur, mon frère, mon amant, que j'avais tenu, la joie au cœur, sur mes genoux quand il était petit ! Gwydion, mon fils, gisait mort non loin de lui, Gwydion, l'enfant que j'avais si peu connu, Mordred...

« A les voir ainsi réunis tous les deux, je sus d'emblée qu'ils symbolisaient la fin dramatique d'un monde : dans les jours anciens, le jeune animal jetait à terre le vieux Roi Cerf pour devenir lui-même Roi Cerf ; aujourd'hui, le jeune cerf avait succombé de la main du vieux roi qui restait seul... Il n'y aurait plus jamais de Roi Cerf, plus jamais. Et hélas le Roi Cerf, lui aussi, allait mourir.

— Arthur, lui dis-je, ce meurtre vous interdit de

conserver, ne serait-ce qu'un instant, Excalibur à vos côtés ! Tirez votre épée du fourreau et jetez-là, loin, très loin, le plus loin possible, dans les profondeurs du Lac ! Le plat, la coupe et la lance ont déjà quitté le monde. Le dernier des insignes sacrés, l'épée Excalibur, doit maintenant les rejoindre.

« Mais Arthur protesta. S'agrippant à l'épée, il balbutia :

— Non !... je ne peux m'en séparer... je dois la garder pour... ceux qui viendront après moi... Elle servira de signe de ralliement. Je la confierai à Lancelot pour qu'il la remette solennellement aux Chevaliers de la Table Ronde... Ils se la transmettront ainsi de génération en génération jusqu'à la fin des temps...

— Non, lui dis-je doucement, non, Arthur, cette époque est révolue. Nul après vous ne possédera jamais plus Excalibur, l'épée magique !

« Non sans mal, je parvins alors à desserrer ses doigts et à libérer l'arme. Puis je criai :

— Lancelot, prenez-la, et jetez-la très loin, le plus loin possible ! Qu'elle disparaisse à jamais au fond du Lac !

« Je ne sais si, en cet instant, Lancelot me vit et m'entendit, mais il se saisit de l'épée. De mon côté j'avais pris Arthur dans mes bras et je le berçais tendrement. Sa vie, je le sentais, s'en allait peu à peu. Seules restaient pour moi les larmes :

— Morgane... parvint-il encore à dire, le regard vitreux, Morgane... tout ce que nous avons fait, tout ce que nous avons tenté ensemble, n'a-t-il donc servi à rien ? Pourquoi avons-nous échoué ?

« Cette question, je me la posais à moi-même, et je ne connaissais pas la réponse. Pourtant, celle-ci me vint à l'esprit, instantanément :

— Non, Arthur, mon frère, mon amant, vous n'avez pas échoué. Grâce à vous, cette terre a connu la paix durant de longues années, et les Saxons l'ont épargnée. Pour toute une génération d'hommes, vous avez fait reculer les ténèbres. La civilisation a progressé. Si ce royaume était tombé entre les mains des Saxons au lendemain de la mort d'Uther Pendragon, tout ce qui alors était beau et bon aurait disparu à jamais des îles de Grande Bretagne. Non seulement vous n'avez pas échoué, Arthur, mais votre nom et votre règne seront à jamais célébrés jusqu'à la fin des temps.

« J'ignorais si ces paroles me venaient d'ailleurs, si elles correspondaient à la vérité, ou si je ne les prononçais que pour réconforter Arthur, comme je le faisais lorsque jadis Ygerne me confiait le petit garçon en larmes pour le consoler : « Morgane, disait-elle toujours, prenez grand soin de votre frère... » N'était-ce pas finalement ce que j'avais fait durant toute ma vie, et n'était-ce pas la Déesse elle-même qui avait déposé dans mes bras Arthur pour la dernière fois ?

« Arthur posa ses doigts tremblants sur la blessure béante qui lui déchirait la poitrine.

— Si j'avais eu le fourreau que vous avez brodé pour moi, Morgane, articula-t-il avec peine, je n'en serais pas là. Je vais mourir, Morgane... par votre faute... vous le savez... mais je vous aimerai toujours... Morgane... toujours...

« Comme je le serrais plus fort encore contre mon cœur, soudain, dans la lumière naissante de l'aube, je vis Lancelot s'éloigner, Excalibur à la main, puis la lancer de toutes ses forces dans les eaux. Un instant l'épée sacrée tournoya dans l'air, accrocha un rayon de lumière, comme l'aurait fait l'aile étincelante d'un oiseau, puis, plongea dans le Lac et disparut à mes yeux, éblouis par le soleil levant.

« Alors la voix de Lancelot, une voix métallique d'un autre monde, s'éleva :

— J'ai vu une main sortir du Lac ! Oui, une main a saisi l'épée. Par trois fois elle l'a brandie puis l'a entraînée avec elle sous les eaux...

« Moi, je n'avais rien vu, rien qu'un éclair d'argent

tel un poisson jaillissant hors de l'eau et replongeant dans une gerbe scintillante. Mais Lancelot, lui, avait-il vu vraiment la main de la Déesse ?...

« La tête d'Arthur pesait de plus en plus lourd sur ma poitrine, comme celle d'un enfant sur le point de s'endormir, comme celle du Roi Cerf lorsqu'il s'était allongé sur moi radieux et triomphant. Jamais je n'oublierai ses dernières paroles, imperceptibles vibrations dans l'air diaphane du matin :

— Morgane, je meurs heureux... Jurez-moi que nous ne nous quitterons plus jamais... que vous êtes pour moi Morgane la Fée, la Déesse-Éternelle !...

— Non, je le jure, je ne vous quitterai jamais plus mon frère, mon amant bien-aimé, murmurai-je éclatant en sanglots en embrassant ses yeux fermés.

« Le Roi expira au moment même où les brumes se levaient. L'instant d'après, l'île d'Avalon resplendissait sous les rayons glorieux de l'astre aux éternels recommencements. »

EPILOGUE

Les premières fleurs printanières parsemaient les prairies lorsqu'une nuit, Morgane fit un rêve étrange. Elle se trouvait dans l'ancienne chapelle construite par Joseph d'Arimathie lors de son retour de Terre Sainte. Devant l'autel où était mort Galaad se tenait Lancelot, vêtu de la longue robe des prêtres, le visage illuminé, élevant solennellement un calice entre ses mains. A la vue de Morgane, il s'agenouillait devant elle et disait :

— Prenez une coupe, vous qui avez servi la Déesse. Tous les Dieux ne sont qu'Un, et nous tous, ensemble, qui servons l'Unique, ne sommes qu'un aussi.

Morgane prenait la coupe, buvait en fermant les yeux, puis la portait aux lèvres de Lancelot. Il était prêtre, elle était prêtresse.. Alors, dans un éblouissement, elle comprenait soudain que la coupe étincelante qu'elle tenait entre ses mains n'était autre que le Graal. Et comme pour confirmer cette révélation, Lancelot s'exclamait à grands cris :

— La lumière !... Voici la lumière !...

Puis il s'écroulait sur le sol, les bras en croix, immobile pour toujours.

Brusquement Morgane s'éveilla, la voix de Lancelot résonnant toujours en elle, dans le silence d'Avalon. Il était encore très tôt, et un écran de brume violacé masquait le paysage.

Elle se leva silencieusement, revêtit la robe noire des prêtresses et s'enveloppa étroitement la tête avec son voile de manière à dissimuler le petit croissant bleu qui marquait son front. Puis, dans la quiétude de l'aube, elle emprunta lentement le chemin qui menait à la vieille chapelle.

Seuls dans le silence crissaient sur la terre et les cailloux les pas des petits homme sombres qui la suivaient toujours. Les hommes du Petit Peuple ne restaient en effet jamais loin d'elle. Bien qu'elle les vît rarement de ses yeux de mortelle, elle sentait qu'ils l'accompagnaient partout comme leur Mère et leur prêtresse, et ce n'est qu'aux abords de la chapelle chrétienne qu'ils l'abandonnèrent subitement en s'évanouissant dans l'atmosphère.

Une lumière très pâle, comme à l'accoutumée, éclairait l'intérieur, et si puissante restait en elle l'impression de son rêve nocturne, qu'elle s'attendit même un instant à voir apparaître Lancelot, ébloui par l'éclat merveilleux du Graal, transfiguré par l'extase... Hélas ! il n'y avait personne dans l'église et elle-même n'avait rien en commun avec le Dieu des chrétiens, le Graal demeurant hors de sa portée, si tant est qu'il ait été présent.

Son rêve cependant continuait à l'habiter tout entière. Etait-ce un signe ou un avertissement ? Lancelot était-il mort ? Combien d'années s'étaient-elles écoulées dans le monde extérieur depuis qu'elle se tenait recluse à Avalon ? Elle l'ignorait. L'île dérivait maintenant si loin dans les brouillards qu'il devenait de plus en plus difficile, un peu comme autrefois, au Pays des Fées, d'y mesurer le temps par rapport à celui de l'univers des hommes.

Songeuse et incertaine, elle sortit de l'église. Puisqu'il lui était encore donné de pouvoir se rendre d'un monde à l'autre, elle devait en profiter pour accomplir un dernier geste en l'honneur de la Déesse. Demain peut-être il serait trop tard ! Etant allée se recueillir devant le Buisson d'Épines, elle invoqua la Grande Mère puis, s'agenouillant, coupa avec sa faucille la plus belle branche pour aller la replanter sur l'île de Glastonbury. Ainsi, si Avalon disparaissait définitivement, l'Épine Sacrée fleurirait-elle encore quelque part sur la terre, et au fil des années grâce à ses nombreux rejets, elle deviendrait à son tour un buisson florissant sur lequel les pélerins futurs détacheraient de jeunes pousses pour les transplanter à travers le monde. Ainsi l'Épine Sacrée ne cesserait jamais plus de fleurir dans la ronde des siècles.

Rassérénée, Morgane se releva lentement, jeta un dernier regard vers le buisson sacré, descendit vers le Lac et monta dans la barge. Sans qu'elle ait besoin de donner le moindre ordre, les rameurs se mirent en mouvement. L'embarcation glissa un moment sur les eaux miroitantes puis pénétra dans les brouillards. A l'instant même où, ayant silencieusement abordé, Morgane posait le pied sur la rive de l'autre île, dans l'éclatante lumière du matin, les cloches se mirent à sonner à toute volée, mettant en fuite du même coup les petits hommes sombres qui l'avaient accompagnée, tirant comme des forcenés sur leurs avirons pour échapper aux vibrations abhorrées du carillon.

Morgane sourit. Elle s'engagea dans une sente presque invisible au milieu des feuillages, qui conduisait au cœur de l'île. Portant au bras un lourd panier de pommes, elle ressemblait à n'importe quelle paysanne venue vendre ses fruits. Comme le paysage, ici, était différent de celui d'Avalon ! La hauteur des collines, le tracé des chemins, la végétation tout entière, la transparence de l'air, rien n'y était semblable, et pourtant, il n'y avait guère plus de cent ans que l'île s'était trouvée séparée en deux quand les deux mondes avaient commencé à dériver en s'éloignant peu à peu l'un de l'autre.

Des voix, au loin, psalmodiant des prières, attirèrent son attention : un long cortège de moines descendait la colline en chantant. Quatre d'entre eux portaient un cercueil sur leurs épaules, et Morgane eut tout de suite le pressentiment que son rêve, hélas, allait devenir réalité.

S'étant en effet avancée à la rencontre de la procession, et profitant d'une brève halte des hommes de Dieu qui avaient posé le cercueil à terre pour se reposer, elle souleva légèrement le voile qui masquait le visage du mort. Non, son rêve ne l'avait pas trompée ! Le visage sans vie de Lancelot, un visage creusé d'innombrables rides mais ne reflétant ni chagrin, ni souffrance, un visage d'où émanait au contraire une sérénité radieuse comme si, juste avant de mourir, il avait enfin posé les yeux sur ce qu'il avait cherché toute sa vie, la regardait, figé dans son immobilité éternelle.

« Ainsi, c'était donc vrai, Lancelot avait fini par découvrir le Graal », pensa Morgane.

— Vous connaissiez cet homme, ma sœur ? interrogea respectueusement l'un des moines la prenant sans doute pour une sœur converse du couvent voisin.

— Oui, en effet, je l'ai connu. Il était... mon cousin...

— Vous savez donc qu'à la cour du roi Arthur, on l'appelait Lancelot du Lac, reprit le moine. Mais ici, nous l'appelions Galaad. Il était depuis longtemps avec nous, mais c'est seulement ces derniers jours qu'il a été ordonné prêtre.

La marche funèbre ayant repris, Morgane accompagna la procession jusqu'au porche de l'église, regarda les prêtres, le cercueil toujours sur leurs épaules, traverser la nef puis gravir lentement les marches de l'autel où Galaad, agenouillé, avait traversé en pensée le voile infime séparant les deux mondes, pour poser les yeux sur le Graal étincelant dans le sanctuaire d'Avalon. C'est alors qu'il avait tendu la main pour le toucher et qu'il était mort foudroyé. C'était donc là encore, au pied du même autel, que Lancelot allait retrouver son fils, être uni à lui pour l'éternité, dans une allégresse qui ne prendrait peut-être jamais fin.

Morgane sortit, s'éloigna en silence, ne sachant trop où diriger ses pas. A son approche, un vieil homme agenouillé près d'un parterre de fleurs leva la tête et l'apostropha avec curiosité :

ÉPILOGUE

— Je ne crois pas vous connaître, ma sœur. Êtes-vous venue ici en pèlerinage ?

En pèlerinage ? Non dans le sens sans doute où le vieillard l'entendait mais, d'une autre façon, certainement.

— Je cherche la tombe d'un membre de ma famille... On l'appelait « la Dame du Lac »...

— Oh, mon Dieu ! s'exclama le vieillard d'une voix chevrotante, c'était il y a bien longtemps oui, très longtemps, au temps du règne de notre vénéré roi Arthur. La tombe se trouve un peu plus loin, là-bas derrière ce bosquet. Vous n'avez qu'à suivre ce chemin, il vous y mènera tout droit. Allez ensuite au couvent : les sœurs vous donneront à boire et à manger. Vous pourrez même vous y reposer si vous êtes fatiguée.

La tombe, édifiée pour Viviane sur les ordres d'Arthur, était émouvante et grandiose. Mais elle n'avait jamais contenu autre chose qu'une enveloppe charnelle rapidement retournée à la terre. Viviane n'avait jamais été ici et n'y serait jamais. Elle était ailleurs, dans le chant de la pluie et du vent, dans les fleurs des pommiers d'Avalon, dans les reflets changeants du Puits Sacré, dans les brumes se diluant au soleil. Non, elle n'était pas ici, elle ne serait jamais ici, sous cette dalle de pierre, en terre chétienne. A genoux devant elle, Morgane cependant pleurait...

Un bruit de pas la fit sursauter et elle se releva rapidement. C'était une femme vêtue de noir, la tête couverte d'un voile blanc, une religieuse sans doute du couvent tout proche.

— Pourquoi pleurez-vous, ma sœur ? demanda-t-elle d'une voix douce. Celle qui repose ici a enfin trouvé la paix. Elle est heureuse au royaume de Dieu. Était-ce l'une de vos parentes ?

Morgane acquiesça de la tête, tentant en vain de refouler ses larmes.

— Nous ne cessons de prier pour elle, reprit la religieuse. Nous ne la connaissions pas, mais on dit qu'elle a été, il y a très longtemps, l'amie et la bienfaitrice du grand roi Arthur.

Les cloches s'étant mises à tinter de nouveau, la religieuse baissa la tête et s'absorba avec ferveur dans une prière. Souriant à travers ses larmes de se voir ainsi unie par le recueillement à l'une des prêtresses chrétiennes qu'elle avait combattues toute sa vie durant, Morgane resta à ses côtés sans bouger. Comme l'avait dit Lancelot dans son rêve de la veille et bien avant lui Merlin : « En définitive, tous les Dieux ne sont qu'Un. »

— Venez, accompagnez-moi jusqu'au couvent, proposa amicalement la religieuse, son oraison dite. Vous devez avoir faim et soif !

Morgane n'avait pas faim mais elle avait très soif, en effet. Elle accompagna donc sans protester la religieuse. Une jeune fille lui apporta un petit pichet d'eau dont elle emplit un gobelet d'étain.

— Nous ne buvons ici que l'eau du Puits du Calice, expliqua-t-elle, c'est une eau sacrée !

« Les prêtresses en effet ne boivent que l'eau du Puits Sacré... » murmura à l'oreille de Morgane la voix lointaine de Viviane.

Comme elle terminait son gobelet, l'abbesse fit son entrée. Toutes deux se saluèrent, puis se dévisagèrent attentivement : ce visage rappelait à Morgane de lointains souvenirs, mais elle était incapable de lui donner un nom. En revanche l'abbesse, elle, s'exclama tout de suite :

— Morgane !... Me reconnaissez-vous ? Nous vous pensions disparue depuis si longtemps !

Non, malgré ses efforts, Morgane ne remettait nullement cette belle et imposante silhouette..

— Morgane, rappelez-vous ! Nous nous sommes vues à Camelot. Cela remonte si loin évidemment ! Je m'appelle Aliénor, j'étais la femme de Gareth. Après sa mort, j'ai décidé de terminer mes jours dans ce couvent. Êtes-vous venue pour assister aux funérailles de Lancelot ? acheva-t-elle d'un ton si détaché que Morgane jugea inutile de répondre directement.

— Je suis venue me recueillir sur la tombe de Viviane, fit-elle simplement. Elle est, vous le savez, enterrée ici. Vous souvenez-vous d'elle ? J'ai, à son intention, une faveur à vous demander. J'ai dans mon panier un rejet du Buisson d'Épine

Sacrée qui pousse à Avalon. Je voudrais le planter sur sa tombe.

— Bien sûr, acquiesça Aliénor. Il est normal que l'Épine Sacrée pousse ici aussi et que tous les mortels puissent en profiter.

Mais, se reprenant aussitôt, comme si elle se rendait seulement compte du sens des paroles qu'elle venait de prononcer, elle s'exclama, horrifiée :

— Avalon ?... Morgane !... Vous venez vraiment de là-bas, de cet endroit maudit ?

— Non, pas maudit, Aliénor, répliqua doucement Morgane, pas maudit, mais béni puisque l'Épine Sacrée y fleurit miraculeusement à toutes les saisons ! L'Esprit Saint n'est-il pas également présent partout, à Avalon comme ailleurs ?

L'abbesse ne l'ayant pas contredite, plusieurs novices, jeunes et insouciantes, l'accompagnèrent jusqu'à la tombe de Viviane. Elles creusèrent un trou en chantant, se racontant mille balivernes sans grand rapport avec la spiritualité ou la religion.

Elles avaient entre quinze et dix-huit ans et étonnèrent Morgane par leur joie éclatante de vivre, leur charme et leur innocent babillage.

— Vous connaissiez la dame qui repose ici ? demanda l'une d'elles, les yeux brillants de curiosité.

— Si le roi Arthur, le plus chrétien de tous nos souverains, a désiré que cette dame soit enterrée ici, c'est sûrement qu'elle a été une très sainte femme ! ajouta une autre.

Morgane sourit, attendrie par le souvenir des prêtresses de la Maison des Vierges d'Avalon, si jeunes, si étourdies, elles aussi.

— Je ne sais pas si l'on peut dire qu'elle fut une sainte femme. Certains, autrefois, l'ont même traitée de sorcière, expliqua Morgane. Mais moi je l'aimais beaucoup.

— Comment peut-on dire cela ? Le roi Arthur n'aurait jamais accepté qu'une sorcière soit enterrée près d'un couvent ! s'exclama une novice en riant.

— Allez-vous rester parmi nous et prendre le voile ? demanda une toute jeune fille avec une déférence qui rappela une fois encore à Morgane celle des jeunes prêtresses de la Maison des Vierges.

— Non, mon enfant. On m'attend ailleurs.

— Votre couvent est-il aussi beau que le nôtre ? Et votre supérieure aussi bonne que Mère Aliénor ? poursuivit la jeune fille, achevant de creuser le trou où refleurirait bientôt le Buisson d'Épines, en enchaînant sans attendre la réponse : il y a même eu, ici, parmi nous, une ancienne reine, qui est morte maintenant ! Voilà, ouf ! C'est fini ! Je crois que nous pouvons maintenant planter la branche que vous avez apportée : voulez-vous que je le fasse ? Si vous voulez, je viendrai tous les dimanches l'arroser et faire une petite prière pour l'âme de la défunte qu'on appelait, je crois, « La Dame du Lac ».

— Prier n'est jamais inutile, je vous remercie, mon enfant, répondit Morgane, agenouillée sur le sol, les mains dans la terre, occupée à tasser la motte autour de la tige fragile, des larmes d'émotion roulant sur ses joues.

— Maintenant, si vous voulez, je vais vous faire visiter notre chapelle, proposa gentiment la novice. Nous prierons ensemble pour tous ceux qui en ont besoin.

Morgane fut sur le point de refuser, ayant juré, depuis qu'elle avait quitté la cour d'Arthur, de ne plus jamais entrer dans un sanctuaire chrétien. Mais la petite la touchait infiniment et elle ne voulait en aucun cas amenuiser l'enthousiasme pour Dieu qui l'habitait. Elle la suivit donc jusqu'à l'autel de l'église, devant lequel elle se contenta d'incliner respectueusement la tête en songeant qu'Avalon étant si proche, une parcelle de l'île Sacrée devait sûrement être incrustée dans ses pierres.

— Venez ! chuchota la jeune fille en l'entraînant. Cet autel est trop grand, trop beau, il m'intimide... je préfère vous montrer celui de notre petite chapelle.

Cette dernière était ornée de pleines brassées de fleurs de pommiers et abritait une statue de femme voilée portant un enfant dans ses bras.

— Voici Marie, la mère du Christ conçu sans péché, souffla

la jeune fille. Mais regardez, il y a d'autres statues, celle de Marie, qui aimait Jésus, et celle de Marthe, qui préparait les repas et demandait toujours à sa sœur de venir l'aider. J'aime penser à Jésus comme à un homme véritable, accomplissant les choses réelles de la vie. Là-bas, au fond, se trouve notre plus vieille statue. Elle a été offerte par l'évêque et vient d'Irlande. C'est sainte Brigitte !

De la pierre émanaient des vibrations puissantes qui, par ondes perceptibles, emplissaient le choeur de la chapelle d'une mystérieuse présence. Morgane s'inclina devant cette représentation de la Déesse telle que l'adoraient les Irlandais. Mais, que Patricius le voulût ou non, Brigitte n'était nullement une chrétienne, appartenant depuis longtemps à la foi très ancienne, celle du Vieux Peuple. Ainsi donc, la Déesse avait tenu à être présente même ici, et ces jeunes chrétiennes reconnaissaient implicitement ses pouvoirs en lui réservant une place d'honneur dans leur petit sanctuaire. Non ! Elle n'avait plus le droit d'en douter : jamais plus désormais la Déesse n'abandonnerait l'humanité, puisque la nouvelle foi l'accueillait parmi les siens.

La novice ayant regagné son couvent, Morgane, restée seule, tomba à genoux.

— Mère... murmura-t-elle, Mère, je savais que vous étiez en chacun de nous, mais je sais maintenant que vous aurez aussi votre place dans le monde de demain, dans le cœur de tous les hommes, dans le cœur de toutes les femmes.

Prosternée, Morgane demeura longtemps immobile, dans le silence absolu de l'église et, lorsqu'enfin elle releva la tête et dirigea ses regards vers l'autel, elle vit — comme une fois déjà dans l'ancien sanctuaire chrétien d'Avalon, puis dans la grande salle de Camelot — elle vit briller une douce lumière et distingua entre les mains de la Dame du Lac l'ombre, l'ombre seulement, d'un calice...

« A Avalon, comme ici, comme partout dans le monde, ceux qui cherchent trouveront partout et toujours... » Ces paroles venaient-elles de parvenir à son oreille par la voix caressante de sa mère Ygerne, par celle de Viviane ou celle de la Déesse ? Toujours est-il qu'au même instant, une main se posait sur sa tête et qu'une grande illumination emplissait son être et la chapelle.

Non, ils n'avaient pas échoué, et les mots qu'elle avait prononcés pour aider Arthur à mourir correspondaient à la vérité éternelle. Oui, elle avait accompli la mission que lui avait confiée sur terre la Déesse puisque sa présence était acceptée dans le monde d'aujourd'hui. Non, ils n'avaient pas échoué ! Elle avait seulement obéi, jusqu'au bout, totalement aux ordres reçus d'en-haut. Seul, son orgueil lui avait malignement soufflé d'aller plus loin encore, de faire davantage.

Sur la pointe des pieds Morgane quitta la pénombre du choeur et sortit dans le soleil qui ruisselait sur l'île. Elle était libre, légère, sereine, plus sensible que jamais aux parfums enivrants du printemps, aux frémissements de l'air, à l'azur du ciel. Les branches des pommiers se balançaient gracieusement dans la brise, déjà lourdes des fleurs qui, bientôt, seraient des fruits. Fallait-il se rendre au couvent, aller saluer Aliénor, ou suivre sa propre inclination ?

Alors, tournant résolument le dos à la maison de Dieu, elle s'engagea lentement sur le chemin qui conduisait au Lac. Quelques brefs instants elle longea le rivage, puis elle emprunta un layon oublié, une ligne mince et sinueuse séparant de plus en plus faiblement les deux mondes. Point n'était besoin pour elle d'appeler.

Quelques pas allaient lui suffire pour franchir l'imperceptible filet de brume et rentrer définitivement chez elle, dans l'Ile d'Avalon.

Morgane Morgane la Fée, avait achevé son œuvre.

CHEZ LE MÊME ÉDITEUR

Romans :

LES DAMES DU LAC
par Marion Zimmer Bradley
Prix du grand roman d'évasion 1986
Plus qu'un roman historique, une épopée envoûtante qui relate la lutte sans merci de deux mondes inconciliables

●

TROP BELLE OROVIDA
par Yael Guiladi
Une inoubliable histoire d'amour au temps de l'Inquisition espagnole
« Un roman hallucinant » Paul Guth
« Un roman rare » Jean Prasteau

●

LE VIEIL HOMME ET LE LOUP
par Georges Bordonove
Quand les loups hantaient encore la forêt de Brocéliande..
Tirée d'une authentique histoire, l'aventure sublime d'un vieux veneur entraîné dans une chasse mémorable.

●

LA REINE DE PAILLE
par Jacques Ph. Giboury
Pour sauver Marie-Antoinette, reine de France, un gentilhomme vendéen se jette à corps perdu dans la tourmente révolutionnaire.

●

LES ROSES ROUGES DU MEXIQUE
par Kurt Palka
Dans le sillage de la troublante et énigmatique princesse Charlotte, devenue par la volonté éphémère de la France, impératrice du Mexique en 1864...

●

L'HOMME AU CHEVAL GRIS
par Frédéric Hulot
Prix Jules Vernes 1984
L'irrésistible ascension d'un jeune paysan d'Auvergne appelé aux plus hautes destinées aux grandes heures de la Révolution et de l'Empire.

●

AGNÈS, PRINCESSE DE BYZANCE
par Régine Colliot
Au temps des Croisés quand Agnès de France, sœur de Philippe-Auguste, régnait à Byzance...

●

DEMANDEZ PLUTÔT A LA MER
par Pierre Lestrade
Pourquoi le docteur Antoine Eckart pense-t-il pouvoir trouver refuge dans une île perdue du Pacifique ?
Quel indicible secret cherche-t-il à enfouir pour avoir été jusqu'à modifier son visage ?

●

SACAJAWA
par Anna Lee Waldo
Le roman vrai d'une femme exceptionnelle figure légendaire des Indiens d'Amérique.

●

LA DERNIÈRE PISTE DE SACAJAWA
par Anna Lee Waldo
Les ultimes péripéties de l'histoire de Sacajawa et de sa destinée mouvementée.